VITÓRIA

A JOVEM RAINHA

DAISY GOODWIN

VITÓRIA

A JOVEM RAINHA

Tradução de
Maria João da Rocha Afonso

EDITORIAL PRESENÇA

FICHA TÉCNICA

Título original: *Victoria*
Autora: *Daisy Goodwin*
Copyright © Daisy Goodwin Productions, 2016
Tradução © Editorial Presença, Lisboa, 2017
Tradução: *Maria João da Rocha Afonso*
Revisão: *Miguel Ferreira/Editorial Presença*
Fotografias da capa: *Getty Images (interior edifício)* e *Arcangel Images (Vitória)*
Design da capa: *Michael Storrings*
Composição, impressão e acabamento: *Multitipo — Artes Gráficas, Lda.*
1.ª edição, Lisboa, agosto, 2017
Depósito legal n.º 428 946/17

Reservados todos os direitos
para a língua portuguesa (exceto Brasil) à
EDITORIAL PRESENÇA
Estrada das Palmeiras, 59
Queluz de Baixo
2730-132 Barcarena
info@presenca.pt
www.presenca.pt

Para Ottilie e Lydia,
Mentora e Musa

PRÓLOGO

Palácio de Kensington, setembro de 1835

Uma nesga de luz da madrugada incidiu numa racha no canto do teto. Ontem parecia um par de óculos, mas durante a noite uma aranha bordara a fissura, preenchendo os espaços vazios, pelo que agora pensou que fazia lembrar uma coroa. Não a coroa que o tio usava, que lhe parecera pesada e desconfortável, mas uma coroa do tipo que uma rainha poderia usar — rendada, delicada, mas, ainda assim, forte. Bem vistas as coisas, a sua cabeça, como a Mamã e *sir* John nunca deixavam de insistir, era extremamente pequena; quando chegasse a hora, e não restavam agora dúvidas de que chegaria, iria necessitar de uma coroa que lhe servisse.

Da cama grande chegou um ronco. «*Nein, nein*», gritava a mãe, lutando com os demónios do seu sono. Quando se tornasse rainha, faria questão de ter um quarto só seu. A Mãe iria chorar, claro, e dizer que estava apenas a tentar proteger a sua preciosa Drina, mas manter-se-ia firme. Imaginava-se a dizer:

— Enquanto rainha, tenho a Guarda Real para me proteger, Mamã. Imagino que estarei perfeitamente a salvo no meu próprio quarto.

Um dia, seria rainha; sabia-o agora. O seu tio rei era velho, tinha uma saúde débil e era claramente demasiado tarde para a esposa, a rainha Adelaide, lhe dar um herdeiro para o trono. Mas Vitória — como se chamava a si própria apesar de a mãe e toda a gente lhe chamar Alexandrina, ou, ainda pior, Drina, um diminutivo que considerava depreciativo e não carinhoso — não sabia

9

quando tal aconteceria. Se o rei morresse antes de ela atingir a maioridade, dentro de dois anos, era muitíssimo provável que a mãe, a duquesa de Kent, fosse nomeada regente, e que *sir* John Conroy, o seu amigo especial, estivesse a seu lado. Vitória olhou para o teto; Conroy era como a aranha — tecera a sua teia sobre o Palácio —, a mãe ficara presa rapidamente, mas, pensou Vitória, ela nunca se deixaria apanhar.

Vitória sentiu um arrepio, apesar de estar uma manhã quente de junho. Todas as semanas, na igreja, rezava pela saúde do seu tio rei, e na sua cabeça juntava sempre uma pequena nota ao Todo-Poderoso pedindo que, se decidisse levar Sua Majestade William IV para o Seu seio, por favor, não se importaria de esperar até depois do seu décimo oitavo aniversário?

Vitória não tinha uma ideia muito clara do que implicava ser rainha. Tivera aulas de História com a sua precetora Lehzen e lições sobre a Constituição com o deão de Westminster, mas ninguém lhe conseguira dizer o que uma rainha fazia, de facto, durante o dia todo. O seu tio rei parecia passar a maior parte do seu tempo a inalar rapé e a queixar-se do que chamava os «Malditos Liberais». Vitória apenas o vira usar a coroa uma vez e porque lhe pedira para a pôr para ela ver. Ele contou-lhe que a usava para a abertura do Parlamento e perguntou-lhe se queria ir com ele. Vitória respondeu que gostaria muito, mas a mãe declarara que ela era demasiado jovem. Mais tarde, Vitória ouvira a Mãe a falar do assunto com *sir* John; estivera a ver um álbum de aguarelas atrás do sofá e eles não tinham reparado nela.

— Como se eu permitisse que a Drina fosse vista em público com aquele velho horroroso — dissera a mãe, zangada.

— Quanto mais depressa ele beber até morrer, melhor — retorquira *sir* John. — Este país precisa de um monarca, não de um bobo.

A duquesa suspirara.

— Pobrezinha da Drina. É demasiado jovem para tanta responsabilidade.

Sir John pousara a mão no braço da mãe dela e dissera:

— Mas não estará a governar sozinha. A senhora e eu garantiremos que ela não faz nada disparatado. Estará em boas mãos.

A mãe fizera um requebro como sempre acontecia quando *sir* John lhe tocava.

— A minha pobre filha sem pai, que sorte a dela em tê-lo a si, um homem que a apoiará em tudo.

Vitória ouviu uns passos no vestíbulo. Normalmente tinha de ficar na cama até a mãe acordar, mas hoje iam até Ramsgate respirar o ar do mar e tinham de sair às nove horas. Estava tão ansiosa pela partida! Pelo menos em Ramsgate poderia olhar pela janela e ver gente real. Aqui, em Kensington, nunca via ninguém. Nesta altura, a maior parte das raparigas da sua idade já teria sido apresentada à sociedade, mas a mãe e *sir* John diziam que era demasiado perigoso para ela conviver com pessoas da sua idade.

— A sua reputação é preciosa — *Sir* John estava sempre a dizer. — Uma vez perdida, foi-se para sempre. Uma rapariga assim jovem tem tendência a cometer erros. É melhor não ter oportunidade para tal.

Vitória não dissera nada. Havia muito que aprendera que era inútil protestar. A voz de Conroy soava sempre mais alto do que a sua e a mãe apoiava-o sempre. Só lhe restava esperar.

Como de costume, a duquesa demorou muito tempo a vestir-se. Vitória e Lehzen estavam já sentadas na carruagem quando a mãe surgiu com Conroy e a sua dama de companhia, *lady* Flora Hastings. Vitória viu os três juntos na escadaria, a rir de qualquer coisa. Pela forma como olharam para a carruagem, Vitória soube que estavam a falar de si. Depois a duquesa disse algo a *lady* Flora, que desceu os degraus em direção à carruagem.

— Bom dia, Vossa Alteza Real, baronesa — *Lady* Flora, uma mulher com o cabelo cor de areia na casa dos vinte que trazia sempre uma Bíblia no bolso, subiu para a carruagem. — A duquesa pediu-me que as acompanhasse, a si e à baronesa, até Ramsgate. — *Lady* Flora sorriu, expondo as gengivas. — E pensei que seria uma oportunidade para revermos alguns pontos de protocolo. Quando o meu irmão veio visitar-nos, no outro dia, reparei que se lhe referiu como Vossa Graça. Mas devia saber que só aos duques é que se chama Vossa Graça. Um mero marquês como o meu irmão — aqui as gengivas tornaram-se mais proeminentes — não tem direito a um tratamento tão honroso. Claro que ele ficou encantado, não há marquês que não queira ser duque, mas pensei que era meu dever informá-la do seu erro. É uma coisa pequena, bem sei, mas estes pormenores são tão importantes, estou certa de que concordará.

Vitória não respondeu, mas olhou de relance para Lehzen que, claramente, estava a ressentir-se tanto da intrusão de *lady* Flora como ela. *Lady* Flora inclinou-se para a frente.

— É claro, baronesa, que tem sido uma precetora exemplar, mas há *nuances* que, sendo alemã, não é de esperar que compreenda.

Reparando num ligeiro tremor no queixo de Lehzen, Vitória declarou:

— Acho que estou com uma dor de cabeça. Penso que vou tentar dormir na carruagem.

Flora anuiu, se bem que claramente irritada por não dispor de mais oportunidades para apontar as falhas de Vitória e de Lehzen. Olhando para o seu rosto macilento e desapontado, Vitória fechou os olhos, aliviada. Enquanto dormitava, perguntou-se, não pela primeira vez, por que razão a mãe escolhia sempre partilhar a carruagem com *sir* John e nunca com ela.

Apesar de a sua dor de cabeça não passar de um embuste para se ver livre das insuportáveis lições de *lady* Flora, Vitória começou a sentir-se genuinamente mal no segundo dia da visita a Ramsgate. Quando acordou, a garganta doía-lhe tanto que mal conseguia engolir.

Aproximou-se da cama da mãe. A duquesa encontrava-se profundamente adormecida e Vitória teve de lhe dar um safanão forte no ombro para que abrisse os olhos:

— *Was ist los*,[1] Drina? — perguntou, aborrecida. — Porque está a acordar-me? É ainda tão cedo.

— Dói-me a garganta, Mamã, e tenho uma grande dor de cabeça. Talvez precise de ser vista por um médico.

A duquesa suspirou, sentou-se na cama, e pôs a mão na testa de Vitória. A mão encostada à sua pele era fresca e suave.

---

[1] «O que se passa?» Em alemão, no original. (*NT*)

Vitória apoiou-se nela, num súbito desejo de se deitar e pousar a cabeça no ombro da mãe. Talvez a mãe a deixasse entrar na sua cama.

— *Ach*, está normal. Exagera sempre, Drina. — A duquesa tornou a pousar a sua cabeça cheia de papelotes na almofada e retomou o sono interrompido.

Quando Lehzen viu o esgar de Vitória ao tentar engolir o chá à mesa do pequeno-almoço, aproximou-se de imediato.

— Que se passa, Alteza, não se sente bem?

— Dói-me quando engulo, Lehzen. — Apesar de o grande prazer dos dias passados em Ramsgate ser passear ao longo da costa a ver o mar e os vestidos das outras senhoras, com o seu *spaniel*, *Dash*, a correr à volta dos seus pés, hoje Vitória só queria ficar deitada num quarto fresco e escuro.

Desta vez, foi Lehzen quem levou a mão à testa de Vitória. Estava mais quente do que a da mãe e não era tão macia, mas era reconfortante. A precetora franziu a testa, fez uma festa na face de Vitória e foi ter com a duquesa, que bebia café a uma mesa perto da janela, acompanhada de *sir* John e *lady* Flora.

— Penso, Alteza, que devíamos chamar o doutor Clark e pedir-lhe que venha de Londres. Temo que a princesa não esteja bem.

— Oh, Lehzen, está sempre a arranjar confusões. Eu própria pus a mão na testa da Drina hoje de manhã e estava tudo bem.

— Pedir ao médico real que se desloque de Londres — declarou Conroy — iria causar grande alarme. Não queremos que as pessoas pensem que a princesa tem uma saúde delicada. Se, de facto, a princesa não está bem, e tenho que dizer que me parece perfeitamente saudável, então deveríamos consultar um médico local.

Lehzen deu um passo na direção de Conroy e afirmou:

— Estou a dizer-lhe, *sir* John, que a princesa tem de ser vista por um bom médico. O que interessa o que as pessoas pensam quando a sua saúde corre perigo?

A duquesa ergueu as mãos ao céu e disse, com o seu forte sotaque alemão:

— Oh, baronesa, como sempre, exagera. Não passa de uma constipação de verão e não há qualquer necessidade de fazer todo este espalhafato.

Lehzen estava prestes a protestar de novo quando a duquesa levantou uma mão para a deter.

— Penso, baronesa, que sei o que é melhor para a minha filha.

Conroy anuiu e disse, no seu tom de barítono confiante:

— A duquesa tem razão. Como bem sabemos, a princesa tem uma certa tendência para fingir que está doente.

Vitória não ouviu a resposta de Lehzen, porque foi assaltada por uma tontura e deu consigo a tombar no chão.

Acordou num quarto imerso na penumbra. Mas não estava fresco; na realidade, sentia-se tão quente que pensou que estava a derreter. Ela deve ter feito algum ruído porque Lehzen estava ao seu lado, a pôr uma toalha fria nas suas faces e testa.

— Sinto-me tão quente, Lehzen.

— É a febre, mas vai passar.

— Onde está a Mamã?

Lehzen suspirou.

— Está aí não tarda, *Liebes*[2], tenho a certeza.

Vitória fechou os olhos e mergulhou de novo no seu agitado sono febril.

A certa altura desse longo dia, Vitória recuperou a consciência e sentiu o aroma da água de alfazema que a mãe usava sempre. Tentou chamá-la, mas a sua voz não passava de um som rouco. Quando abriu os olhos, o quarto continuava escuro e não conseguiu ver nada. Foi então que ouviu a mãe falar:

— Pobrezinha da Drina, tem estado tão doente. Espero que não afete o seu aspeto.

— O doutor Clark diz que ela é forte e vai recuperar — respondeu Conroy.

— Se lhe acontecesse alguma coisa, a minha vida estaria acabada! Teria de voltar para Coburgo.

— Quando a febre passar, penso que deveríamos fazer alguns planos para o futuro. Se eu me tornasse no seu secretário particular, tal significaria que não poderia haver... disparates.

---

[2] «Querida.» Em alemão, no original. (*NT*)

Vitória ouviu a mãe dizer:

— Estimado *Sir* John. Orientará Vitória como sempre me orientou a mim. — Vitória escutou um suspiro, em seguida um ruge--ruge e depois, Conroy, num tom mais baixo:

— Orientá-la-emos juntos.

— Sempre.

Vitória virou a cara para procurar uma zona mais fresca na almofada e desapareceu nos seus sonhos febris.

Quando tornou a abrir os olhos, havia luz a entrar pela janela e o rosto ansioso de Lehzen inclinava-se sobre ela.

— Como se sente, Alteza?

Vitória sorriu.

— Melhor, acho.

Sentiu uma mão tomar-lhe o pulso e viu o Dr. Clark ao lado da sua cama.

— O pulso está muito mais forte hoje. Penso que a princesa já pode tomar algum alimento, um pouco de caldo ou canja.

— Certamente, doutor, vou já tratar disso — Lehzen aproximava-se da porta quando a duquesa entrou, apressada, com o cabelo arranjado em intrincados canudos de cada lado do rosto.

— Drina! Tenho estado tão preocupada. — Olhou para o Dr. Clark. — Posso tocar-lhe, doutor?

O médico fez uma vénia.

— Agora que a febre passou, não existe qualquer risco de contágio, Alteza.

A duquesa sentou-se na cama e começou a fazer festas no rosto de Vitória.

— Está tão pálida e magra, mas vai recuperar o ar saudável. Vamos cuidar muito bem de si.

Vitória tentou sorrir, mas o esforço era demasiado. Achou que a mãe estava com muito bom aspeto naquela manhã. Envergava um vestido de seda às riscas que Vitória ainda não conhecia e tinha duas lágrimas de diamante a baloiçar nas orelhas.

— Graças a Deus que lhe pedi que viesse de Londres, doutor Clark — declarou a duquesa. — Quem sabe o que poderia ter acontecido se assim não fosse?

— Penso que a princesa contraiu tifo, que pode ser fatal, mas estou certo de que com os cuidados certos, sua Alteza Real terá uma recuperação completa.

Lehzen regressou, trazendo uma tijela de caldo. Sentou-se no outro lado da cama e começou a dá-lo, às colheres, a Vitória.

— Muito obrigada, Lehzen, mas eu dou de comer à minha filha. — A duquesa tirou a colher e a tijela das mãos da baronesa. Vitória ficou a ver Lehzen recuar para o fundo do quarto.

A mãe encostou a colher aos lábios de Vitória e ela deixou o caldo escorrer-lhe pela garganta.

— E agora outra, *Liebes*.

Obediente, Vitória abriu a boca.

Uma tábua do chão estalou alto quando Conroy entrou no quarto.

— Que cena comovente! A mãe dedicada a tratar da filha para lhe devolver a saúde.

Vitória fechou a boca.

— Só mais um bocadinho, *Liebes* — disse a mãe, mas Vitória abanou a cabeça.

Conroy agigantava-se à sua frente, de pé atrás da sua mãe.

— Tenho de felicitá-la pela sua recuperação, Vossa Alteza Real. Graças a Deus, herdou a constituição robusta de sua mãe.

A duquesa sorriu.

— A Drina é uma verdadeira Coburgo.

Conroy mostrou os dentes a Vitória, num sorriso.

— Mas agora que está a caminho da recuperação, há um assunto que temos de tratar. Ao contrário de si, o rei não é muito robusto, e é vital que estejamos preparados para o que aí vem.

Meteu a mão dentro do casaco e retirou um papel completamente escrito.

— Preparei um documento designando-me seu secretário particular. A vossa mãe e eu pensamos que é a melhor forma de garantir que estará protegida quando chegar a hora de subir ao trono.

— Sim, Drina, sendo tão jovem e frágil, *Sir* John será o seu amparo.

Do sítio onde estava, Vitória conseguia ver a mão de Conroy pousada no ombro da mãe e o rubor que se espalhava nas faces dela.

Conroy pousou o papel na cama ao lado da mão dela e pegou numa pena e num tinteiro que tirou da escrivaninha perto da janela.

— É tudo muito fácil. — Conroy estava de pé, ao lado da cama, com a pena e a tinta. — Depois de assinar o papel, eu tratarei de tudo.

— Tem tanta sorte, Drina, em ter alguém que sempre protegerá os seus interesses — afirmou a duquesa.

Conroy inclinou-se com a pena na mão e, no seu hálito, Vitória cheirou a ambição. Olhou para aqueles olhos escuros e abanou a cabeça.

Conroy fixou os olhos nela, com um pequeno músculo a fremir ao canto da boca.

— Estou ansioso por vos servir com tanta fidelidade como tenho servido a vossa mãe.

Vitória tornou a abanar a cabeça. Conroy olhou para a duquesa, que pousou a mão sobre a da filha.

— Só queremos fazer o que é melhor para si, *Liebes*. Protegê-la dos seus tios tão malvados. Aquele horrível Cumberland fará tudo para a impedir de ser rainha.

Vitória tentou sentar-se, mas o seu corpo traiu-a e ela sentiu lágrimas de frustração assomarem-lhe aos olhos. Viu que Lehzen se inclinava para a frente, com as mãos enclavinhadas uma na outra e os olhos a chispar de fúria para Conroy. A raiva da precetora infundiu coragem a Vitória. Virou a cabeça para a mãe e disse, tão alto quanto conseguiu:

— Não, Mamã.

Os canudos da mãe tremeram.

— Oh, Drina, ainda está fraca por causa da febre. Falaremos disto mais tarde.

Sentiu Conroy forçar a pena na mão dela e pousá-la no papel.

— Certamente que poderemos acertar os pormenores mais tarde, mas primeiro tem de assinar isto.

Vitória virou-se para Conroy e declarou, com grande esforço:

— Eu... nunca... vou... assinar.

A mão de Conroy apertou-se em torno do seu pulso, ao mesmo tempo que se dobrava e lhe sussurrava ao ouvido:

— Mas deve...

Sem saber como, arranjou forças para afastar a mão. Ao fazê-lo, entornou o tinteiro, cujo conteúdo criou uma grande mancha negra na roupa da cama. A mãe guinchou, alarmada, ao mesmo tempo que se punha de pé para proteger o seu vestido novo.

— Oh, Drina, veja o que fez!

Conroy olhava para ela, furioso.

— Não vou permitir este... este comportamento. Não vou permitir.

Ergueu a mão e, por um instante, Vitória pensou que ele podia bater-lhe, mas Lehzen interpôs-se.

— Penso que a princesa está com um ar afogueado, não concorda, doutor? Talvez seja melhor verificar-lhe o pulso, não esteja a febre a voltar.

O Dr. Clark hesitou, sem o menor desejo de ofender a sua cliente, a duquesa. Contudo, pensando melhor, considerou que seria ainda pior antagonizar a herdeira ao trono e deu um passo em frente, tomando o pulso a Vitória.

— De facto, o pulso parece estar um tanto acelerado. Penso que a princesa deveria descansar agora... seria lamentável que a febre voltasse.

A duquesa olhou para Conroy, que se mantinha imóvel, com a face branca de fúria.

— Venha, *Sir* John, tornaremos a falar com a Drina quando ela estiver mais recomposta. Está demasiado doente para saber o que faz. — Tomando-lhe o braço, conduziu-o para fora do quarto, e o Dr. Clark seguiu-os de perto.

Uma vez a sós, Vitória ergueu o olhar para Lehzen, que tentava conter a mancha de tinta na roupa de cama, e sussurrou:

— Obrigada.

A baronesa dobrou-se e beijou-lhe a testa.

— Foi tão corajosa, Alteza. — Apertou a mão de Vitória. — Sei que será uma grande rainha.

Vitória sorriu antes de fechar os olhos, exausta. Ainda sentia o ténue odor a alfazema. Nunca perdoaria a sua mãe por ter permitido que Conroy a intimidasse daquela forma. Como é que a Mãe não via que a sua filha era mais importante do que aquele homem horrível? Iriam voltar com o seu papel, sabia. Mas nunca o assinaria. Todos se iriam arrepender — a Mãe, Conroy, *lady* Flora — por serem tão odiosos. Pensavam que ela era um zero, um peão que podiam manipular, mas um dia seria rainha. Nessa altura, tudo seria diferente. Se ao menos o seu tio rei vivesse até ela ter dezoito anos.

LIVRO UM

CAPÍTULO UM

Palácio de Kensington, 20 de junho de 1837

Quando abriu os olhos, Vitória viu uma ténue nesga de luz a passar pelas portadas. Escutou a respiração da mãe na cama grande do outro lado do quarto. Mas não por muito mais tempo. Em breve, pensou Vitória, teria o seu próprio quarto. Dentro de pouco tempo poderia descer as escadas sem ter de dar a mão a Lehzen; dentro de pouco tempo poderia fazer o que lhe apetecesse. Celebrara os seus dezoito anos no mês anterior, pelo que, quando o momento chegasse, ela reinaria sozinha.

Dash ergueu a cabeça e foi então que Vitória ouviu os passos apressados da sua precetora. Se Lehzen vinha aí agora, tal só podia significar uma coisa. Saiu da cama e aproximou-se da porta, abrindo-a no instante em que Lehzen levantava a mão para bater. A baronesa estava com um ar tão cómico ali, de pé, com a mão esticada, que Vitória começou aos risinhos, mas refreou-se quando viu a expressão no rosto da precetora.

— O mensageiro de Windsor está lá em baixo. Traz uma faixa negra no braço. — Lehzen baixou-se numa vénia profunda. — Vossa Majestade.

Antes de conseguir conter-se, ela sentiu um sorriso espalhar-se-lhe no rosto. Estendendo a mão, Vitória ergueu o rosto de Lehzen até si e sentiu-se comovida pela devoção que viu nos olhos castanhos preocupados da mulher mais velha.

— Minha querida Lehzen, fico tão contente por ser a primeira pessoa que me chama isso.

A precetora olhou por cima dela para a figura adormecida na cama, mas Vitória abanou a cabeça.

— Não quero acordar a Mamã já. A primeira coisa que ela irá fazer será chamar *Sir* John e depois vão começar a dizer-me o que fazer.

Os lábios de Lehzen estremeceram.

— Mas é a rainha, Drina. — Interrompeu-se, apercebendo-se do seu erro. — Quero dizer, «Majestade». Agora, não há ninguém que possa dizer-lhe o que fazer.

Vitória sorriu.

Ao fundo do corredor abriu-se uma porta e Brodie, o criado do vestíbulo, entrou a correr, abrandando para um passo mais respeitável quando viu as duas mulheres. Ao aproximar-se, Vitória reparou que ele hesitou e, depois, se empenhou em fazer uma vénia profunda. Ela teve vontade de sorrir; ele era quase tão baixo quanto ela, pelo que o gesto parecia engraçado, mas sabia que era agora seu dever manter uma expressão séria. Uma rainha podia rir, mas não dos seus súbditos.

— O arcebispo está cá — anunciou ele, acrescentando apressadamente —, Vossa Majestade. — O pequeno rosto sardento de Brodie foi invadido pelo alívio de se lhe ter dirigido corretamente.

Lehzen olhou para ele, com um ar severo.

— E não disseste a mais ninguém?

O rapaz pareceu ofendido.

— Vim diretamente ter consigo, baronesa, de acordo com as instruções. — Houve uma pequena pausa antes de Lehzen tirar uma moeda da sua bolsa e a dar ao rapaz, que correu dali para fora, esquecendo toda a pretensão de dignidade, encantado que ficara com a recompensa.

— Devia ir agora, Majestade, antes de... — Lehzen olhou de relance por cima do ombro de Vitória para o vulto na cama.

Vitória pôs um xaile por cima da camisa de noite. Não obstante preferisse ter-se vestido primeiro, sabia que quando tivesse acabado de se arranjar, o resto do pessoal da casa já estaria acordado e a mãe e *sir* John começariam com interferências. Não, iria de imediato; começaria como tencionava prosseguir.

Vitória seguiu Lehzen pela galeria dos retratos, passando pelo quadro da rainha Anne que, como Lehzen nunca deixava de lhe recordar, fora a última mulher a ocupar o trono de Inglaterra. Ao passar pela cara amuada e desiludida de Anne, teve esperança de nunca vir a ter um ar tão infeliz. Viu-se de relance no espelho. As suas faces estavam rosadas e os seus olhos azuis cintilavam de excitação. Não estava vestida como uma rainha, de camisa de noite e com o cabelo solto sobre os ombros, mas achou que, naquele dia, parecia uma rainha.

Quando chegaram ao alto da grande escadaria, Lehzen estendeu a mão como sempre fazia.

Vitória inspirou profundamente.

— Muito obrigada, Lehzen, mas consigo descer sozinha.

A surpresa e a preocupação cruzaram fugazmente o rosto da outra mulher.

— Sabe que a sua mãe me disse que devo estar sempre aqui, não se dê o caso de cair.

Vitória ergueu o olhar para ela.

— Sou perfeitamente capaz de descer as escadas sem ter um acidente.

Lehzen teve vontade de protestar, mas vendo a expressão no olhar de Vitória, cedeu.

Vitória começou a descer as escadas e disse, olhando por cima do ombro:

— As coisas não podem continuar a ser como eram, Lehzen. Agora que sou a rainha.

Lehzen deteve-se, com o pé pairando sobre o degrau, como se imobilizado no ar. As suas palavras foram lentas e doridas.

— Imagino que já não vá necessitar de uma precetora. Talvez tenha chegado a hora de eu regressar a casa, a Hanover.

Vitória estendeu a mão e a sua expressão suavizou-se:

— Oh, Lehzen, não era isso o que eu queria dizer. Não quero que vá a lado nenhum. Só porque decidi descer as escadas sozinha, isso não significa que não a queira a meu lado.

Lehzen agarrou na mão de Vitória e a cor começou a regressar-lhe às faces.

— Nunca desejarei abandoná-la, Majestade. O meu único desejo é servir-vos.

— E assim será, Lehzen. Mas já não preciso que me ajude a descer as escadas. — Vitória olhou para o cimo das escadas, para onde a mãe ainda dormia. — Essa parte da minha vida terminou.

Lehzen anuiu, compreendendo.

— E pode dizer aos criados que me mudo para o quarto da Rainha Mary esta noite. Acho que é tempo de ter um quarto só meu, não concorda?

Lehzen sorriu.

— Sim, Majestade. Penso que uma rainha não dorme numa pequena cama ao lado da cama da mãe.

*

Ao fundo das escadas, fez uma pausa. O arcebispo e o camareiro-mor encontravam-se por trás da porta da biblioteca. Há tanto tempo que esperava por este momento, e agora que chegara, tinha de lutar contra um súbito impulso de fugir para o conforto da sua sala de estudo.

Nunca antes estivera sozinha numa sala com um homem, muito menos um arcebispo. Depois ouviu o barulho das patas de *Dash*, que vinha a descer a escadaria de madeira. Ele sentou-se aos seus pés, a olhar para ela expectante. Ele, pelo menos, estava pronto para a aventura que tinha pela frente. Vitória engoliu o seu medo e caminhou em direção à porta. Era a rainha, agora.

Os dois homens grisalhos fizeram uma vénia quando ela entrou na biblioteca e Vitória ouviu o som do joelho do arcebispo a estalar quando ele se ajoelhou para lhe beijar a mão.

— Lamento informar-vos que o vosso tio, o Rei, faleceu às 2h34 desta madrugada — disse o arcebispo. — A Rainha Adelaide estava junto dele.

Vitória ergueu os olhos para os dois rostos com bigodes que pairavam acima de si.

— O meu pobre e estimado tio. Que Deus tenha piedade da sua alma.

Ambos os homens curvaram as cabeças. Vitória perguntou-se o que deveria dizer a seguir, mas os seus pensamentos foram interrompidos pela sensação de uma pequena língua a lamber-lhe o pé. *Dash* estava a tentar chamar-lhe a atenção. Mordeu o lábio.

— O último desejo do rei foi confiar a Rainha Adelaide ao vosso cuidado. — O camareiro-mor baixou os olhos para *Dash* e pestanejou. Vitória conhecia aquele olhar, que vira já muitas vezes antes; era a expressão usada por um homem que sentia que o que fazia estava abaixo da sua dignidade. O lugar que lhe era apropriado, dizia, consistia em lidar com os grandes assuntos de Estado, não em levar recados a uma rapariguinha e ao seu cão.

Vitória puxou os ombros para trás e espetou o queixo no ar para aumentar a sua estatura de um metro e meio até uns bons um metro e cinquenta e dois — quem lhe dera ter mais uns centímetros! Era invulgarmente difícil ser-se régia quando toda a gente conseguia ver-lhe o topo da cabeça. Mas, pensou para si própria, a sua altura não importava. Pensou um instante e decidiu usar a frase que uma vez escutara ao seu tio rei e que, desde então, desejava usar:

— Obrigada, arcebispo, camareiro-mor. Tendes a minha permissão para vos retirardes.

Manteve o rosto tão inexpressivo quanto conseguiu enquanto os dois homens se curvavam e caminhavam às arrecuas até sairem da sala. Havia algo de irresistivelmente cómico na visão daqueles dois senhores a retirarem-se como se puxados por fios invisíveis, mas sabia que não devia rir-se. Ser rainha conferia-lhe o direito de dispensar as pessoas, mas não de as ridicularizar. Todos os monarcas precisavam de dignidade. Lembrou-se do quão embaraçada se sentira quando o seu tio começara a cantar uma canção sobre um marinheiro embriagado a meio de um banquete de Estado. Ele próprio estava bastante embriagado, pensara, e enquanto cantava haviam-se formado pequenos fios de saliva ao canto da boca. Ela percorrera a mesa com o olhar para observar as faces dos cortesãos e ver como reagiam, mas com exceção de um homem, todos mantiveram expressões neutras e impassíveis como se nada de extraordinário se passasse. O único sinal de que alguém reparara nos disparates ébrios do rei viera de um jovem lacaio cujos ombros tremiam com o riso até um colega mais velho lhe dar uma cotovelada para que parasse. Nessa altura decidira que nunca nada disto aconteceria quando fosse rainha. A ideia de que os seus cortesãos poderiam estar a rir-se dela por trás daqueles rostos impassíveis era insuportável.

Vitória olhou à sua volta, mas como não havia ninguém à vista, agarrou a bainha da camisa de noite e subiu as escadas a correr, com *Dash* a ladrar nos seus calcanhares. Correr era proibido à luz do Sistema de Kensington, o sistema de regras estabelecido pela sua mãe e Conroy para governar todos os aspetos da sua existência. Subir as escadas a correr teria sido impensável ainda no dia anterior, mas hoje podia fazer o que lhe aprouvesse.

Jenkins, a sua criada de quarto, aguardava-a. O vestido de seda preto, o que fora encomendado na semana anterior quando se tornara óbvio que o rei não iria recuperar da sua doença, estava estendido na *chaise longue*. Jenkins quisera encomendar vários vestidos, mas *sir* John declarara que se tratava de uma despesa inútil. Aí estava outra coisa a mudar, agora que era rainha.

Jenkins olhava-a com curiosidade. Vitória tomou consciência de que tinha os punhos cerrados.

— Tens de encomendar o resto da minha roupa de luto agora, Jenkins. Não vejo razões para mais demoras.

— Sim, Majestade. — A face redonda de Jenkins ficou dividida pela amplitude do seu sorriso.

Vitória levantou os braços e a criada passou o vestido negro por cima da sua cabeça. Virou-se para se encarar no espelho de corpo inteiro. O vestido de seda negro com as suas mangas armadas era muito diferente dos vestidos de musselina simples, em cores pastel, que a mãe determinara serem adequados. O vestido de luto fazia-a parecer mais velha, e as mangas nervuradas conferiam uma definição à sua silhueta que considerou agradável. Alisou as pregas de seda na cintura.

Ao escutar um som algures entre um suspiro e um arquejo, Vitória virou-se, deparando-se com Lehzen de pé atrás de si.

— Oh... perdoe-me... Majestade. Não estou habituada a vê-la de preto, parece tão... adulta.

Vitória sorriu a Lehzen.

— Que bom. Já é tempo de as pessoas deixarem de me ver como uma rapariguinha.

A porta do quarto foi aberta com força. A duquesa de Kent entrou de rompante, com o cabelo ainda enrolado nos papelotes e o xaile de *paisley* a adejar em seu redor.

— *Mein Kind*,[3] onde foste? — O tom de voz da duquesa era, como sempre, reprovador. Mas foi então que Vitória viu a mãe tomar consciência do vestido negro, e observou a sua expressão passar da ofensa ao choque.

— *Der König?*[4]

Vitória assentiu. A mãe envolveu-a nos braços, e ela permitiu-se descontrair naquele abraço a cheirar a alfazema.

— *Mein kleines Mädchen ist die Kaiserin.*[5]

Vitória afastou-se.

— Acabou-se o alemão, Mamã. Agora é mãe da Rainha de Inglaterra.

A duquesa assentiu e os papelotes abanaram. Pousou uma mão tremente na face de Vitória. Os seus olhos azul-claros estavam húmidos.

— Oh, minha pequena Drina, alguma vez lhe contei a minha viagem de Amorbach através da França quando a carregava no meu ventre? — Fez um gesto a imitar o volume de uma gravidez de oito meses.

Vitória anuiu.

— Muitas vezes, Mamã. — Mas a duquesa não estava disposta a ser interrompida.

— Era apenas uma carruagem alugada, e tão desconfortável. Mas eu vim de pernas cruzadas o tempo todo para que o meu bebé, *Liebes*, nascesse em Inglaterra. Sabia que se nascesse noutro sítio qualquer, aqueles seus tios horrorosos diriam que não era inglesa e que não poderia ser rainha. Mas aguentei-me.

---

[3] «Minha filha.» Em alemão, no original. (*NT*)
[4] «O Rei?» Em alemão, no original. (*NT*)
[5] «A minha filhinha é a Imperatriz.» Em alemão, no original. (*NT*)

A duquesa sorriu perante a sua própria façanha obstétrica. Tinha razão, claro, e Vitória sabia-o. Havia já gente suficiente que duvidava que uma rapariga de dezoito anos fosse capaz de ser uma monarca adequada, mas a ideia de uma rapariga de dezoito anos nascida na Alemanha nunca seria tolerada.

— Quem me dera que o seu pobre pai tivesse vivido para ver este dia. — A duquesa olhou para o retrato em tamanho real do falecido duque de Kent, de pé, com a mão pousada sobre um canhão, que estava pendurado atrás delas.

— Mas, Mamã, se ele não tivesse morrido quando eu era bebé, nunca me veria ser rainha agora, não é? A única razão por que sou rainha é porque ele está morto.

A duquesa abanou a cabeça, impaciente com a pedante insistência de Vitória quanto aos factos da sucessão.

— Sim, eu sei, mas sabe bem o que quero dizer, Drina. Ele ficaria tão feliz por saber que de todos os seus irmãos, seria a *sua* filha que se tornaria rainha. Pense só que se eu não fosse o que o seu pai estava sempre a chamar de uma égua de reprodução Coburgo, agora aquele monstro, o seu tio Cumberland, seria o rei. — A duquesa estremeceu teatralmente e benzeu-se.

— Bem, não é. Não de Inglaterra, de qualquer forma. Mas claro que agora é Rei de Hanover — disse Vitória. Era uma falha das leis de sucessão que, apesar de poder herdar o trono de Inglaterra, enquanto mulher estava impedida de reinar sobre o Estado alemão que fora governado em conjunto desde que o Eleitor de Hanover se tornara George I em 1713. O seu tio Cumberland, enquanto próximo herdeiro masculino, herdara o ducado alemão.

— Hanover! É, como é que se diz, uma borbulha no meio da Alemanha. Ele que vá ser rei para lá e nos deixe em paz.

Vitória deu um puxão ao corpete do vestido para o endireitar. Desde que se lembrava que a mãe tentava assustá-la com o homem a quem chamava «o seu malvado tio Cumberland». Ele era a razão por que Vitória sempre dormira no quarto da mãe, pois a duquesa acreditava que se Cumberland viesse à procura de Vitória durante a noite, ela seria capaz de interpor o seu corpo entre o assassino e a sua filha.

Vitória não tinha dificuldade em crer o tio capaz de assassínio; tinha uma aparência quase comicamente de vilão — alto e cadavérico, com uma cicatriz lívida, de um duelo, ao longo de um dos lados da cara. Quando encontraram o camareiro de Cumberland com a garganta cortada, toda a gente assumira que Cumberland fora o responsável. Ela tinha menos confiança na capacidade da mãe em defendê-la. Por muito determinada que a duquesa fosse, Vitória não acreditava que nem mesmo ela fosse capaz de afastar um homem com um metro e oitenta, empunhando uma lâmina capaz de abrir uma garganta.

A mãe estava agora a protestar.

— Porque não me acordou logo? — Olhou, acusadora, para Lehzen. — Devia ter-me dito, Baronesa.

A baronesa inclinou a cabeça, mas não disse nada. Dificilmente poderia responder que agira segundo as instruções explícitas da filha. Antes de a duquesa poder protestar ainda mais, a porta abriu-se e *sir* John entrou, postando-se, como sempre fazia, no meio do quarto como se tomasse posse de um novo e conquistado território.

A duquesa virou-se de imediato e rodopiou até junto dele.

— Oh, *Sir* John, já sabe? Aquele velho horrível morreu e a nossa pequena Drina é rainha.

Vendo a duquesa pousar a mão no braço dele, Vitória sentiu um estremecimento de repulsa percorrê-la. Porque não conseguia a Mãe ver que era indigno da sua condição de duquesa real e agora de mãe de uma rainha estar sempre a adejar em torno deste homem odioso como se fosse um cavalheiro de condição e fortuna em vez de um conselheiro pago?

Conroy falou na sua voz grave e tonitruante com o seu leve sotaque irlandês, em palavras, como sempre, pronunciadas com a mais absoluta convicção.

— A primeira coisa a decidir é o nome por que será tratada. Alexandrina é demasiado estrangeiro e Vitória dificilmente será um nome adequado a uma rainha. Pode adotar Elizabeth, talvez, ou Anne. Sim — a face comprida e atraente de Conroy estava ruborizada perante a sua proximidade ao poder —, Elizabeth II soa muito bem. Muito bem, mesmo.

Virou-se para a mulher que o seguira até dentro do quarto:

— Não concorda, *Lady* Flora?

Vitória olhava fixamente em frente. Pensava que se não olhasse para Conroy ou Flora Hastings, talvez eles percebessem que não eram bem-vindos.

Mas ouviu o ruge-ruge da reverência de *lady* Flora e o seu murmúrio:

— Ser conhecida por Elizabeth seria recordar uma grande rainha. — A insinuação não podia ter sido mais clara. Seria preciso mais do que um nome para transformar uma rapariguinha numa monarca.

A duquesa voltou-se de novo para Vitória.

— O Arcebispo já chegou? Vou vestir-me e depois podemos ir recebê-lo juntas.

Vitória virou o rosto para ela. Sentiu o coração aos saltos enquanto dizia numa voz mais corajosa do que se sentia:

— Obrigada, Mamã, mas não será necessário. O arcebispo e o camareiro-mor vieram cá muito cedo. Já me beijaram a mão.

A duquesa olhou para ela, horrorizada.

— Recebeu-os sozinha! Mas Drina! Em que estava a pensar?

Vitória fez uma pausa antes de responder, num tom tão neutro quanto conseguiu:

— Há um mês, no meu décimo oitavo aniversário, fiquei com idade suficiente para ser rainha e, portanto, suficientemente capaz de receber os meus ministros sozinha.

A duquesa olhou, como sempre fazia em momentos de aflição, para Conroy. Vitória ficou contente por verificar que ele estava a ganhar um ligeiro estremecimento no olho esquerdo.

Ouviu-se uma pancada quando Conroy bateu com a sua bengala com castão em prata com força no chão de madeira:

— Isto não é um jogo! No futuro — hesitou, mas conseguiu que os seus lábios se conformassem ao novo título dela —, Majestade, deverá ser sempre acompanhada pela vossa mãe ou por mim. Não pode fazer isto sozinha.

Vitória não conseguiu evitar recuar um passo quando ele se agigantou na direção dela. Mas disse a si mesma que não havia razão para estar assustada: já não havia nada que ele lhe pudesse fazer. Junto aos seus pés, *Dash* rosnava.

Dobrou-se e pegou no *spaniel*.

— Oh, não se preocupe, *Sir* John, não tenho a menor intenção de ficar sozinha. — Ignorando a face implorativa da mãe, virou-se para ele e encarou-o, olhos nos olhos. — Como vê, tenho o *Dash*.

E, sendo a discrição a melhor parte da coragem, saiu do quarto, apertando *Dash* com força, nos braços. Correu pelo corredor fora parando depois com o som da bengala de Conroy a bater no chão ainda a ressoar dentro da sua cabeça. Sabia que já não havia nada de que ter medo, mas, ainda assim, o ato de o desafiar deixara-a sem fôlego.

CAPÍTULO DOIS

Os cortinados da cama eram de brocado escuro entretecido com prata; estavam pesados do pó como se se tivessem mantido imperturbáveis desde a morte da última ocupante da cama, a rainha Mary, morta pela varíola, algures durante o final do século XVII. A rainha Stuart fora sempre uma preferida de Vitória. Fora a única rainha por direito próprio a habitar o Palácio de Kensington, apesar de, claro, não ter reinado sozinha, mas numa monarquia dupla com o marido, William de Orange.

Sentada na cama, no quarto que outrora pertencera à rainha Mary, perguntou-se se a há muito falecida rainha se sentira tão nervosa quanto ela naquele instante. Esperara tanto por este momento. Imaginara com grande pormenor a satisfação que sentiria por, finalmente, poder pôr Conroy no seu lugar. Mas em vez de triunfo sentia-se instável, como se, de certa forma, desafiar Conroy tivesse minado os seus próprios alicerces. Foi então que se lembrou do momento, em Ramsgate, em que Conroy tentara forçá-la a assinar aquele papel que faria dele seu secretário particular.

Vitória recostou-se na cama da rainha Mary, e o seu movimento levantou uma nuvem de pó. Sentou-se de imediato; sentia um espirro iminente, uma comichão nos olhos. Tudo em Kensington era poeirento e irritante. O quarto teria de ser limpo de cima a baixo e arejado antes de ela poder dormir ali.

Olhou para o canto do quarto, onde *Dash* farejava algo, cheio de suspeitas. Levantou-se e chamou por Lehzen, que apareceu tão depressa que devia ter estado do lado de fora da porta, à espera.

— Trate de garantir que este quarto seja devidamente arejado. Parece-me que não é limpo desde o século XVII.

Lehzen hesitou.

— Claro, Majestade, mas a gestão desta casa não é da minha competência.

Vitória retorquiu:

— Esquece-se, Lehzen, de que o Palácio de Kensington é meu agora e eu decidi que se deveria encarregar dele. Veja este quarto! Há caganitas de rato por todo o lado. Numa casa bem governada, isto nunca aconteceria.

Lehzen anuiu, concordando.

— Temo que *Sir* John não esteja preocupado com limpezas. Os criados sabem-no e não executam os seus deveres com a diligência devida.

— Bem, Lehzen, estou certa de que mudará isso tudo, quando estiver encarregada de governar a casa. Bem vistas as coisas, é uma excelente professora.

Lehzen juntou as mãos, satisfeita.

— Creio que *Sir* John não vai ficar agradado com esta mudança de governo da casa.

Vitória devolveu-lhe o sorriso.

— Não, imagino que não. Mas já não tenho qualquer obrigação de agradar a *Sir* John. Ele controla a casa da minha mãe, não a minha.

— Sim, Majestade.

— Agora, tudo vai ser diferente.

As duas mulheres sorriram uma para a outra.

Vitória aproximou-se da janela e olhou para as copas verdes das árvores do parque por trás do jardim formal.

— Para começar, não tenciono ficar aqui, em Kensington. Está a quilómetros de tudo e é totalmente inadequado enquanto residência real.

Lehzen olhou-a surpreendida. Vitória prosseguiu:

— Penso que vou considerar a Casa de Buckingham. Pelo menos fica no centro da cidade e creio que tem uma sala do trono.

Lehzen assentiu.

35

— Ouvi dizer que o vosso tio, o Rei George, a decorou de forma muito extravagante.

— É melhor um pouco de extravagância do que viver num ninho de ratos cheio de pó, no meio do campo! — Vitória deu um puxão a uma das cortinas para dar ênfase ao que dizia e esta desfez--se em farrapos. Começou a rir e, ao fim de um bocado, Lehzen acompanhou-a.

Estavam ainda a rir quando a duquesa as encontrou. Vinha vestida de negro, uma vez que a corte vivia agora o período oficial de luto pelo rei, mas o seu vestido era feito de uma seda negra ricamente lavrada. Trazia diamantes no cabelo, penteado de forma elaborada. Aos quarenta e sete anos, a duquesa era uma mulher atraente, com uns grandes olhos azul-claros e tez rosada, apenas prejudicada pelo trejeito amuado da boca.

— *Warum lachst du?*[6] O que é tão divertido?

Vitória mostrou o bocado de cortina a desfazer-se. A duquesa franziu a testa.

— Mas porque é que isso lhe dá vontade rir, Drina? Não tem graça nenhuma, acho.

— Pus-lhe a mão e a cortina caiu em pedaços. Foi muito cómico. — Vitória viu a incompreensão refletida nos olhos da mãe.

— Mas, seja como for, porque está aqui, Drina? De certeza que tem assuntos mais urgentes a que dar atenção do que explorar o palácio.

Vitória inspirou profundamente.

— Decidi fazer deste o meu quarto, Mamã. Pertenceu a uma rainha reinante, como eu, pelo que penso ser adequado.

A mão da duquesa voou-lhe até à boca.

— Mas Drina, minha *Liebes*, dormiu ao meu lado desde que era um bebezinho. Pergunto-me como é que se vai arranjar se eu não estiver junto de si durante a noite, para a confortar quando tiver um *Alptraum*.[7] — A duquesa parecia tão perturbada que Vitória quase teve pena dela.

---

[6] «Porque te ris?» Em alemão no original. (*NT*)
[7] «Pesadelo.» Em alemão no original. (*NT*)

— Tomou muito bem conta de mim, Mamã. Eu sei. Mas agora as coisas são diferentes.

— Mas se o seu tio Cumberland vier para a atacar durante a noite, como poderei protegê-la?

Vitória riu-se e, pelo canto do olho, viu Lehzen sorrir.

— Penso que, agora, o dever de me proteger cabe à Guarda Real[8]. Pode parar de se preocupar, Mamã. Não há nada que o tio Cumberland me possa fazer, a menos que queira ser preso por traição.

A duquesa abanou a cabeça e, inclinando-a para um lado, tentou outra estratégia.

— Sabia que a Rainha Mary morreu neste quarto, deitada nessa cama? Conhecendo esta história, eu não ficaria feliz por dormir aqui. — Encolheu os ombros e os cantos da sua boca reviraram-se-lhe para baixo.

Vitória não sabia que a sua antepassada morrera, bem como vivera, naquele quarto, mas, pensou, a mãe também não. A duquesa era perfeitamente capaz de inventar uma história se tal servisse os seus intentos.

— Penso, Mamã, que assim que este quarto tenha sido devidamente limpo e arejado, não serei incomodada pela sua história.

A duquesa ergueu as mãos ao alto.

— E além disso, Mamã, não dormirei aqui por muito tempo. Tenciono mudar-me para a Casa de Buckingham assim que for possível.

A duquesa ficou espantada.

— Tem de falar com *Sir* John antes de fazer o que quer que seja. Mudar a casa real não é uma decisão que possa tomar sozinha.

— A sério, Mamã? Penso que enquanto soberana sou a única pessoa a poder decidir onde viver. E, em boa verdade, não é da conta de *Sir* John, uma vez que é a minha casa que se vai mudar, não a sua.

---

[8] *Household Cavalry*, no original, que tem por função específica proteger a rainha e acompanhá-la em ocasiões cerimoniais, bem como montar guarda aos chefes de Estado que visitem a Grã-Bretanha. (*NT*)

Para imensa surpresa e irritação de Vitória, a mãe riu-se.

— Oh, Drina, isso mostra o quão pouco sabe da maneira como o mundo funciona. Pensa mesmo que uma rapariga solteira de dezoito anos pode estabelecer uma casa só sua, mesmo sendo a rainha?

Vitória não disse nada. Sabia onde ela queria chegar.

— E pensa que vai conseguir fazer isso tudo apenas com a ajuda da Baronesa? — A duquesa olhou para Lehzen, com desagrado.

— Já não sou uma criança, Mamã.

— E, no entanto, age como se fosse. Mas compreendo que tudo isto seja um choque. Quando recuperar o juízo, teremos uma conversa sensata com *Sir* John acerca do futuro.

Antes de Vitória conseguir responder, a duquesa abandonou o quarto. Para dar vazão aos seus sentimentos, Vitória deu um pontapé num dos pés da cama, fazendo cair uma série de ornamentos comidos pelas traças.

Vitória virou-se para Lehzen.

— Por favor, torne este quarto habitável imediatamente. Não posso passar nem mais uma noite no mesmo quarto que a Mamã.

CAPÍTULO TRÊS

Vitória ergueu o olhar para o retrato do pai, em uniforme, de pé ao lado de um canhão. Não conseguia esquecer-se, mesmo que o quisesse, de que era filha de um soldado.

Virou-se e abriu uma das caixas vermelhas que estavam em cima da sua mesa. Tinham chegado nessa manhã, assim que a morte do tio fora anunciada oficialmente. Tornara-se evidente que o ofício de governar, fosse o que fosse que isso significava, tinha de prosseguir.

Vitória pegou no documento no topo da pilha e começou a ler. Parecia tratar-se da nomeação de um novo bispo em Lincoln, mas estava escrito numa linguagem tão rebuscada que Vitória não foi capaz de ter a certeza. Como esperavam que escolhesse entre os vários candidatos — nunca ouvira falar de nenhum deles. Enquanto folheava os outros documentos, começou a sentir-se ansiosa: eram intermináveis listas de oficiais à espera de comissões, um documento do Ministério dos Negócios Estrangeiros acerca do movimento de tropas no Afeganistão, um memorando do camareiro-mor acerca da pensão de viuvez da rainha Adelaide.

Vitória sentou-se, tentando não entrar em pânico. Pegou numa das bonecas espalhadas pelas cadeiras ali perto. Esta tinha posta a coroa de metal brilhante que ela própria lhe fizera muitos anos antes na sala de aula de Lehzen. Dificilmente se poderia considerar que conversar com bonecas fosse um comportamento de rainha, mas a Mãe e Conroy não gostavam que ela brincasse com outras crianças, com exceção de Jane, a horrorosa filha de Conroy, pelo que durante as longas horas solitárias da sua infância Vitória tivera de inventar as suas próprias companhias. Achava que a n.º 123 era um pouco mais velha do que ela e o tipo de amiga a quem se recorre quando se precisa de conselhos e orientação. Olhou para os olhos negros e redondos da boneca e disse:

— Como é que achas que uma rainha trata da sua correspondência, n.º 123?

— Ainda a brincar com bonecas, Alteza Real? — A voz de Conroy assustou-a. — Oh, perdoe-me, ainda a brincar com bonecas, Vossa Majestade? — repetiu Conroy, com um sorriso de malícia.

A duquesa entrou, apressada, atrás dele.

— Realmente, tem de pôr essas infantilidades de lado, agora que é rainha, Drina.

Vitória pousou a n.º 123 na mesa. Instintivamente recuou um passo, afastando-se de Conroy.

— Vi que as suas caixas chegaram... Majestade — disse Conroy. — Deve ter muitos assuntos urgentes a tratar.

Pegou no documento que Vitória tinha estado a ler.

— Ah, o bispado de Lincoln. Uma decisão bastante espinhosa. Não me parece que o Deão de Wells seja a pessoa certa; ouvi dizer que assume umas posições bastante evangélicas. Penso que deve nomear alguém que esteja mais em sintonia com...

Vitória arrancou-lhe o papel das mãos.

— Não me lembro de lhe ter dado permissão para olhar para os meus papéis, *Sir* John.

A duquesa susteve a respiração, mas Conroy limitou-se a arquear uma sobrancelha.

— Estava apenas a tentar ajudá-la, Majestade, nos seus deveres oficiais. Pensei, dado que se encontrava ocupada com outras coisas — deitou um olhar de relance à n.º 123 —, que podia beneficiar de algum apoio.

Vitória ergueu o olhar para o rosto rechonchudo e belicoso do seu pai e, com toda a coragem que conseguiu reunir, deu um passo na direção de *sir* John Conroy.

— Penso, *Sir* John, que quando precisar da sua ajuda, a pedirei!

Na sala fez-se um silêncio absoluto e, depois, Conroy riu-se.

— Pensa realmente que uma rapariga como a senhora, ignorante e mal informada, pode servir o país sem orientação? É possível que imagine que pode passar diretamente da sala de aulas para o trono? — A sua voz soou suave e virou-se para a duquesa, que lhe sorriu.

O sorriso da mãe fez com que Vitória enterrasse as unhas nas palmas das mãos, mas não cedeu.

— Estaria mais bem preparada se o senhor e a Mamã me tivessem permitido frequentar a sociedade em vez de me manterem aqui fechada em Kensington.

— Tínhamos de a proteger, Drina — declarou a mãe, abanando a cabeça.

— Sempre fizemos o que era melhor para si, Majestade. E é por isso que estamos aqui agora, para evitar que cometa erros infantis. — Conroy deixou que os seus olhos piscassem na direção das bonecas sentadas nos seus tronos minúsculos.

Vitória inspirou profundamente.

— Penso que se esquece, *Sir* John, de que sou filha do meu pai e neta de um rei. Estou determinada a servir o meu país o melhor que consiga. — Lançou um olhar à mãe. — Sabe que estou preparada, Mamã. Compreende quanto quero deixá-los orgulhosos, a si e ao querido Papá.

A mãe olhou-a durante um momento com a ternura por que Vitória ansiava, mas depois, como que assustada por um sentimento autónomo, virou-se para *sir* John, cujo sorriso se mantivera fixo durante toda esta cena.

— Os seus sentimentos são admiráveis, Majestade. Mas posso alvitrar que uma rapariga de dezoito anos serviria com mais êxito o seu país se aceitasse ajuda e orientação? A vossa mãe mais não deseja do que servir-vos e eu sugiro que, enquanto vosso secretário particular, serei capaz de vos guiar no sentido da maior glória do país sobre o qual agora reinais.

Conroy manteve a voz suave, mas Vitória viu o tique revelador no canto do seu olho esquerdo. Isto deu-lhe coragem.

— Agradeço-lhe as suas observações, mas tenho de o informar que não me lembro de o ter nomeado meu secretário particular, *Sir* John. E agora, uma vez que, como diz, tenho muitos assuntos a tratar, tem a minha permissão para se retirar.

Conroy estremeceu. Ela viu a mão dele mexer-se, como se estivesse prestes a bater-lhe, mas se bem que o soubesse perfeitamente capaz de o fazer, Vitória manteve-se firme. Manteve o olhar fixo no dele, apertando as mãos uma na outra para que ele não visse como tremiam.

O vulto de Conroy cresceu, mas Vitória não vacilou. Por fim, ele inclinou a cabeça com grande deliberação. Sem nunca deixar de a fitar, caminhou às arrecuas e saiu da sala.

Assim que ficou fora de vista, Vitória soltou o ar que tinha estado a reter com toda a força.

— Que desagradável está a ser com *Sir* John, Drina — a duquesa, em lágrimas, estava indignada —, quando tudo o que ele quer é ser seu amigo.

Vitória virou o rosto para a mãe.

— Oh não, Mamã, está enganada. Ele é seu amigo, não meu.

E antes de a mãe poder responder ou, na realidade, ver as lágrimas que ameaçavam correr, Vitória correu para fora do quarto.

CAPÍTULO QUATRO

William Lamb, o segundo visconde Melbourne e primeiro-ministro da Grã-Bretanha e Irlanda, abriu os olhos com relutância. Os seus criados tinham ordens rigorosas para não o acordarem a menos que se tratasse de uma emergência. Olhou para a cara séria do mordomo e, logo a seguir, viu o mensageiro real mesmo atrás dele. Vendo a faixa preta no braço direito do homem, sentou-se de rompante.

— O rei?

O mensageiro anuiu e estendeu-lhe o despacho.

Melbourne olhou para o mordomo.

— Café.

Cerca de uma hora mais tarde, Melbourne cavalgava por Rotten Row, a caminho do Palácio de Kensington. Teria sido mais adequado ir de carruagem, mas comera e bebera com demasiada generosidade na noite anterior e a cavalgada far-lhe-ia bem. Ganhara o hábito de se deixar adormecer no seu estúdio após a segunda garrafa de vinho, o que não contribuía para a sua boa disposição no dia seguinte. Desejou conseguir adormecer, como outrora, assim que a cabeça tocava na almofada, mas esse truque fugira-lhe juntamente com a felicidade conjugal.

— William! — Uma mulher chamou-o de uma carruagem que seguia em sentido contrário. Viu Emma Portman sentada no seu *coupé*, juntamente com o marido, que parecia, como de costume, bastante surpreendido por conseguir sentar-se sem ajuda.

Cumprimentou-os com um aceno de cabeça, mas Emma não era pessoa que se deixasse dispensar assim.

— É verdade que o rei morreu?

— É. Vou justamente a caminho do Palácio de Kensington para ir beijar a mão à nossa nova rainha.

Emma inclinou a cabeça para um lado.

— Então porquê o ar aborrecido, William? Certamente qualquer pessoa é melhor do que aquele velho palhaço, Deus tenha a sua alma em descanso.

Lorde Portman ergueu a cabeça e perguntou no seu cecear lamuriento:

— É verdade que a cabeça da rainha é demasiado grande para o corpo? Disseram-me que é por isso que a têm fechada em Kensington.

Emma abanou a cabeça, impaciente.

— Disparate, Portman, já vi a rainha e ela é perfeitamente normal. Penso que vai gostar dela, William.

Melbourne encolheu os ombros e respondeu:

— Talvez, mas a verdade, Emma, é que ao fim de oito anos estou cansado de governar. Sinceramente, preferia consultar as gralhas em Brocket Hall.

Emma bateu com o leque com força na parte lateral da carruagem.

— As gralhas vão ter de esperar. A sua rainha precisa de si, o seu país precisa de si, e há que dizer que eu gostaria muito de ter um lugar na corte.

Melbourne não foi capaz de evitar um sorriso. Conhecia Emma desde sempre e nunca soubera de uma vez em que ela não tivesse conseguido o que queria. Só uma mulher com a sua sagacidade poderia ter manobrado o necessário para conseguir um lugar no governo para o palerma do marido, mesmo sendo apenas subsecretário para as Colónias. Se Emma Portland queria juntar-se à Casa Real, nada a impediria.

— Nesse caso, Emma, vejo que não me resta escolha a não ser suportar o meu fardo. — Levou a mão ao chapéu e prosseguiu o seu caminho.

Foi uma cavalgada agradável, com o sol a refletir-se do lago Serpentine quando passou por cima da ponte. À medida que se aproximava dos jardins do palácio, as árvores foram ficando mais cerradas e ele imaginou-se por momentos o príncipe do conto de Perrault, *A Bela Adormecida*, a caminho de ir acordar uma princesa adormecida havia cem anos. Claro que a princesa, em que agora devia pensar como a rainha, por esta altura, estaria já bem acordada. A duquesa, sabia, tinha mandado pedir informações quanto ao estado de saúde do rei diariamente; sem dúvida que ela e Conroy andavam a planear este momento havia anos.

Melbourne interrogava-se sobre como a rainha, cuja pequena silhueta e feições de boneca entrevira apenas uma vez nas salas do falecido rei, iria lidar com as suas novas responsabilidades. Parecera-lhe tão jovem! Mas, como Emma afirmara, qualquer coisa seria melhor do que o último ocupante do trono. As mentes brilhantes do Brooks[9] haviam já declarado os três últimos monarcas como «um imbecil, um libertino e um palhaço». A nova rainha tinha de ser preferível ao falecido rei, com o seu praguejar desbragado e cujos hanoverianos olhos salientes pareciam, quando perdia a cabeça, ir saltar-lhe das órbitas. Não, uma jovem mulher seria uma agradável mudança, a menos que caísse na histeria quando lhe fosse pedido que fizesse algo de desagradável. Melbourne perguntou-se se teria de passar a trazer no bolso sais de cheiro, juntamente com o relógio.

Chegou aos portões do Palácio de Kensington e reparou que a tinta do ferro forjado estava a lascar. Não parecia um palácio, antes um local onde as sobras da família real podiam ser arrumadas à distância. A duquesa de Kent vivia ali desde que se tornara a obscura viúva alemã de um dos muitos filhos de George III. Agora, era a mãe da rainha.

Ninguém poderia tê-lo previsto. O duque de Kent fora um dos quatro duques reais a abandonar as respetivas amantes e a correr para a Alemanha à procura de uma noiva real após a morte da princesa Charlotte, a única neta legítima de George III, no parto. A aposta fora no então duque de Clarence, o falecido rei, que,

---

[9] Um dos clubes de cavalheiros mais antigos e prestigiados de Londres. Foi fundado em 1764 e era conhecido pelas apostas exorbitantes que aí se faziam. (*NT*)

bem vistas as coisas, fora pai de dez filhos com a senhora Jordan. Mas não teve a mesma sorte com a sua escanzelada noiva alemã, Adelaide de Saxe-Meiningen. As suas duas filhas não viveram o tempo suficiente para serem batizadas.

Todavia, Kent, o irmão que se lhe seguia, escolhera uma viúva que já tivera dois filhos. Era uma Coburgo, vulgarmente conhecidas como as éguas reprodutoras da Europa. A filha do casal, Alexandrina Vitória, chegara um ano após o casamento, prontamente seguida da morte do duque devido a uma constipação. Claro que na altura ninguém pensara que a filha do duque poderia vir a herdar o trono, mas enquanto George IV não mostrava quaisquer indícios de querer voltar a casar e os Clarence não conseguiam ter um filho que sobrevivesse, a pequena princesa de Kent tinha continuado a crescer no seu quarto de criança em Kensington.

Melbourne interrogava-se quanto ao tipo de educação que ela teria recebido. Um rapaz teria tido um tutor e, claro, uma educação formal. Mas uma rapariga, como deveria ser educada uma futura rainha? Melbourne tinha esperança de que tivesse aprendido mais do que a pintar aguarelas ou a tocar piano, ou o que quer que fosse considerado indispensável para uma dama da sua condição.

Estava um homem de pé à entrada do palácio. Uma figura alta e magra de cabelo escuro que só podia ser *sir* John Conroy, pensou Melbourne. Conhecera-o havia alguns anos, e ficara surpreendido com o quanto lhe desagradara. Houvera nele qualquer coisa de presunçoso que causara repulsa a Melbourne.

Enquanto entregava o cavalo ao cavalariço, Conroy desceu as escadas para o saudar, com um sorriso de boas-vindas estampado na sua cara comprida.

— Lorde Melbourne. — Conroy curvou a cabeça, numa saudação. — Posso dar-lhe uma palavra?

Melbourne percebeu que não tinha como escapar.

— Estou a caminho para ir saudar a rainha.

— Sim. É sobre a... rainha que lhe quero falar. Sabe, claro, que ela levou uma vida muito protegida até agora.

Melbourne reparou nas duas manchas vermelhas nas faces do outro homem. Estava claramente num estado de alguma excitação.

— Conheço muito mal a nova rainha que, como diz, pouco foi vista em sociedade.

— Enquanto escudeiro do falecido duque e, posteriormente, o conselheiro em que a duquesa mais confia, supervisionei a educação da rainha desde o seu nascimento. Fiz tudo o que estava ao meu alcance para a preparar para as responsabilidades que se apresentam agora à sua frente.

— A sério, *Sir* John? Então será talvez de lamentar que não a tenha feito frequentar um pouco mais o mundo que vai agora governar.

Sir John ergueu a cabeça e encarou Melbourne.

— A rainha é muito jovem e impressionável. A duquesa não quis que ela se... perturbasse.

Melbourne não lhe deu resposta. Pensou que era muito mais provável que a duquesa e Conroy tivessem mantido a sua pupila longe dos olhares do público para poderem mantê-la sob o seu controlo absoluto. Que infelicidade para eles que a rainha tivesse agora dezoito anos e não houvesse já necessidade de nomear um regente.

— Considero que não existe ninguém mais apropriado do que eu para o cargo de secretário particular da rainha — prosseguiu Conroy. — Ninguém sabe melhor quais são os seus pontos fortes e as suas fraquezas.

Melbourne assentiu.

— Sem dúvida. Mas creio que tal decisão cabe à rainha, não a mim.

O rosto de *sir* John abriu-se no seu sorriso sem alegria.

— A rainha nem sempre compreende o que é do seu melhor interesse, mas estou certo de que com a sua orientação ela fará a escolha certa.

— Estou certo de que sim, *Sir* John. Mas agora, se me perdoa. — Antes de *sir* John conseguir dizer mais qualquer coisa, Melbourne já subira as escadas e entrara no palácio.

CAPÍTULO CINCO

Da janela da sua sala de estar, Vitória via Conroy a conversar com um homem alto que imaginou ser lorde Melbourne. Conroy, como bem via, estava a derramar todo o encanto de que era capaz sobre o primeiro-ministro. Uma vez que o primeiro-ministro se encontrava de costas, contudo, ela não conseguia ver a sua reação.

Lehzen apareceu à porta. Tinha na cara uma expressão que Vitória não conseguiu decifrar.

— O primeiro-ministro, Lorde Melbourne, está aqui, Majestade.

— Estou pronta para o ver.

Lehzen não se mexeu. Vitória olhou para ela, surpreendida.

— Não quero fazê-lo esperar, Lehzen.

Ainda assim, a baronesa manteve-se hesitante, e depois:

— Penso que devia ficar consigo, como dama de companhia.

Vitória riu-se.

— A Rainha de Inglaterra e o seu Primeiro-Ministro não precisam de acompanhantes, Lehzen. Recebê-lo-ei sozinha, como tenciono fazer com todos os meus ministros. Agora, por favor, vá buscá-lo.

Lehzen manteve-se firme.

— Drina... Majestade, sempre tentei protegê-la destas coisas, mas realmente não posso deixá-la a sós com ele. Lorde Melbourne é... — procurou as palavras certas em inglês — tem má reputação. A esposa, *Lady* Caroline, fugiu com Lorde Byron e ele tem-se envolvido com muitas senhoras. No ano passado foi levado a tribunal por contactos ilícitos com uma tal senhora Norton. Tem de ter proteção.

Vitória, que não fazia a mínima ideia de que o seu primeiro-
-ministro gozasse de uma tal reputação, apercebeu-se de que se
sentia mais curiosa do que alarmada.

— O que são contactos ilícitos?

A baronesa titubeou:

— É um... encontro imoral, Majestade. É por isso que não deve
ficar sozinha com ele.

O rosto de Lehzen estava tão tenso de preocupação que Vitória
sentiu o desejo de estender a mão e desfazer as rugas da testa dela.
Mas a ideia de que corria um qualquer tipo de risco era absurda.
Havia apenas um homem de quem tinha medo e não era o lorde
Melbourne. O que a preocupava agora não era a reputação do seu
primeiro-ministro, mas o quão próximo era de Conroy. Do que
teriam estado a falar lá fora?

— Não te preocupes, Lehzen, fico perfeitamente segura. E se ele
fizer qualquer coisa desonrosa — baixou o olhar sobre o *spaniel* —,
estou certa de que o *Dash* vai intervir.

Lehzen curvou a cabeça e retirou-se.

Vitória deu uma olhadela ao espelho. Desejou não ter um ar tão
jovem. Apesar de ter o cabelo levantado, o carrapito na parte de
trás da cabeça apenas reforçava a pequenez da sua face, e o vestido
preto fazia-a parecer pálida. Deu um beliscão nas faces.

— O Visconde Melbourne — anunciou o lacaio. A primeira
impressão que Vitória teve foi a de um homem que pareceu ficar
agradado por a ver. Era alto, e apesar de o seu cabelo mostrar já
algum cinzento e ele dever andar pela mesma idade de Conroy,
a expressão dos seus olhos verdes fazia-o parecer muito mais jovem.

Melbourne levou um joelho ao chão e beijou-lhe a mão
estendida.

— Permita-me que lhe ofereça as minhas condolências pelo falecimento do vosso tio, o Rei, Vossa Majestade.

Vitória anuiu.

— O meu pobre tio rei foi sempre amável comigo. Mesmo
tendo ideias estranhas acerca de com quem eu deveria casar.

Claramente os sais de cheiro não iriam ser necessários, pensou
Melbourne com os seus botões.

— Realmente, Majestade? Creio que ele mostrava alguma preferência pelo Príncipe de Orange.

— Um príncipe com uma cabeça do tamanho de uma abóbora.

Os lábios de Melbourne contraíram-se.

— Verifico que sois perspicaz nos pormenores, Majestade.

Vitória olhou para ele, incisiva: estaria a troçar dela?

Melbourne correu a sala com o olhar, reparando no retrato do duque de Kent, de pé, ao lado de um canhão impraticavelmente grande. Não conhecera o duque, mas conhecia bem as histórias das bárbaras punições que infligira às suas tropas. Teve esperança de que a pequena mulher que tinha diante de si não tivesse herdado a paixão pela disciplina do pai. Desviou rapidamente o olhar e viu uma boneca sentada numa cadeirinha com uma pequena e velha coroa metalizada. Virou-se para a rainha.

— Que boneca encantadora. Tem nome?

Vitória abanou a cabeça.

— É a n.º 123. A Mamã ofereceu-ma no dia em que fiz onze anos.

— Com a coroa?

— Não, isso apareceu mais tarde. Fui eu que a fiz no dia em que percebi que, se sobrevivesse, seria rainha.

— E quando foi isso, Majestade? — indagou Melbourne.

— Tinha treze anos. Estava numa aula com a Lehzen e ela mostrou-me a minha árvore genealógica. Olhei para ela durante muito tempo e foi então que vi que era eu a seguir.

A voz dela era a sua característica marcante, pensou Melbourne, leve e suave, sem o menor traço de estridência. Podia ser baixa e não particularmente bonita, mas tinha uma voz inegavelmente régia.

— E foi um choque, Majestade?

Ela devolveu-lhe o olhar com grande seriedade.

— Lembro-me de ter pensado que a coroa do meu tio seria demasiado grande para mim.

Melbourne ficou desconcertado. Tinha estado a falar com ela como se com uma criança, mas vendo a inclinação da sua cabeça e o brilho daqueles olhos azul-pálidos percebeu que a subestimara.

Olhando para fora da janela, a rainha comentou:

— Creio que conhece *Sir* John Conroy.

Melbourne sentiu a tensão na voz dela e viu a posição de desafio nos seus ombros.

— É certo que já nos encontrámos, Majestade, mas não passou disso. Creio saber que deseja ser vosso secretário particular.

Vitória virou-se e encarou-o, com o pequeno rosto vermelho de indignação.

— Isso está fora de questão. Ele quer dominar-me como domina a minha mãe.

Melbourne hesitou; começava a perceber o que fora a educação da rainha.

— Então, terá de arranjar outra pessoa.

Vitória anuiu, aliviada; este homem parecia escutá-la de facto, em vez de lhe dizer o que fazer. Melbourne prosseguiu.

— Se me permite fazer uma sugestão, talvez, por agora, eu possa executar as funções de vosso secretário particular. Vejo que as caixas de despacho já começaram a chegar e temo que os assuntos da governação não esperem. Posso imaginar que pareçam um tanto avassaladores quando se tem tão pouca experiência, mas garanto--vos que com alguma orientação dentro de pouco tempo será capaz de dominar tudo.

Ao escutar a palavra orientação, Vitória começou a tremer, indignada. Quase que fora enganada pelos modos afáveis de Melbourne, mas era óbvio que ele desejava tanto controlá-la como Conroy. Espetou o queixo e endireitou-se tanto quanto conseguiu:

— Muito obrigada, Lorde Melbourne, mas penso que conseguirei tratar do assunto.

Melbourne fez uma vénia.

— Não a incomodarei, então, mais tempo, Majestade. Deixe--me apenas que lhe recorde que o Conselho Privado se reúne amanhã e é costume o monarca dizer algumas palavras no início da reunião.

— Estou perfeitamente ciente das minhas responsabilidades, Lorde Melbourne.

Para sua surpresa, pareceu-lhe que Melbourne sorria.

— Encantado por ouvi-lo, Majestade. Desejo-vos um bom dia. — E com estas palavras, fez uma vénia e abandonou a sala, com aquele leve sorriso ainda a bailar-lhe nos lábios.

Vitória sentiu os joelhos fraquejarem-lhe e sentou-se com alguma brusquidão. O comentário de Melbourne acerca do discurso ao Conselho Privado fora um choque. Sabia que um dos seus deveres constitucionais era presidir ao Conselho, mas não tinha consciência de que deveria fazer uma declaração formal.

Havia tantas coisas que não sabia. Lehzen esforçara-se o mais que pudera, mas dificilmente se podia esperar que uma precetora alemã sozinha conseguisse ensinar à futura Rainha de Inglaterra quais as suas responsabilidades constitucionais. Vitória deveria ter tido outros tutores, mas Conroy persuadira a sua mãe de que qualquer outra pessoa exterior ao pessoal da casa poderia exercer demasiada influência — uma influência que ele queria reservar para si. Mas não iria pedir ajuda agora. Por mais difícil que fosse, teria de enfrentar tudo isto sozinha.

Pela janela chegou-lhe o som de um sino que dobrava, anunciando a morte do rei a quem passava. Levantou-se e foi até à janela. Um pequeno grupo de pessoas havia-se reunido junto aos portões, que eram agora guardados pelos homens da Guarda Real, como se adequava ao seu novo estatuto. Uma menina em pé, agarrada às saias da mãe, segurava uma boneca muito parecida com a n.º 123. Vitória foi assaltada por um súbito impulso de correr para o exterior e mostrar à rapariguinha a sua própria boneca, para fazer com que o seu rostinho solene se iluminasse de surpresa e prazer. Mas não se mexeu. Sabia que uma rainha não age por impulso.

CAPÍTULO SEIS

Penge, o camareiro, trouxe a carta numa salva de prata. Vitória levantou os olhos da secretária, onde estivera, sem qualquer êxito, a tentar ao longo das duas últimas horas compor um discurso para o Conselho Privado.

— Com os cumprimentos de Lorde Melbourne, Majestade.

Vitória pegou na carta e pousou-a ao lado da sua própria folha de papel. Tinha conseguido escrever apenas «Vossas senhorias». Até aqui sabia que estava certo, mas incluiria o arcebispo, que era Conselheiro Privado, ou *sir* Robert Peel, que não era lorde? Era tudo tão complicado. Podia perguntar a Lehzen, mas suspeitava que ela não soubesse a resposta. Conroy saberia, claro, mas ela preferia cometer um erro público a pedir a sua ajuda.

Pegou na carta de Melbourne e quebrou o selo. Com a carta vinha uma nota:

Vossa Majestade,

Ocorreu-me ontem que pode não estar ainda familiarizada com todo o protocolo que rodeia o Conselho Privado. Ser-lhe-ia impossível prever todos os procedimentos de um órgão que nunca teve o prazer, palavra que utilizo com alguma hesitação, de conhecer. Na circunstância, tomei a grande, mas espero que não completamente mal recebida, liberdade de esboçar um discurso para vós. Não pretendo ensinar-lhe o que dizer, apenas informá-la da forma mais correta de o fazer. Não preciso de vos recordar que o Duque de Cumberland, dentro de pouco tempo Rei de Hanover, estará presente e que ele é, como sabeis, um fanático do protocolo.

Creia-me o vosso humilde criado, etc., etc., Melbourne

Ela pegou no papel que vinha com a carta. Tal como prometido, tratava-se de um esboço de um discurso que lhe dava uma ideia geral de como se dirigir ao Conselho. «Vossas senhorias espirituais e temporais» era, aparentemente, a forma correta de se lhes dirigir, mas ele apenas apresentava sugestões acerca do que poderia dizer:

Uma alusão às virtudes do vosso falecido tio, o rei, seria o habitual na ocasião. No caso de ter dificuldade em se recordar de alguma, sugiro que refira o seu excelente sentido de pontualidade. O rei pode nunca ter tido um pensamento sensato, mas chegava sempre a horas.

O tom de Melbourne era bastante desrespeitoso para com o tio, mas Vitória não conseguiu evitar um sorriso. O rei William fora, de facto, um obcecado com a pontualidade. Em Windsor, o seu passatempo favorito fora andar atrás do homem que dava corda aos relógios, com a sua face redonda irradiando de prazer ao ouvi-los todos tocar ao mesmo tempo.

Quase terminara de copiar o seu discurso quando Lehzen entrou, trazendo uma caixa comprida.

— O camareiro-mor enviou isto, Majestade.

Vitória abriu a caixa e viu a estrela da Ordem da Jarreteira na sua fita azul. Os cavaleiros da Jarreteira, a ordem de cavalaria mais antiga da Europa, usavam uma liga[10] autêntica na perna esquerda, mas numa mulher isso revelava-se impossível.

Inclinou a cabeça para Lehzen passar a faixa por cima dela. Parecia estranho estar a colocá-la sem qualquer cerimónia; por norma, o herdeiro do trono teria sido feito Cavaleiro da Jarreteira pelo seu predecessor. No seu caso, claro, o seu sexo impedia-o. Mas agora, era a soberana da Jarreteira e apenas ela podia designar novos membros para a Ordem.

Aproximou-se do espelho e tentou ajustar a faixa. A Ordem, uma jóia em forma de estrela com o mote *Honi soit qui mal y pense* (Vergonha a quem mal pensar), ficava espetada, de uma forma bastante infeliz, no seu peito espartilhado.

---

[10] Liga e jarreteira são sinónimos. Usou-se liga aqui por razões de clareza. (*NT*)

Vitória apanhou o olhar de Lehzen no espelho.

— Creio que isto não foi pensado para ser usado por uma mulher, Baronesa.

Lehzen permitiu-se um leve sorriso.

— De facto, Majestade. Permite-me uma sugestão? — Aproximou-se e tentou ajustar a faixa para que a Ordem lhe ficasse encostada à cintura. Mas era demasiado grande para se manter confortavelmente; ou se espetava de forma ridícula no peito ou se lhe enterrava na cintura.

Vitória tirou-a e virou a carta de Melbourne. Reparara num *post-scriptum* do outro lado:

Ireis, claro, enquanto Soberana, usar a Ordem da Jarreteira. É uma coisa bastante pesada, pelo que sugiro que sigais o exemplo da vossa predecessora enquanto rainha reinante, a Rainha Anne, e a coloqueis no braço direito. É importante que estejais confortável, como certamente concordareis.

— Acho que vou usá-la no braço, Lehzen. Não sou homem, não existe qualquer razão para que me vista como um.

CAPÍTULO SETE

Seria apenas uma audiência em pé, pensou Melbourne, enquanto observava os membros do Conselho Privado encherem o Salão Vermelho do Palácio de Kensington. Viu a silhueta alta, de nariz em gancho do duque de Wellington e o seu entroncado companheiro, Robert Peel, o líder dos Conservadores na Câmara dos Comuns, a disputar o espaço com o arcebispo de Cantuária. Só o duque de Cumberland conseguiu fazer com que os seus companheiros de conselho abrissem espaço para si. A cicatriz na bochecha direita do duque estava particularmente lívida esta manhã, talvez inflamada pelo desapontamento que devia seguramente sentir. Melbourne tinha a certeza de que Cumberland não devia sentir-se nada satisfeito com as leis de sucessão que colocavam no trono a sua sobrinha de dezoito anos e não ele. Hanover, sob todos os aspetos um local enfadonho, era um fraco prémio de consolação.

Perguntou-se se a rainha usaria o discurso que lhe esboçara. Durante o seu encontro, ela fora muito veemente ao afirmar que não precisava de ajuda, mas, a caminho de casa, ele decidira que mesmo não tendo ela pedido ajuda, era ainda assim seu dever oferecer-lha. Havia algo de admirável na sua determinação; não esperara encontrá-la tão notavelmente distinta. Aquela aura quase tangível que tinha recordava-lhe a sua falecida mulher, Caro. Ela também tinha dezoito anos quando a vira pela primeira vez.

Houve uma mudança no ritmo dos murmúrios à sua volta e o ruído surdo da autocomplacência foi substituído por um sussurro de expectativa. Melbourne virou-se e observou as portas da outra extremidade do salão serem abertas pelos lacaios. Ali, emoldurada pela porta, estava a silhueta diminuta da rainha. Um arquejo coletivo encheu a sala. Apesar de todos os presentes terem vindo até ali para se encontrarem com a sua nova monarca, era ainda um tanto antinatural ver uma mulher, ainda por cima tão jovem e pequena, no lugar até então ocupado por uma sucessão de homens velhos e cada vez mais corpulentos.

Vitória ouviu aquele arquejo e enfiou a mão no bolso para se certificar de que o discurso ainda ali se mantinha. Olhando para o mar de rostos que se estendia à sua frente, tomou consciência de que nunca se encontrara numa sala com tantos homens. Era bastante estranho, mas pensou que deveria habituar-se à ideia. Ainda assim, sentiu que entrava numa floresta, cheia de árvores de troncos negros e folhas prateadas.

Avançou lentamente para o pequeno estrado que fora preparado para si. Não era muito alto, mas, pelo menos, elevá-la-ia até ao nível do olhar das outras pessoas na sala.

Do estrado, Vitória percorreu a sala com o olhar. A maior parte do grupo era constituída por estranhos, mas reconheceu a expressão sombria do arcebispo, e depois o esgar retorcido do seu tio. Baixou rapidamente os olhos para o chão.

Após inspirar profundamente, Vitória tirou o discurso do bolso e começou a ler:

— Vossas Senhorias espirituais e temporais, é com grande consciência da grande honra que me foi concedida que venho perante vós...

— Falai mais alto, Majestade, não consigo ouvir-vos. — O tio Cumberland levara a mão ao ouvido numa pantomima de surdez. Vitória olhou para a sua cara malévola e sentiu o estômago apertar-se-lhe num nó. Tentou recomeçar a falar e descobriu que não conseguia emitir um som, mas engoliu em seco e fechou os olhos. Quando os reabriu, ergueu o olhar e viu lorde Melbourne a fazer-lhe um ligeiro gesto de cabeça, encorajando-a, como se dissesse *Continue*.

Vitória tornou a olhar para o papel que tinha à sua frente — aprendera o discurso de cor, mas era reconfortante ter qualquer coisa na mão — e prosseguiu:

— Sei que alguns dirão que o meu sexo me torna inadequada para as responsabilidades que tenho pela frente, mas estou aqui para assumir o compromisso de empenhar a minha vida ao serviço do meu país.

Deitou mais uma olhadela a Melbourne, que sorria, reconhecendo as palavras que escrevera para ela. Encorajada por aquele sorriso, prosseguiu, e sentiu a atmosfera da sala passar de um burburinho zangado para algo mais calmo. Não estavam a resistir; pareciam estar, de facto, a ouvir.

— E que Deus me proteja a mim e ao meu povo. — Quando terminou, Vitória sentou-se no trono provisório, que era na realidade uma cadeira bastante desconfortável trazida dos aposentos da sua mãe. Os conselheiros privados puseram-se em fila para se aproximarem e jurarem fidelidade.

Para seu alívio, Melbourne foi o primeiro, e quando ele se ajoelhou perante ela num gesto formal de preito ela sussurrou:

— Obrigada pela sua carta, Lorde Melbourne.

Ele ergueu o olhar para si e ela pensou que ele era extremamente atraente para um homem com idade suficiente para ser seu pai.

— Fico feliz por saber que lhe foi útil, Majestade.

Desviou-se para trás dela e foi substituído por um homem idoso que ela nunca vira antes que tinha uma mancha de vinho do Porto na cara. Ele apoiou-se com dificuldade num joelho e beijou-lhe a mão com um entusiasmo bastante desagradável. Ficou à espera de que ele se afastasse, mas ele ficou ali, oscilando ligeiramente devido ao esforço de se manter nesta posição pouco habitual e desconfortável.

Intrigada com a razão por que ele não se levantaria, Vitória apercebeu-se, para sua consternação, de que aguardava que o saudasse pelo nome. Claramente considerava-se suficientemente importante para ser reconhecido pela sua nova soberana. Na sala, os murmúrios começaram a avolumar-se. Vitória sentiu o sangue subir-lhe às faces. Não podia perguntar o nome ao homem, seria juntar o insulto à ofensa. Foi então que, para sua surpresa e enorme alívio, escutou uma voz que lhe sussurrou ao ouvido:

— O Visconde Falkland, Majestade.

— Visconde Falkland — disse ela, e o homem lá acabou por se levantar, trôpego, e recuar para junto dos outros. Vitória olhou de relance para Melbourne, que se encontrava agora a seu lado. Que sorte ele ter percebido o seu dilema. Falhar de uma forma tão visível no seu primeiro ato público seria inimaginável.

Os Conselheiros continuaram a desfilar à frente dela para lhe beijarem a mão, com Melbourne a curvar-se para lhe murmurar o respetivo nome ao ouvido quando era visível que ela não se recordava. Maravilhou-se como o seu tio William, que mal conseguia recordar-se do nome da própria esposa, conseguira uma tal proeza de memória. Talvez, pensou, não representasse qualquer desgraça para ele esquecer-se de um nome, mas sabia que não lhe seria aplicada a mesma tolerância.

— Penso que este Conselheiro não precisa de apresentações, Majestade.

A fila chegara ao fim e ela deu consigo frente a frente com o tio Cumberland. No início, ele não fez qualquer esforço para disfarçar o desprezo que sentia, mas depois, com grande determinação, levou um joelho ao chão e tomou a mão que ela lhe estendia como se estivesse em fogo. Murmurou, como se mal conseguisse dizer as palavras:

— Vossa Majestade.

Vitória deixou cair a mão e forçou-se a olhar para o tio, olhos nos olhos.

— Tenho de o felicitar, tio. Quando irá para o seu novo reino?

Cumberland agitou a mão num gesto depreciativo.

— Não tenho pressa. O meu primeiro dever é com o trono de Inglaterra.

A ameaça no seu tom de voz era indisfarçável. Ela ouviu Melbourne, atrás de si, deslocar o peso de um pé para o outro.

— Estou certa de que o povo de Hanover vai lamentar ouvir isso — replicou, com tanta acrimónia quanto foi capaz.

A pálpebra defeituosa de Cumberland não se fechou por completo.

— Penso que devem estar preparados para esperar. Há muito que resolver por aqui.

Vitória estava a pensar na melhor forma de responder àquilo quando escutou a voz de Melbourne nas suas costas, calma e encorajadora.

— A multidão tem estado a reunir-se ao longo de todo o dia, Majestade, apesar do tempo inclemente. Penso que talvez fosse agora tempo de ler a proclamação.

Sem deixar de olhar para Cumberland, Vitória pôs-se de pé.

— Sim, de facto. Não quero deixar o *meu* povo à espera. — Teve a satisfação de ver Cumberland ser o primeiro a desviar o olhar.

A chusma de Conselheiros dividiu-se perante ela enquanto seguia Melbourne até à varanda na fachada do palácio. O rugido da multidão à medida que se aproximava da janela quase a fez voltar para dentro. O camareiro-mor, de pé ao seu lado, tinha na mão o documento que a proclamaria rainha perante o seu povo. Melbourne encontrava-se mesmo atrás dela.

Quando o camareiro-mor se preparava para fazer o anúncio oficial, ela virou-se para Melbourne. Precisava de resolver algo da maior importância e pensou que ele poderia compreendê-la.

— Creio que na proclamação me chamam Alexandrina Vitória?

— Sim, Majestade.

— Mas eu não gosto do nome Alexandrina. A partir de agora desejo ser conhecida apenas pelo meu segundo nome, Vitória.

Melbourne anuiu.

— Vitória — disse, fazendo rolar o nome na boca como se o saboreasse pela primeira vez. — Rainha Vitória — e sorriu.

Avançando para a varanda, Vitória ouviu o ruído da multidão crescer até que, por fim, uma mulher gritou:

— Deus salve a Rainha!

Vitória olhou para os rostos erguidos para ela e acenou ao seu povo.

CAPÍTULO OITO

A carruagem virou, passando por baixo de Marble Arch, a grande entrada cerimonial da Casa de Buckingham. Apesar de, à época da sua construção, ter sido descrito como um bolo de noiva real, graças aos nevoeiros de Londres a cobertura de açúcar ganhara agora uma tonalidade mais amarelada do que branca.

Vitória estivera uma única vez na Casa de Buckingham, era ainda muito pequena. Recordava-se de ter ficado espantada com o tamanho das coxas do tio George, a fazer esticar as meias de seda. Ele beliscara-lhe a bochecha com força suficiente para a fazer estremecer, mas compensara o gesto oferecendo-lhe uma guloseima que retirara de uma caixa de prata que tinha ao seu lado. Aceitara-a com gratidão, pois não havia nada de que mais gostasse, mas, para seu desgosto, a Mãe arrebatara-lhe a Delícia Turca[11] da mão, alegando que lhe tiraria o apetite. O rei ficara ofendido e Vitória furiosa. Posteriormente, a duquesa dissera-lhe para nunca aceitar alimentos oferecidos pelos tios, não fosse dar-se o caso de terem sido «mexidos». Vitória, que não chegara a compreender o que a mãe queria dizer, perguntara a Lehzen, mas a percetora encolhera os ombros e afirmara que a duquesa tinha as suas próprias ideias.

Quando a carruagem passou através do Marble Arch, Vitória susteve a respiração ao ver a fachada da casa.

— Tantas janelas.

---

[11] Uma guloseima turca, composta tradicionalmente de gel de amido de milho, açúcar e frutos. É muitas vezes aromatizada com água de rosas ou limão. Muito popular em Inglaterra, é vulgarmente servida em pequenos cubos. (*NT*)

— De facto, Majestade. Esta casa quase levou o vosso tio George à ruína — disse lorde Melbourne. A outra ocupante da carruagem, a baronesa Lehzen, não disse nada.

— Será tão luminoso depois de Kensington — comentou Vitória.

— Era assim tão escuro, Majestade?

Vitória olhou para ele.

— Por vezes tornava-se difícil ver as coisas com clareza.

Melbourne inclinou a cabeça, reconhecendo o significado implícito.

Vitória não soubera bem como resolver a questão da sua mudança de Kensington. A mãe ficara estupefacta com a sugestão, sem perceber a razão por que alguém desejaria viver no coração da cidade, com todos os seus vapores tóxicos, quando podia gozar o ar limpo de Kensington, rodeada de parques. Vitória acabara por referir o seu desejo a lorde Melbourne que concordara que um monarca devia ser visto em público pelo seu povo com regularidade e que ela estaria muito mais próxima do seu povo na Casa de Buckingham.

Vitória ficara agradavelmente surpreendida com a rapidez com que lorde Melbourne tratara do caso. Na semana que decorrera desde que se tornara rainha, descobrira que os seus cortesãos tinham mais prazer em negar-se a cumprir os seus desejos do que a cumpri-los. No dia anterior, o sol aparecera, mas Vitória mal conseguira ver as árvores pelas janelas da galeria comprida, que estavam encardidas. Quando referira o seu desagrado ao camareiro--mor, lorde Uxbridge, um homem que tinha pelos a saírem-lhe das orelhas e cheirava fortemente a vinho da Madeira, escutara uma respiração aguçada. A isto seguira-se um longo e ampla-mente incompreensível discurso acerca de precedentes, de que ela depreendeu que ele era responsável pela limpeza do lado *interno* das janelas; o externo era da competência do estribeiro-mor ou coisa do género. A evidente irritação de Vitória face a esta resposta não pareceu exercer o menor efeito. Era assim que as coisas se faziam e, aparentemente, era assim que as coisas sempre seriam feitas.

Mas hoje, pelo menos, lorde Melbourne parecia ser um homem que cumpria a sua palavra. Ele e Vitória tinham tido a habitual audiência semanal de manhã e, durante a tarde, preparavam-se para dar uma vista de olhos à Casa de Buckingham.

Na escadaria foram recebidos por lorde Uxbridge, cujo nariz parecia ter inchado até ao dobro do seu tamanho habitual:

— Esperava, Majestade, ter sido avisado com um pouco mais de antecedência. A casa está fechada há já algum tempo e temo que o pó se tenha deixado acumular. Posso sugerir que regresse na próxima semana depois de termos tido tempo de preparamos as coisas de uma forma um pouco mais conveniente?

— Não tenho medo do pó, Lorde Uxbridge. Há pó mais do que suficiente em Kensington.

Lorde Uxbridge ia protestar quando Melbourne falou.

— Surpreende-me, Lorde Uxbridge, que a casa não esteja em condições. Os criados foram despedidos?

— Receio que, quando a casa não é usada com regularidade, se perca alguma atenção ao pormenor.

Melbourne riu-se.

— O que quer dizer, Uxbridge, é que os criados daqui são uns imprestáveis que têm andado a comer e beber a expensas de Sua Majestade enquanto não fazem nada. Uma situação que se desenvolveu mesmo sendo a governanta, segundo creio, uma sua amiga especial?

Vitória viu que a cara de lorde Uxbridge, que já estava corada, inchou com tanta emoção que o nariz ganhou o aspeto de que poderia realmente explodir. Não percebeu totalmente por que a menção da governanta o conduzira a um estado próximo da apoplexia, mas sentiu-se feliz por vê-lo virar-se e fazer um gesto aos lacaios, cujas cabeleiras, já reparara, estavam bastante desmazeladas, indicando-lhes que abrissem as portas.

Ao entrar no átrio e olhar para as cornijas douradas do teto distante, Vitória sentiu-se bastante tonta. Mesmo com todo o mobiliário coberto por panos a protegê-lo do pó, as salas pareciam muito mais faustosas do que os seus aposentos de Kensington.

Percorreram o longo corredor, com os lacaios a correr à sua frente para arrancar os panos que cobriam tudo. A sala parecia florescer à frente deles à medida que cadeiras douradas, mesinhas de malaquite e tocheiras de mármore iam sendo postas à vista.

Chegaram junto de um conjunto de portas duplas, que abriam para uma vastidão de vermelho, branco e dourado. E no fundo, sobre um estrado vermelho, encontrava-se o trono, estofado a veludo vermelho com o monograma do tio — GR — bordado nos cortinados, a fio de ouro.

Vitória hesitou durante um segundo, após o que atravessou a sala e se sentou no trono. Ao instalar-se deslocou uma nuvem de pó, que se desprendeu das almofadas.

— Custa-me a crer, Uxbridge, que pareça que a rainha esteja sentada num trono poeirento — a voz de lorde Melbourne tinha o tom ligeiro habitual, mas ninguém teria a menor dúvida quanto à sua desaprovação. Os ombros do outro homem descaíram, uma vez desaparecida toda a soberba.

Vitória apercebeu-se de que embora o trono fosse confortável, os seus pés não chegavam ao chão. Melbourne reparou no mesmo e disse:

— Penso, Majestade, que antes de fazer a sua primeira audiência neste Salão, tenhamos de encontrar um trono que lhe sirva.

Ela baixou os olhos sobre os seus pés, que baloiçavam no ar.

— Será difícil manter a dignidade com os pés a vinte centímetros do chão, é verdade.

Ergueu o olhar, deparando-se com o sorriso de Melbourne.

— Também me parece, Majestade, e creio que o monograma também precisa de ser alterado.

Vitória riu-se.

— Sim, acho que tem razão.

Lehzen deu um passo em frente.

— Majestade, talvez devamos verificar os seus aposentos privados. Lorde Uxbridge, mostra-nos o caminho? — Lehzen fez um gesto com a cabeça na direção do camareiro-mor.

A sua voz deixava transparecer uma aspereza que fez Vitória olhar para a sua governanta. As faces de Lehzen exibiam duas manchas vermelhas. Recordou-se do aviso que a governanta lhe fizera em relação a Melbourne; com certeza que não estaria ainda a pensar que ele era uma companhia inadequada? Mas depois, viu Lehzen olhar para Melbourne e percebeu que a sua governanta estava com ciúmes. A baronesa estava habituada a ter Vitória só para si.

Seguiram lorde Uxbridge ao longo de uma galeria de retratos iluminada por uma claraboia de vidro. Melbourne deteve-se à frente de um quadro que mostrava uma mulher segurando um cãozinho.

— Ele tinha bom gosto, o vosso tio, apesar da sua falta de discernimento.

— E isso é possível, Lorde Melbourne?

— Certamente, Majestade. Diz-me a experiência que um gosto requintado pelas coisas mais delicadas da vida pode andar a par com a mais terrível insensatez. O vosso tio nunca comprou um mau quadro ou amou uma mulher enfadonha, mas não tinha o menor bom senso.

— Estou a ver — comentou Vitória.

— Mas deixou alguns belos edifícios. O pavilhão em Brighton é notável, e transformou este num local adequado a um rei. Talvez seja legado suficiente para ele. Sabe Deus que não deixou muito mais.

— Espero, Lorde Melbourne, que quando eu morrer, as pessoas não falem de mim com tão pouco respeito.

— Está chocada, Majestade, com a minha *lèse-majesté*. E é possível que tenha razão, mas tomei-a por alguém que aprecia a franqueza.

— É certamente algo que aprenderei a apreciar.

De lorde Uxbridge veio uma tossezinha e ele fez um gesto, indicando umas portas duplas.

— O caminho para os aposentos privados, Majestade.

Os aposentos privados eram tão magníficos quanto o resto do palácio. Não havia superfície que não fosse dourada e as salas estavam arranjadas de forma a parecerem maiores do que eram, dada a profusão de espelhos. Só o quarto de dormir, com a sua cama de dossel de brocado vermelho, não tinha espelhos.

— Penso que estes aposentos, com algumas alterações, podem vir a revelar-se adequados a Vossa Majestade — disse lorde Uxbridge.

Melbourne olhou à sua volta e arqueou uma sobrancelha.

— Talvez queira mudar a mobília e escolher algo mais feminino.

— Porque será que, num sítio com tantos espelhos, não há nenhum no quarto? De certeza que o meu tio devia ter querido verificar a sua aparência antes de enfrentar o mundo — disse Vitória.

O camareiro-mor olhou para Melbourne que, com um leve esgar, começou:

— Correndo de novo o risco de ofender a sombra do falecido rei, suspeito que no tempo em que aqui viveu, não estava nada satisfeito com o que veria no espelho, Majestade. Na sua juventude fora muito elogiado pela sua figura, mas receio que à medida que o tempo passou ele se tornou bastante apreciador dos prazeres da mesa e a sua linha de cintura sofreu as consequências. Na realidade, para o fim da vida, percebeu que lhe era impossível caminhar sem ajuda dada a sua rotundidade. Creio que este quarto era o local onde podia refugiar-se e não ser recordado da sua fealdade de cada vez que virava a cabeça.

— Pelo seu tom parece que tinha pena dele.

— Não posso negá-lo. Pode ter sido insensato, mas não teve uma vida feliz.

Vitória olhou à sua volta, percorrendo o vasto aposento.

— Penso que sentirei dificuldade em dormir aqui sozinha. Lehzen, vou precisar de a ter junto de mim.

Lehzen sorriu aliviada e Vitória virou-se para Uxbridge.

— Existe algum local adequado para a Baronesa ter um quarto?

— Com efeito, Majestade. Há um quarto aqui mesmo, passando por esta porta de comunicação.

A pequena antecâmara era decorada com painéis chineses de seda pintada e tinha uma cama delicada, de falso bambu.

— Mas este quarto é encantador! Muito mais íntimo do que o outro. Quem será que dormiria aqui?

Lehzen soltou um dos seus ruídos e Vitória reparou na troca de olhares entre Melbourne e Uxbridge.

— Existe algum mistério, Lorde Uxbridge?

Uxbridge olhou para os sapatos. Houve uma pausa e foi Melbourne quem falou.

— Este quarto, creio, pertenceu à senhora Fitzherbert, a esposa do seu falecido tio.

— A esposa? Mas eu pensava que ele tinha casado com uma princesa alemã.

— Caroline de Brunswick casou de facto com o rei, mas antes disso, Majestade, ele casara com uma Maria Fitzherbert.

Vitória estava intrigada.

— Não percebo. A senhora Fitzherbert morreu?

— Não, Majestade.

— Então, como é que o meu tio pode ter casado com duas mulheres? Não é a isso que chamam bigamia? Pensava que era crime.

Vitória estava chocada; a mãe sempre lhe dissera que os tios eram malvados, mas sempre partira do princípio que a Mãe estava, como era seu hábito, a exagerar.

— De facto, assim é, Majestade, mas as regras são um pouco diferentes quando se trata de um príncipe de sangue real. Enquanto príncipe de Gales, na altura, praticou de facto um rito matrimonial com a senhora Fitzherbert, mas porque não tinha o consentimento do pai, o casamento era ilegal. O príncipe e a senhora sabiam disso, mas como a senhora Fitzherbert era católica, estava absolutamente determinada a ter a bênção da Igreja antes de oferecer a sua virtude.

Lehzen teve um sobressalto e apressou-se a dizer, em tom de urgência:

— Penso, Majestade, que devemos regressar a Kensington. O armeiro irá lá esta tarde.

Vitória virou-se para Melbourne.

— Muito obrigada por me explicar as coisas, Lorde Melbourne. Apercebo-me de que há muito que não sei. Mesmo acerca da minha própria família.

— Todas as famílias têm os seus segredos, Majestade. Mas fico feliz por ter podido ser útil.

Vitória aproximou-se da porta.

— Majestade, talvez queira ter a bondade de ver os quartos da duquesa antes de partir — sugeriu lorde Uxbridge.

Vitória deteve-se.

— Oh, estou certa de que não vai ser necessário. Creio que a duquesa se sente bastante confortável em Kensington. Parece-me lamentável perturbá-la.

Melbourne, que estivera a olhar para fora da janela, virou-se e encarou-a.

— Peço perdão, Majestade, mas penso que seria um erro que a duquesa ficasse em Kensington.

— Um erro, Lorde Melbourne? Certamente isso é algo a ser decidido entre a minha mãe e eu?

Seria possível que Melbourne estivesse a concordar com a mãe? Melbourne caminhou até junto dela e disse, num tom mais baixo, para que nem Lehzen nem Uxbridge o escutassem:

— Não é minha intenção interferir em assuntos de família, Majestade. Mas cabe-me dizer-lhe que se ficar a viver, com apenas dezoito anos e solteira, separada da sua mãe, vai dar origem a comentários desagradáveis. Os seus tios não foram modelos de virtude, mas creio, Majestade, que não vai desejar que o seu povo pense que lhes vai seguir os passos.

— Mas eu sou completamente diferente dos meus tios — ripostou Vitória. — Não tenho a menor intenção de ter um comportamento imoral.

— Muito me agrada ouvi-lo, Majestade. Mas se deixar a sua mãe em Kensington, haverá conversas desagradáveis, e seria lamentável que tal acontecesse tão no início do seu reinado.

— Percebo. — Vitória apertou os lábios. Bem no fundo de si mesma sabia que Melbourne tinha razão, mas isso não tornava o assunto menos exasperante.

— Ficou aborrecida por eu lhe dizer isto, Majestade, mas sinto que é o meu dever. Claro que tem toda a liberdade de ignorar o que lhe disse. — Melbourne sorriu-lhe. — Não ficarei ofendido. Sei muito bem que é mais fácil dar conselhos do que segui-los.

Vitória fez uma pausa.

— Talvez seja... pouco prático ter a Mamã tão longe, em Kensington. Às vezes, há coisas que preciso de lhe perguntar e seria muito cansativo estar sempre a ter de enviar mensageiros.

Lorde Uxbridge mostrou-lhes uma série de quartos adjacentes aos aposentos do monarca. Vitória atravessou-os e, no fim, virou-se para ele.

— Estes aposentos são perfeitamente adequados, mas temo que se encontrem no local errado.

— No local errado, Majestade?

— Sim. Não me agrada o sítio onde estão.

Uxbridge assumiu um ar atónito. Melbourne pigarreou.

— Estou certo de que existe um conjunto de quartos equivalente na ala norte, Uxbridge.

— Sim, certamente, mas não permitem um acesso fácil aos vossos aposentos, Majestade, uma vez que a única comunicação se faz pelo corpo central.

— Oh, penso que vão servir perfeitamente. A Mamã não vai querer ser permanentemente incomodada pelas minhas idas e vindas, não concorda, Lorde Melbourne?

— Muito atencioso da sua parte, Majestade.

— Bem, agora que tudo ficou combinado, gostaria de me mudar sem demora, Lorde Uxbridge.

Lorde Uxbridge puxava por um dos botões do colete.

— Quando diz sem demora, Majestade, está certamente ciente de que levará algum tempo a pôr tudo a seu gosto.

— Muito bem. Posso esperar até segunda-feira.

— Segunda-feira, Majestade? Mas são apenas quatro dias! Temo que seja impossível.

— Impossível, Lorde Uxbridge? — perguntou Vitória, no seu tom de voz mais régio.

O botão do colete de lorde Uxbridge acabou por sucumbir aos puxões do dono. Saltou-lhe das mãos, atravessou a sala e aterrou com um pequeno ruído no chão de madeira, aos pés de Melbourne.

Melbourne apanhou-o e devolveu-o ao dono.

— Estou certo, Uxbridge, de que quando avaliar a situação, descobrirá que será perfeitamente possível a rainha e a sua família real mudarem-se na segunda-feira. E penso que poderá querer fazer algumas alterações na criadagem. Um trono poeirento não é um bom exemplo.

Uxbridge dobrou-se num movimento entre uma vénia e um gesto de derrota.

— Farei os preparativos necessários, Majestade.

Vitória sorriu.

— E agora gostava de ver os jardins. Ouvi dizer que são esplêndidos.

Percorreram o carreiro de gravilha até ao lago, indo Lehzen e Uxbridge à frente e a rainha e Melbourne atrás. Vitória virou-se para Melbourne.

— Porque é que Lorde Uxbridge ficou com a cara tão vermelha quando mencionou a governanta daqui, Lorde Melbourne?

— Ela é amante dele, Majestade. E apesar de poder desempenhar o seu papel nessa qualidade da forma mais perfeita, enquanto governanta não é satisfatória.

Vitória deteve-se; nunca antes ninguém lhe falara tão abertamente de assuntos destes. Sabia que devia sentir-se escandalizada, mas, para sua surpresa, apercebeu-se de que se sentia lisonjeada. A mãe, Conroy e até mesmo Lehzen podiam ter tentado esconder a verdade, mas Melbourne não o considerava necessário.

— Fala com grande franqueza, Lorde Melbourne.

— Espero não a ofender, Majestade. Não me dirijo a uma jovem de sensibilidade delicada, mas a uma Soberana.

Vitória sorriu.

— Não tenho nada a objetar. Na realidade, até prefiro que assim seja. Estou cansada de ser tratada como uma jovem sem uma ideia na cabeça.

— Ninguém pode fazer isso agora, Majestade.

— Ficaria surpreendido, Lorde Melbourne. Ainda esta manhã *Sir* John Conroy e *Lady* Flora Hastings entraram na minha saleta sem se fazerem anunciar com uma lista de damas que consideram adequadas para fazerem parte da minha casa. Flora Hastings declarou-me que escolhera raparigas que não tivessem mais do que a estatura média!

— Foi talvez atencioso da parte dela, mas de pouca discrição em tê-lo mencionado.

— Estão sempre a aborrecer-me por ser baixa. Pensam que por não ter crescido em estatura, a minha mente não amadureceu. Conroy, *Lady* Flora e até mesmo a Mamã ainda pensam em mim como uma criança, não como a rainha. A falar verdade, não acreditam que seja capaz de governar.

Melbourne deteve-se no carreiro de gravilha e virou-se para encarar Vitória.

— Estão enganados, Majestade. Não a conheço há muito tempo, é verdade, mas vejo em si uma dignidade natural que não se aprende.

— Não pensa, portanto, que sou demasiado pequena?

— Aos meus olhos, Majestade, é rainha dos pés à cabeça. E quem quer que diga o contrário merece ser enviado diretamente para a Torre.

— Oh, ainda é permitido? — perguntou Vitória.

— Não sei se o Portão dos Traidores ainda está aberto, mas tenho a certeza de que existem equivalentes modernos.

Vitória riu-se.

— Penso que está a fazer troça de mim.

— De todo. Limito-me a apontar uma verdade, que seria tolice ignorar.

Vitória viu Lehzen olhar para ela do outro extremo do lago. Pela inclinação reprovadora da cabeça da sua governanta, Vitória percebeu que ela se sentia excluída.

Disse:

— Quando nos encontrámos pela primeira vez, Lorde Melbourne, ofereceu-se para ser o meu secretário particular.

— E Vossa Majestade recusou a minha oferta.

Vitória hesitou, e então disse:

— Ainda estaria disposto a assumir essa posição? Percebo que preciso de algum apoio e creio que é a pessoa mais adequada para me ajudar.

Melbourne curvou-se numa pequena vénia.

— Seria um privilégio e uma honra servi-la de qualquer forma que possa, Majestade.

Vitória viu Lehzen aproximar-se, contornando o lago na direção deles.

— Penso que nos daremos bem — interrompeu-se e a seguir, sorrindo da sua própria ousadia —, Lorde M. — Lorde Melbourne devolveu-lhe o sorriso. — Há uma coisa que me intriga. — Com um gesto, Vitória indicou os grandes relvados que se estendiam até à grande fachada curva da casa.

— Porque se chama Casa de Buckingham? Parece-me mais um palácio.

— Bem, Majestade, penso que pode chamar-lhe o que bem entender.

CAPÍTULO NOVE

Vitória confiara a Lehzen a tarefa de conduzir a mãe, a duquesa de Kent, aos seus novos aposentos no Palácio de Buckingham. Quando iam a subir a grande escadaria dupla, virando à esquerda para a ala norte da casa, com *lady* Flora Hastings e *sir* John Conroy atrás delas, viram um grupo de lacaios que transportava o retrato do duque de Kent pela escadaria do lado oposto.

Ao ver isto, a duquesa deteve-se e virou-se para Lehzen.

— Para onde vai o retrato do meu pobre falecido marido? Espero que seja colocado num local de respeito.

— Oh, sim, Alteza. A rainha pediu que fosse colocado na sua saleta privada.

— Estou a ver.

Continuaram a subir as escadas até chegarem aos aposentos que Vitória escolhera para a mãe. As paredes estavam revestidas de seda amarela e a mobília era Chippendale de nogueira.

— A rainha espera que fique satisfeita com estes aposentos, Alteza. Como pode verificar, têm uma bela vista sobre os jardins e o lago. — Lehzen indicou a janela, mas a duquesa ignorou-a, deixou-se ficar no meio da sala e fungou.

— Os quartos são toleráveis, penso, mas não gosto da cor amarela como a minha filha bem sabe. — Lehzen inclinou a cabeça.

— E onde são os aposentos da Drina, Baronesa?

— Os aposentos da rainha são na ala sul, Alteza, ao lado dos aposentos de Estado.

Houve algo no tom de voz de Lehzen que fez a duquesa olhar para ela com severidade.

— E onde dorme a senhora, Baronesa?

— Tenho um quarto ao lado do da rainha. — Lehzen fez uma pausa e, depois, com um leve sorriso acrescentou: — Com uma porta de comunicação. — A duquesa virou-lhe as costas. — E agora, se me permite, Alteza, tenho de ir supervisionar a arrumação dos aposentos de Sua Majestade. Como sabe, ela confiou-me — Lehzen olhou para *sir* John Conroy — a organização da Casa Real.

Lehzen abandonou a sala sem olhar para trás.

Chegando à outra ala, encontrou Vitória à sua espera.

— A minha Mãe gostou dos seus novos aposentos?

— Penso, Majestade, que será preferível perguntar-lhe pessoalmente.

Vitória suspirou.

— Muito bem. Estão lá todos?

— Se se refere a *Sir* John Conroy e a *Lady* Flora Hastings, sim, estavam com a duquesa quando saí.

— Estou a ver.

Vitória olhou para Lehzen, que abanou a cabeça.

— Não me parece, Majestade, que a duquesa queira tornar a ver-*me* tão cedo.

— Não vejo que razões de queixa possa ter. Os quartos estão mobilados com a maior elegância, não concorda?

— Certamente, Majestade, mas sabe que a duquesa tem gostos muito particulares.

Vitória apanhou as saias com ambas as mãos e, virando-se, correu pela escada norte acima, saltando os degraus de dois em dois. Era ainda uma excitação deliciosa poder fazer exatamente o que lhe apetecia, depois de todos aqueles anos a ter de esperar e dar a mão a Lehzen. Quando chegou ao topo, viu um lacaio a olhar para ela estupefacto e lamentou o seu impulso. Recompôs-se de imediato.

— Por favor, anuncie-me à duquesa.

O lacaio anuiu. Vitória pensou que se ia visitar a mãe com Conroy e Flora a fazer-lhe companhia, faria uma entrada de rainha.

— Sua Majestade, a rainha — anunciou o lacaio.

Vitória avançou para dentro da sala e, pelo canto do olho, registou a relutante inclinação de cabeça de Conroy e a vénia exagerada de Flora Hastings. A mãe permaneceu sentada. Vitória reparou que tinha os cantos da boca virados para baixo.

— Vim ver como está a dar-se nos seus novos aposentos, Mamã.

— Que amável da sua parte — a duquesa deitou-lhe um olhar furioso — percorrer todo este caminho.

Vitória aproximou-se da janela.

— Que vista encantadora tem. Veja como o pavilhão se reflete no lago. Acho os jardins aqui muito bonitos.

— Satisfaz-se com muito pouco, Drina.

Sir John pigarreou.

— Penso, Majestade, que agora que nos instalámos aqui, na Casa de Buckingham...

Vitória interrompeu-o.

— Palácio, *Sir* John. Palácio de Buckingham.

Conroy fez uma ligeiríssima inclinação da cabeça.

— Agora que está instalada no Palácio de Buckingham, é tempo de fazer a sua primeira audiência oficial. Vai requerer um planeamento cuidado, claro, mas já comecei a fazer a lista de convites. Todos os embaixadores, os outros membros da família real, e depois vai desejar ter políticos de ambos os lados da...

Sentindo-se ligeiramente surpreendida com a sua própria audácia, Vitória ergueu a mão para o calar.

— Já fiz a lista. Muito obrigada, *Sir* John.

— Fez a lista sozinha, Majestade? Crê que é sensato? O protocolo em torno destas ocasiões é traiçoeiro.

— Tenho plena consciência disso, *Sir* John. Razão pela qual pedi a Lorde Melbourne que tratasse dos preparativos. Creio que tem bastante experiência no assunto.

— Sim, evidentemente, mas fico surpreendido que, sendo primeiro-ministro, tenha tempo para tratar de assuntos destes.

— Creio que Lorde Melbourne será a melhor pessoa para tomar tal decisão. Ofereceu-se para preencher as funções de meu secretário particular e eu aceitei a sua oferta.

Conroy agarrou na bengala e, por um instante, Vitória pensou que ele estava prestes a bater no chão. Uma olhadela de *lady* Flora pareceu conter tal impulso.

— Estou a ver. Terá as suas razões, sem dúvida, se bem que considere pouco sensato passar tanto tempo com o primeiro-ministro.

A mãe de Vitória anuiu com toda a energia.

— Tem de ser imparcial, Drina. O seu pai era Conserrvadorr, mas foi sempre amável com os Liberrrrais. — O seu sotaque alemão tornava-se sempre mais vincado quando estava agitada.

— O que me conduz ao assunto sobre as vossas damas de companhia, Majestade — disse Conroy. — Estas escolhas são muito importantes para definir o ambiente da vossa corte. Vai precisar de, no mínimo, oito: uma camareira-mor, damas de companhia e um certo número de aias.

Vitória olhou para ele, impassível, e depois virou-se para a porta.

— Tenho mesmo de ir andando, *Sir* John. Bom dia, *Lady* Flora. Mamã.

Saiu da sala antes de a mãe ou Conroy conseguirem dizer mais qualquer coisa, mas ia a chegar ao patamar, quando ouviu passos nas suas costas.

— Um instante, Majestade.

Virou-se e foi abordada pela silhueta angulosa de *lady* Flora que apertava uma folha de papel.

— Tenho aqui algumas sugestões, Majestade, para as suas aias. Estes lugares são sempre para solteiras. Escolhi pessoas discretas e sensatas, já que as raparigas jovens podem ser muito frívolas. — Olhou-a como se incluísse Vitória nessa categoria.

Flora estendeu o papel a Vitória.

— E se houver mais alguma coisa que eu possa fazer para lhe ser útil, Majestade, por favor, não hesite em pedir. A baronesa, sendo alemã, pode não ter conseguido proporcionar-lhe uma formação completa adequada às suas novas responsabilidades e ao protocolo da corte, mas a minha família faz parte da corte há várias gerações.

Vitória sabia que, para se ver livre de *lady* Flora, tinha de aceitar a folha de papel que lhe era oferecida. Arrancou-o das mãos da mulher e, com um ligeiríssimo aceno de cabeça, desceu as escadas. Teve, para com a dama de companhia da mãe, a gentileza de aguardar até chegar ao fundo das escadas antes de amachucar o papel e deixá-lo cair no chão.

CAPÍTULO DEZ

Ao longo dos três meses desde que se mudara para o Palácio de Buckingham, Vitória começara a perceber a questão que a intrigara quando criança: o que fazia uma rainha durante o dia todo? Com exceção da hora que gastava para lhe prenderem o cabelo no alto da cabeça e a vestirem, as suas manhãs eram passadas a trabalhar no conteúdo das caixas oficiais com o seu primeiro-ministro. Ao princípio, ficara aturdida com o mero volume dos documentos que continham, mas à medida que lorde M lhe fora explicando a importância de controlos e equilíbrios — um bispo evangélico tinha sempre de ser emparelhado com um deão mais tradicional, por exemplo, e para cada soldado profissional admitido nos regimentos reais, devia ser permitido a um oficial de linhagem aristocrática comprar a sua entrada —, ela começou a discernir um caminho por entre os papéis. À medida que ia compreendendo as subtilezas, o exercício diário do poder encantava-a; e não havia nada de que mais gostasse do que discutir a forma como o mundo funcionava com o seu primeiro-ministro.

Mas este trabalho prático, este exercício de direito de nomeações, era apenas uma parte dos seus deveres. Como lorde M estava sempre a recordar-lhe, uma rainha também tinha o dever de se mostrar em público. Todas as tardes montava a cavalo e ia para o parque, normalmente acompanhada pelo primeiro-ministro, e uma ou duas vezes por mês visitava uma instituição de caridade como um asilo ou um hospital. Estas visitas eram sempre breves, mas Vitória gostava de passear pelas ruas e acenar à multidão. E havia ainda, como Melbourne lhe explicara, os deveres cerimoniais: a abertura do Parlamento, a presidência das cerimónias da Jarreteira e, claro, as audiências, em que o mundo diplomático vinha apresentar as suas credenciais à soberana.

Hoje era a primeira audiência oficial de Vitória e as carruagens estendiam-se até ao fundo da The Mall. Toda a gente que recebera um convite decidira aparecer. Não fora o caso com o falecido rei, cujas audiências para o fim do seu reinado haviam consistido em pouco mais do que o rei e uma dúzia de leais cortesãos.

Mas toda a gente queria ver a nova rainha. Circulavam tantos boatos acerca da sua altura (seria possível ser verdade que ela fosse anã?), o seu intelecto (haviam-se exprimido dúvidas nos clubes de Pall Mall quanto à sua capacidade de ler e escrever) e o seu domínio do inglês (havia alguma especulação na imprensa sensacionalista afirmando que, devido a ter sido educada entre alemães, a nova rainha tinha um sotaque carregado).

Melbourne, que ouvira todas estas histórias, havia muito que decidira não lhes conceder o privilégio de um esclarecimento. Sabia, por dolorosa experiência, que negar um boato servia apenas para lhe dar força. Era bem melhor deixar os bisbilhoteiros descobrirem por si próprios o quão longe da verdade estavam.

Esperava que a rainha não desabasse sob o peso de tão grande escrutínio. Depois sorriu da sua própria tolice.

*

— Acho que hoje é melhor o brocado prateado, Jenkins — Vitória apontou para um dos dois vestidos que a sua criada segurava. — Mas a seda lavrada também é bonita.

Não obstante o período de luto rigoroso pelo rei ter terminado havia pouco, Vitória passara o primeiro mês do seu reinado a encomendar um novo e esplendoroso guarda-roupa para poder estar pronta para ofuscar a corte na sua primeira audiência oficial. A mãe sempre a fizera usar musselinas simples, pelo que Vitória sentira grande prazer em mandar fazer vestidos dos mais ricos tecidos: sedas, veludos e brocados.

Olhava para um e para outro numa febre de indecisão.

— O que acha, Lehzen?

— Acho que a cor da seda combina com os seus olhos, Majestade. Fica-lhe muito bem.

— Eu sei, mas Lorde M diz que odeia ver uma mulher de azul. Diz que não é uma cor elegante.

Lehzen fungou.

— Sim, vou usar o de brocado. Acho que é mais elegante.

Lehzen fungou de novo.

— Está com uma constipação, Baronesa? Ou não aprova a minha escolha?

— Nunca discordaria da *vossa* escolha, Majestade.

Pelo espelho, Vitória reparou no descair da boca da sua governanta, mas decidiu ignorá-lo.

— Diamantes ou pérolas? — disse, apontado para a caixa das joias.

*

Melbourne aguardava-a na antecâmara entre os aposentos privados e os de Estado.

— Que aspeto magnífico, Majestade.

— Gosta deste brocado? Creio que veio de Veneza. A Mamã não gosta, diz que não tenho idade para o usar.

— Penso que uma rainha pode usar o que quiser.

— Exceto azul, disse-me que não gostava de ver uma mulher de azul.

— Disse, Majestade? — Melbourne sorriu. — Está pronta para entrar?

— Prontíssima, Lorde M.

O burburinho dos trezentos convidados acalmou quando as portas duplas se abriram, e todas as cabeças se viraram para olhar para a nova rainha. O silêncio foi-se evaporando, transformando-se num zumbido de excitação à medida que as pessoas se viravam umas para as outras em busca de confirmação das respetivas impressões da sua nova monarca.

— Baixa, certamente, mas não anã.

— Toda ela é bem proporcionada.

— Claro que tem aquele queixo dos Hanover.

— Ou falta dele, quer dizer.

— Disparate. É encantadora. Que mudança, ter uma rainha jovem e bonita.

— Uma rapariga de dezoito anos que acabou de sair da sala de aula, com um nome inventado. Nunca ouvi falar de ninguém chamado Vitória. É um nome ridículo!

— Prefiro ter uma Rainha Vitória a um Rei Ernesto.

— Penso que Melbourne concorda consigo, nunca o vi ser tão atencioso com uma mulher que não fosse esposa de outro homem.

— Ouvi dizer que no White's lhe chamam a ama real.

— Bem, lá experiência tem ele — lembre-se da mulher dele.

— A pequena Vicky deve ser fácil, depois da Caro.

— Precisa de um marido, claro.

— Um príncipe alemão qualquer, com suíças na cara e cebolas nos bolsos.

— O céu nos proteja! Já há alemãs que baste no palácio.

— Palácio Pão de Centeio.[12]

Mas Vitória não ouvia nenhum destes torvelinhos de tagarelice e mexericos que a rodeavam. A única voz a que prestava atenção era à de lorde Melbourne que lhe sussurrava ao ouvido os nomes e atributos dos convidados que iam subindo ao estrado para lhe serem apresentados.

— Eis a Duquesa de Sutherland, Majestade. Penso que seria uma excelente candidata para camareira-mor.

Vitória olhou para a morena alta e elegante à sua frente, cujo cabelo estava penteado à *la anglaise* com cascatas de canudos de ambos os lados da cara. Era um estilo que Vitória muito admirava, mas que nunca se atrevera a experimentar.

Sorriu quando a duquesa se ergueu da sua vénia.

— Fico na expectativa de a conhecer, duquesa.

Enquanto a duquesa recuava com grande dignidade e se misturava com a multidão, Vitória comentou para Melbourne:

— É certamente muito elegante, mas é respeitável?

---

[12] Pão muito popular na Alemanha. Daí a utilização como qualificativo dos alemães. (*NT*)

Melbourne não foi apanhado desprevenido:

— Tão respeitável quanto uma grande dama pode ser, Majestade.

— Lehzen diz que a moral das mulheres das classes mais altas da sociedade é deplorável. As duquesas, diz, são as piores.

— A baronesa fala de experiência própria, posso perguntar, ou terá andado a dar ouvidos a rumores?

— É possível. Sabe que, antes da nossa primeira audiência, ela me avisou da sua reputação? Disse-me que era má.

— Bem, nesse caso, a Baronesa tem toda a razão, claro. — Melbourne sorriu-lhe. — Não fosse eu primeiro-ministro e não haveria desculpa para me encontrar a sós com alguém como a senhora.

— Agora está a meter-se comigo, Lorde M.

— Pelo contrário. Agora, Majestade, gostaria de lhe apresentar *Lady* Portman. O seu marido é subsecretário das Colónias e um tanto palerma, mas Emma Portman conhece toda a gente e sabe tudo e eu penso que daria um excelente elemento da vossa casa.

Lady Portman, uma mulher com excelente apresentação, de meia-idade, cujos olhos cinzentos cintilavam de inteligência, fez--lhe uma reverência.

— *Lady* Portman conheceu o vosso pai, Majestade.

Emma Portman sorriu.

— Tive o prazer de dançar a polca com ele, Vossa Majestade. O falecido Duque era um excelente dançarino.

Vitória ficou encantada.

— A sério? Não sabia. Calculo que seja por isso que gosto tanto de dançar, mas não tive muitas oportunidades para praticar.

Emma sorriu.

— Mas certamente que irá haver um Baile da Coroação, Majestade? Penso que é o costume.

— Oh, espero que sim. — Virou-se para Melbourne, numa súbita preocupação. — Isto se considerar que podemos arcar com a despesa, Lorde M?

Melbourne sorriu.

— Uma vez que confio em que terá apenas uma coroação, Majestade, penso que poderemos pagar uma pequena festa.

O sorriso de Vitória tornou-se radioso.

— Vou abrir o baile consigo, Lorde M.

— Oh, penso que encontrará parceiros de dança muito mais promissores, Majestade, mas talvez possa guardar-me uma dança mais para a frente no seu *carnet*.

Foi talvez uma sorte que *lady* Portman tenha sido a única pessoa a escutar esta troca de palavras; mas os outros presentes no salão de baile não podiam deixar de reparar na harmonia existente entre a monarca e o seu primeiro-ministro. *Sir* John Conroy, que estava de pé, atrás do sofá onde se sentavam a duquesa de Kent e *lady* Flora, observava a conversa com uma cara que parecia congelada em desaprovação.

— Parece, Alteza, que Melbourne tenciona encher a casa da vossa filha com as esposas dos seus ministros. Vê como ele está apenas a apresentar-lhe damas da fação Liberal?

— Mas, *Sir* John, penso que é costume que as damas provenham do mesmo partido do que o primeiro-ministro.

— Talvez, mas são todas esposas de amigos pessoais de Melbourne. Não há ninguém que vigie a influência que ele tem nela.

— Penso que ela é uma jovem que está a apreciar a atenção de um homem muito mais velho do que ela. Tudo mudará quando casar. — A duquesa encolheu os ombros. — Vou escrever a Leopold e sugerir-lhe que Albert e Ernst venham fazer-lhe uma visita dentro de pouco tempo. Os primos distraí-la-ão de Lorde Melbourne.

— Gostava de poder partilhar a sua confiança, Alteza — retorquiu Conroy.

Lady Flora inclinou-se para a duquesa.

— O favoritismo dela para com Melbourne tem sido muito notado. O meu irmão diz que tem sido causa de muitas conversas nos clubes. Pergunto-me se a rainha tem noção do muito interesse que o seu comportamento está a provocar.

A duquesa olhou para o outro lado da sala, onde a filha estava a sussurrar para Melbourne por trás do leque.

— Penso que a minha filha está perfeitamente consciente da dignidade da sua posição, mas não fará mal em dar-lhe alguns conselhos — suspirou —, apesar de já não me ser tão fácil vê-la como era em Kensington. Em tempos fomos tão próximas!

Todas as noites eu ouvia a respiração dela e agradecia a Deus por ela ainda estar viva. Mas agora, se quero falar com ela, tenho de pedir uma audiência.

A fila de convidados a serem apresentados à rainha diminuíra finalmente até não restar ninguém. Vendo a rainha debater-se para refrear um bocejo, Melbourne dobrou-se e perguntou-lhe se desejava pôr termo à cerimónia.

— Oh, diverti-me muito. Mas confesso que falar com tanta gente nova me deixou um pouco fatigada. Não sabia que havia tantos embaixadores na Corte de St. James. O mundo é um lugar muito maior do que imaginei.

— Hoje está muito distante de Kensington, Majestade.

— Às vezes desejo que tivesse sido mais bem preparada. Sei que as pessoas esperam que eu fale com elas, mas nunca me lembro de nada interessante para lhes dizer.

— Nesse campo, não tem nada com que se preocupar, Majestade. Tudo o que uma rainha diz tem interesse.

Vendo a mãe a aproximar-se e não tendo o menor desejo de lhe falar, Vitória levantou-se. Obedecendo ao seu movimento, toda a gente se pôs de pé também e dividiu-se à sua frente como o Mar Vermelho perante Moisés. Quando abandonou a sala, o burburinho da conversa aumentou. Se alguém reparou que a rainha parecia ansiosa por evitar a mãe, não o mencionou ou, pelo menos, não até os homens de meias de seda e as mulheres com penas de avestruz se encontrarem no exterior, aguardando as suas carruagens.

— Viram como a rainha se apressou a sair quando a Duquesa de Kent se aproximou? Parecia que ela preferia pôr um ponto final à audiência do que falar com ela.

— *Sir* John Conroy estava com uma cara de tempestade. Imagino que a rainha não seja tão sensível aos seus encantos como a duquesa.

— A estrela dos Conroys parece estar a empalidecer.

— Conroys! Essa é boa!

— Mas adequada, não concorda?

— Sem dúvida.

CAPÍTULO ONZE

A sala de estar verde do Palácio de Buckingham era o local onde Vitória gostava de passar o tempo com as suas damas. Tinha a vantagem de só dispor de uma entrada, pelo que se ela ordenasse que não a incomodassem, a duquesa ou quem quer que fosse ficava impossibilitado de entrar pela porta de serviço.

Vitória começara por se sentir um tanto ansiosa em nomear a duquesa de Sutherland e *lady* Portman para a Casa Real. *Lady* Portman era pouco mais nova do que a sua mãe e famosa pelo seu espírito vivo. Lorde M contara-lhe que nomeara Lorde Portman ministro apenas para poder beneficiar da experiência de Emma.

Harriet Sutherland, que estava muito mais próxima da idade de Vitória, era conhecida por ditar tendências de moda. Gravuras do seu último penteado ou da forma engenhosa como prendia o *fichu*[13] tinham grande procura. O seu gosto em usar uma fina corrente de ouro atravessada na fronte lançara a moda nas salas de Mayfair e até mesmo no Palácio, onde a própria Vitória usava agora anéis de ouro entrançados no seu carrapito com um pequeno pingente pendurado bem no meio da testa.

No entanto, apesar de toda a sua elegância, Harriet não era nada intimidante e estava sempre disponível para dar conselhos acerca dos encantos da moda, se bem que Vitória não concordasse com a relutância da duquesa em usar diamantes durante o dia. Um dos grandes prazeres da sua nova posição eram as

---

[13] Pequeno xaile de renda triangular, usado por cima dos ombros. (*NT*)

joias que estavam agora na sua posse. Mas por deferência para com a duquesa, pusera apenas uns poucos ganchos de diamantes no cabelo.

Hoje estavam a ver uma das revistas de moda ilustradas que Vitória mandara vir de Paris. A moda atual das mangas armadas atingira o seu auge e Vitória e as suas damas extasiavam-se com uma gravura mostrando duas senhoras com mangas tão volumosas que pareciam umas verdadeiras borboletas com as suas cabecinhas redondas aninhadas entre aquelas asas garridas.

— Os franceses vão sempre longe de mais — disse Harriet. — Como é que alguém pode ter uma conversa usando umas mangas destas?

— Acho que estes estilos são para mulheres que só querem ser admiradas de longe — afirmou Emma. — Vi a senhora Norton com uma coisa deste género na ópera, na semana passada. Mas como ninguém quer ser visto a conversar com ela, calculo que as mangas não sejam um estorvo.

Vitória levantou o olhar. Queria muito saber mais coisas acerca da senhora Norton.

— Porque é que ninguém quer ser visto a falar com a senhora Norton?

Harriet e Emma olharam uma para a outra. Harriet abanou a cabeça, mas Emma, que deduzira a razão da curiosidade da rainha, inclinou-se para a frente.

— Deve saber, Majestade, que o marido da senhora Norton a processou, no ano passado, por contactos ilícitos.

Vitória recordou-se da explicação atrapalhada do termo por Lehzen.

— O senhor Norton, um homem odioso, alegou que a esposa tinha tido relações com Lorde Melbourne. E foi ao ponto de a levar a tribunal.

Vitória corou e baixou os olhos sobre as mãos.

— O William foi chamado como testemunha e obrigado a responder a todo o tipo de perguntas inconvenientes em tribunal, mas felizmente o júri não esteve para aturar aquilo e o caso foi anulado.

— Então, Lorde Melbourne estava inocente?

Emma olhou para o rosto jovem e brilhante da rainha e escolheu as palavras com cuidado.

— É claro que William era amigo da senhora Norton. Penso que se condoeu da situação difícil dela, ao encontrar-se casada com um homem tão desagradável. E ele é, como sabe, um homem que está sempre à vontade na companhia de mulheres.

— Que monstruoso terem-no feito passar pela infelicidade de um julgamento.

— Tenho a certeza de que os Conservadores estiveram por trás do caso, Majestade. Creio que foram eles que persuadiram Norton a abrir o caso. Não haveria nada de que mais gostassem do que derrubar Melbourne.

Vitória pôs-se de pé, no que foi seguida por Harriet e Emma.

— Porque será que Lorde Melbourne não tornou a casar?

— Penso, Majestade, que a sua experiência do casamento não foi feliz e talvez ele tenha relutância em repeti-la.

Emma estava na vida política há tempo suficiente para saber que a rainha tinha muitas perguntas que desejava fazer acerca do casamento de lorde Melbourne, se soubesse como as pôr. E porque estava a gostar muitíssimo do seu lugar na Corte e do seu novo estatuto de confidente da rainha, decidiu falar.

— Caroline, a esposa dele, era encantadora, mas, lamento dizê-lo, instável. No início creio que foram felizes, mas depois Caro travou conhecimento com Lorde Byron. Era um homem horrível, claro, bastante depravado, mas diabolicamente atraente. Caro ficou absolutamente enamorada dele e comportou-se de uma forma totalmente desadequada a uma mulher casada. O pobre William foi alvo de grandes chacotas. Creio que a mãe dele queria que se divorciasse dela, mas ele recusou. Quando Byron largou a Caro, ela ficou transtornada. Houve mesmo quem chegasse a falar em interná-la num hospício. Mas o William não quis abandoná-la. É um homem de grandes sentimentos.

O queixo de Vitória caiu.

— Como é que uma esposa pode fazer uma coisa dessas?

— A Caro não era uma pessoa vulgar, Majestade. Era uma Bessborough, e temo que a sua educação deixasse muito a desejar.

— E ainda assim, Lorde Melbourne ficou ao seu lado?

— Sim, Majestade. Tratou dela até à sua morte, uns anos atrás. E depois voltou para a política. Não podia, como é óbvio, ser primeiro-ministro tendo Caro a seu lado.

— Que história tão triste e, ainda assim, Lorde Melbourne parece sempre jovial.

Mais uma vez Harriet e Emma trocaram um olhar. Emma Portman prosseguiu:

— Creio, Majestade, que se o tivesse conhecido no ano passado, não diríeis isso, mas nos últimos tempos a sua disposição tem melhorado bastante.

— O meu marido pensou que ele estava disposto a abandonar a política depois do caso da senhora Norton — declarou Harriet —, mas agora ele parece bastante feliz por ser primeiro-ministro.

— Estou muito feliz por ele não ter desistido — afirmou Vitória. — Penso que não teria conseguido desenvencilhar-me tão bem com outra pessoa qualquer.

Harriet e Emma sorriram, e Vitória também, mas por razões diferentes.

*

Desde que se mudara para o Palácio de Buckingham, Vitória fizera tudo o que pudera para se afastar fisicamente da mãe. Tivera bastante êxito, mas havia ocasiões em que o protocolo não deixava à rainha outra escolha que não estar ao lado da mãe.

Uma dessas ocasiões era o serviço semanal na Capela Real. Vitória percorria de carruagem a curta distância desde o Palácio de Buckingham, mas ganhara o hábito de regressar a pé, atravessando The Mall. Este hábito tornara-se conhecido do público e, nas manhãs de domingo, as pessoas reuniam-se à espera de poder ver a sua rainha por um instante.

Nessa manhã o sermão fora sobre o Quarto Mandamento, «Honra a teu pai e a tua mãe». Vitória estivera consciente do olhar da mãe pousado em si enquanto o sacerdote falava do respeito por um progenitor como modelo para a fé em Deus. Agitou-se no banco e desejou que lorde M estivesse com ela. Já em várias ocasiões lhe pedira que a acompanhasse, mas ele respondera-lhe que não era homem de ir à igreja.

Enquanto o órgão tocava, Vitória levantou-se para abandonar a capela, e como exigia a precedência, a mãe seguiu-a, imediatamente atrás.

Quando chegaram aos degraus da capela, houve alguns vivas das pessoas que esperavam no exterior. Vitória sentiu a mão da mãe no seu ombro e não teve alternativa senão caminhar de braço dado com ela.

— Um sermão tão bonito, não acha, Drina?

— O Fisher foi certamente eloquente, Mamã. Mas penso que nunca ouvi um sermão que fosse demasiado curto.

Uma rapariguinha destacou-se da multidão a correr e estendeu um pequeno ramo de flores na direção de Vitória. Ela dobrou-se, pegou-lhe e do grupo de pessoas chegou-lhe um murmúrio de agrado.

— Oh, que encantadora.

A duquesa não respondeu, mas foi então que uma rapariga um pouco mais velha se aproximou, vinda do lado oposto, com um ramo para ela, e também a duquesa se inclinou, indo ao ponto de depor um beijo no rosto da rapariguinha.

— Está a ver, as pessoas não se esquecem da mãe da sua rainha.

— Não, Mamã. Sempre foi popular junto do povo.

Vitória tentou avançar, mas a duquesa tornou a passar o seu braço pelo dela, um gesto que fez a multidão suspirar de prazer. Que encanto, ver a sua jovem rainha passear com a mãe.

Vitória tomou consciência de que não havia fuga possível.

— Então, Drina, está contente com a Duquesa de Sutherland como camareira-mor?

— Muito contente. Ela é tão encantadora e elegante.

— E *Lady* Portman?

— Gosto muito dela. Contou-me que uma vez dançou uma polca com o Papá.

— É possível. Tem certamente idade para isso.

— Acho-a muito divertida.

— Mas essas duas damas são casadas com amigos de Lorde Melbourne, Drina. Penso que não é muito sensato.

— Não são as minhas únicas damas, Mamã, e é perfeitamente normal que as damas da Casa Real estejam ligadas ao partido do Governo.

A duquesa encolheu os ombros.

— Perfeitamente normal, talvez, não sei. Mas o que eu penso que não é normal é estar rodeada apenas de amigos de Lorde Melbourne. Não há ninguém que lhe diga como ele é na realidade.

— Penso que sei como ele é na realidade, Mamã. Creio que Lorde Melbourne é o mais capaz dos homens. Tem-me sido inestimável desde que subi ao trono.

— Claro que tem. Mas enquanto sua mãe, Drina, aviso-a de que gostaria que estivesse de sobreaviso em relação a ele.

— De sobreaviso? Mas onde quer chegar com isso, Mamã?

A voz de Vitória subiu de tom nesta última pergunta e ela reparou que uma mulher da multidão a olhava, curiosa.

— Ele não é, penso, de confiança. Deve saber que no ano passado foi acusado de manter contactos ilícitos com uma mulher casada.

— Claro que sei! E também sei que foi declarado inocente.

A duquesa revirou os olhos.

— Nem mesmo um júri inglês iria declarar um primeiro-ministro como culpado, Drina!

— É-lhe impossível imaginar que ele possa ter sido absolvido por ser inocente, Mamã?

A duquesa riu.

— Oh, Drina, o seu Lorde Melbourne pode ser muita coisa, mas inocente é que ele não é.

Mãe a filha fizeram o resto do caminho de regresso ao palácio em silêncio e Vitória pensou que talvez conseguisse escapulir-se sem ter de ouvir outro sermão da mãe. Mas quando passavam por Marble Arch e entravam no pátio do palácio, a mãe dirigiu-se-lhe de novo. Desta vez, a duquesa inclinou-se para ela e o seu rosto era amável. Vitória sentiu um leve aroma a alfazema e, por um instante, foi assaltada pela tristeza de as coisas entre as duas não poderem ser mais fáceis.

— Minha querida Drina, penso que talvez lhe tenha falhado como mãe. Deixei-a muito sozinha com a Baronesa Lehzen, que não percebe realmente as regras mundanas.

A duquesa levou a mão à face de Vitória e acariciou-a com ternura.

— Quero dizer-lhe uma coisa, *Liebes*. Algo que penso só uma mãe pode dizer. — Abriu muito os olhos. — Tem de ter cuidado com Lorde Melbourne. É uma rapariga jovem e ele, bem, ele é *ein Herzensbrecher*. Um quebra-corações. Devia tomar cuidado, Drina, para não lhe roubar o seu.

— Com franqueza, Mamã, não existe o menor risco de isso acontecer. Esquece que sou a rainha e ele o meu primeiro-ministro.

— Estou certa de que é nisso que acredita, Drina, e pode ser que seja verdade. Mas eu tenho visto a maneira como as suas faces ficam rosadas de cada vez que olha para ele.

CAPÍTULO DOZE

Nessa noite, o jantar não foi uma refeição muito convivial, uma vez que a rainha parecia ter perdido o apetite. Como ela apenas debicava na comida, os outros comensais não puderam apreciar realmente o seu fricassé de ostras ou a galantina de vitela com molho verde picante, pois, no instante em que Vitória pousava o garfo, todos os pratos eram retirados pelos lacaios que estavam de pé atrás de cada cadeira. Claro que ninguém podia continuar a comer depois de a rainha ter terminado. Isto teve um efeito desmoralizador na conversa, uma vez que cada comensal se mostrou ansioso por consumir tanta comida quanta conseguisse antes de a soberana parar de comer.

Apesar de não o admitir, mesmo para si própria, a perda de apetite de Vitória prendia-se com o aviso da mãe. Lorde M seria realmente um *Herzensbrecher*? Sentira que ele era o único, de entre todos os homens de que estava rodeada na corte, que gostava dela por ela mesma, não apenas pela sua posição. Mas talvez, como a mãe lhe dissera, ele gostasse de todas as mulheres. Olhou para o extremo da mesa onde ele se ria com Emma Portman e sentiu uma angústia provocada por algo que não reconhecia. Sorriria ele com tanta alegria quando estava com ela, perguntou-se. Pousou a colher e pôs-se de pé. O resto da mesa imitou-a e as senhoras seguiram Vitória que abriu o caminho para a sala de estar, com os cavalheiros a acompanhá-las até à porta da sala de jantar.

Os cavalheiros não se demoraram depois de a rainha e as suas damas terem passado para a outra sala. Apesar de Melbourne apreciar o Porto do Palácio, não tinha o menor desejo de o beber na companhia de Conroy. Foi com desagrado que, quando se levantou da mesa, viu Conroy acompanhá-lo até à porta.

— A Duquesa estava interessada em saber, Melbourne, qual a distribuição dos lugares para a Coroação.

Melbourne ficou irritado por Conroy se lhe dirigir como igual. Mas como sempre, a sua boa educação ao responder esteve na proporção inversa do seu aborrecimento.

— Verdade, *Sir* John? Há qualquer coisa em especial que a Duquesa deseje saber?

— Sua Alteza Real quer saber se o irmão, o Rei Leopold estará presente, bem como os seus sobrinhos, Albert e Ernst? Teme que a Rainha tenha esquecido a família do lado Coburgo.

Melbourne dirigiu a Conroy o seu sorriso mais atraente.

— Oh, penso que tal seria altamente improvável. A Rainha, como sabe, tem a mais espantosa noção do pormenor. Mas, infelizmente, o protocolo impede a presença de outro monarca na Coroação, o que impede a comparência do Rei Leopold. Penso que Suas Altezas Sereníssimas, os Príncipes Albert e Ernst dificilmente desejarão estar presentes sem ele.

Conroy baixou a cabeça.

— Tem vantagem sobre mim, Melbourne, no que toca ao protocolo. Darei essa explicação à Duquesa. Mas penso, ou melhor, a Duquesa pensa que seria aconselhável a Rainha convidar os primos a visitá-la num futuro próximo.

— Verdade? Então sugiro que o senhor ou a Duquesa façam essa sugestão à Rainha. É ela quem decide os convites para o Palácio, um privilégio que aprecia bastante, pois creio ser a primeira vez que goza da liberdade de escolher as suas próprias companhias.

Melbourne sai da sala sem olhar para trás.

Na sala de estar, Vitória levantou o olhar no instante em que ele entrou.

— Ah, Lorde M, íamos agora jogar *piquet*. Quer juntar-se a nós?

Melbourne sentiu o olhar de Emma pousado em si de um lado da sala, e o de Conroy do outro. Sabia que cada conversa que tivesse com a rainha, por inocente que fosse, seria escrutinada.

— Perdoa-me, Majestade, se eu me escusar? Há alguns assuntos do Governo a que tenho de dar atenção.

Vitória franziu o sobrolho.

— Acho que posso perdoar-lhe, mas estou a contar consigo amanhã no parque, para o nosso passeio a cavalo. Não o aprecio sem si.

Melbourne sorriu; os seus esforços de discrição não estavam à altura da franqueza da rainha.

— Nesse caso, Majestade, lá estarei.

CAPÍTULO TREZE

— Acho que hoje vou usar o fato vermelho, Jenkins.

Vitória ergueu os braços e a senhora Jenkins fez deslizar o fato de montar por cima da sua cabeça. Era feito de tecido de gabardina escarlate com guarnições de renda dourada e apliques na saia, presa por uma fila de botões dourados que a senhora Jenkins apertava com uma abotoadeira.

Olhou-se no espelho e sorriu. A porta abriu-se e Lehzen entrou por trás dela e fez uma reverência ao seu reflexo no espelho.

— Não acha que o meu fato é absolutamente esplêndido? — perguntou Vitória. — Quem me dera poder usá-lo sempre. Sinto-me tão feliz sem o espartilho.

Lehzen pareceu ficar ligeiramente escandalizada e Jenkins reprimiu um sorriso.

Vitória reparou.

— Oh, Lehzen, de certeza que posso dizer que não gosto de usar um corpete. É tão bom poder dobrar-me e mexer os braços à vontade. É desagradável estar enfaixada num espartilho o tempo todo, como uma galinha.

— Faz parte de ser mulher, Majestade.

— Não só mulher, Lehzen. Lorde M disse-me que o meu tio George era tão gordo que costumava usar espartilho para conseguir manter o colete apertado.

— Lorde Melbourne está muito bem informado.

Vitória pôs a cartola de montar e deu uma volta à frente do espelho para se admirar.

— Se eu pudesse usar isto no Baile da Coroação, dançaria a noite toda em absoluto conforto.

— É a rainha, Majestade. Ninguém pode impedi-la de nada.

— Verdade. Vou perguntar a Lorde M, mas temo que ele pense que perdi o juízo.

— Duvido, Majestade.

Hyde Park estava ainda mergulhado em neblina quando Vitória cavalgou até Rotten Row acompanhada pelo seu cavalariço e lorde Alfred Paget, o escudeiro real. Melbourne aguardava-a, como sempre, junto aos portões de Apsley House.

Quando a viu, sorriu.

— Que encantadora está hoje, Majestade. Creio que o fato de montar é novo. — Seguiram num galope leve durante um bom bocado, fazendo levantar a terra à sua frente, até chegarem ao limite norte do parque. Vitória puxou as rédeas ao seu cavalo e, virando, seguiram ao longo do Serpentine.

— Considero que as nossas cavalgadas matinais são a minha parte favorita do dia, Lorde M. Se não tivesse o parque na cabeça, penso que nunca conseguiria sair da cama.

Quando atravessaram a ponte sobre o Serpentine, Vitória virou-se para ele e disse, de rompante:

— Falamos acerca de tudo durante as nossas cavalgadas, mas nunca fala do seu passado, Lorde M.

— O meu passado, Majestade? Temo que não seja nem edificante nem divertido.

Vitória olhou para longe, para além da água.

— Pergunto-me por que nunca voltou a casar.

Após um instante de silêncio, Melbourne disse:

— A Caro não era uma esposa modelo, longe disso. Mas era adequada para mim e nunca encontrei ninguém que a substituísse.

— Mas não se importou quando ela fugiu com Lorde Byron?

— Não me importei? — Lorde Melbourne agarrou com força as rédeas do cavalo. — Sim, importei-me.

— E, no entanto, recebeu-a de novo. Penso que não conseguiria fazer isso.

— Talvez, Majestade, seja demasiado jovem para perceber.

Vitória bateu com os calcanhares nos flancos do cavalo e avançou. Melbourne teve uma breve hesitação e seguiu-a. Quando já se encontravam lado a lado, ela virou-se e declarou:

— Tenho idade suficiente para ser rainha, Lorde Melbourne.

— Não quis faltar-lhe ao respeito, Majestade. Mas a minha experiência diz-me que os jovens nem sempre compreendem os compromissos da idade.

Vitória mordeu o lábio inferior.

— Penso que ela, a sua mulher quero dizer, se comportou muito mal.

— Concordo, Majestade, é isso que deve parecer, mas a Caro não era uma mulher como as outras. Foi-me mais fácil perdoar-lhe do que seria rejeitá-la.

— Eu não seria capaz de o fazer.

— Espero sinceramente que nunca tenha de o fazer, Majestade.

Vitória sentiu as faces a arder. Não percebia por que razão ele estava a ser tão seco com ela. Não tinha querido ofendê-lo ao perguntar pela sua esposa. Quando chegaram a Apsley House, ela virou a cabeça do cavalo na direção do Palácio.

— Vou voltar agora. Penso que vou ver as listas do exército antes do próximo Conselho Privado.

— Penso que seria sensato, Majestade.

— Sim — respondeu Vitória. — Penso que, ultimamente, talvez tenha andado a negligenciar um pouco os meus deveres. Não me parece que venha cavalgar amanhã, acho que vou antes trabalhar nas minhas caixas. Tive muitos pedidos de caridade, tenho mesmo de lhes dar resposta. Estou certa de que a Baronesa me ajudará.

— O país tem sorte em ter uma rainha tão diligente, Majestade — retorquiu Melbourne ao mesmo tempo que fazia o seu cavalo virar para Park Lane. Enquanto prosseguiam os seus caminhos separados, ambos os cavaleiros iam a pensar nas palavras que desejariam ter dito.

CAPÍTULO CATORZE

O cheiro era tão forte que Vitória se viu forçada a pôr o lenço à frente da cara.

— É sempre assim na cidade, Lehzen?

— Aquilo à sua esquerda é Billingsgate, Majestade. O mercado do peixe.

Vitória olhou pela janela e viu um rapazinho a empurrar um carro carregado de cabeças e espinhas de peixe ao longo da beira da estrada.

— Olhe para aquilo. O que acha que ele poderia querer fazer com aquelas cabeças de peixe todas?

— Provavelmente, anda a juntá-las para as vender para fazer sopa, Majestade.

— Oh.

Vitória sentiu-se aliviada quando o mercado de peixe ficou para trás. Pela janela via as torres brancas que constituíam o seu destino.

A carruagem passou com estrépito por cima do empedrado e chegou à ponte levadiça, guardada por dois guardas da Torre que fizeram a continência quando elas se aproximaram.

Vitória ergueu os olhos para o velho arco de pedra e viu que a parte inferior se encontrava coberta de musgo. Estremeceu.

— Não consigo parar de pensar na Ana Bolena.

— Penso que era uma mulher tola — declarou Lehzen.

— Mas cortarem-lhe a cabeça! Penso que foi algures por aqui. Oh, quem me dera que Lorde M estivesse cá. Ele seria capaz de nos contar tudo e transformar isto numa história.

Lehzen apertou os lábios numa linha fina.

A carruagem contornou a Torre Branca e deteve-se à frente de um edifício à esquerda do muro exterior. O lacaio puxou os degraus da carruagem e Vitória entrou na Casa das Joias.

— Se me permite, eu indico-lhe o caminho, Majestade. — O guardião das joias da rainha transpirava, apesar de o ar dentro das grossas paredes de pedra ser desagradavelmente frio e húmido.

Mostrou uma grande chave e, com grandes gestos, abriu a cripta. As portas abriram-se, relutantes.

O interior da cripta estava escuro e bafiento. Vitória tossiu. O guardião olhou à sua volta, desalentado.

— As minhas desculpas, Majestade, por não ter arejado a câmara. Devia ter feito preparativos, mas nunca antes tivemos a visita de uma mulher, quer dizer, de uma rainha.

Vitória inclinou a cabeça.

— Queria ver a coroa antes da Coroação.

— Se fizer a gentileza de se sentar aqui, Majestade. Eu vou buscar o cofre. — O guardião pousou uma caixa de cabedal com pregos em cima da mesa e abriu-a com um estalido. Vitória susteve a respiração quando um raio de luz incidiu sobre uma das pedras da coroa, projetando um fio de pontinhos de luz que se espalharam pela escuridão da cripta.

Levantou-se para retirar a coroa do cofre. Era pesada; calculou que pesasse o mesmo que *Dash*, talvez mais. Lehzen deu um passo em frente para a ajudar, mas Vitória abanou a cabeça.

— Acho que devo fazer isto sozinha.

Levantou os braços e colocou a coroa na cabeça. Era, como calculara, demasiado grande. Quando a largou, escorregou-lhe até meio da testa, inclinando-se sobre o seu olho direito.

— Tenho aqui um espelho, Majestade, se desejar ver o efeito.

Ele trouxe um espelho de mão de prata com um monograma na parte de trás. Quando Vitória o observou, curiosa, o guardião murmurou, apologético:

— Pertence à minha esposa, Majestade. Ela pensou que podia ser necessário.

— A sua mulher é muito atenciosa. Estou-lhe muito grata.

Vitória ergueu o espelho. Pensou que a coroa de metal dourado que fizera à boneca n.º 123 lhe assentaria muito melhor. Tentou inclinar a coroa de modo a que ficasse pendida para a parte de trás da cabeça, mas esta ficou com um aspeto ainda mais instável. Se a punha direita, o aro ficava a meio caminho do seu nariz e a única coisa que via era uma mancha filtrada por um diamante. Pousou-a na mesa com uma pancada surda.

— Isto não serve.

— Não, Majestade. — A voz do guardião soluçava de desculpas.

— Talvez queira experimentar esta.

De outro estojo tirou uma coroa pequena. Era um gracioso nó de diamantes, com grupos de safiras em torno do aro de apoio na cabeça.

Servia na perfeição. Vitória virou a cabeça para um lado e para o outro, admirando a forma como apanhava a luz nos seus olhos.

— Esta é muito melhor.

— Sim, Majestade, é a coroa da rainha consorte.

Vitória tirou o diadema.

— Infelizmente, eu não sou uma rainha consorte, mas uma rainha reinante. A Coroa de Estado tem de ser alterada para se adaptar à minha cabeça. Não posso descer a nave da Abadia de Westminster com uma coroa que me fica demasiado grande.

— Mas a Coroação é na quinta-feira, Majestade!

— Então, ainda bem que eu tive o cuidado de a vir experimentar!

— Mas preocupa-me, Majestade, que seja sempre demasiado pesada para vós. Tem tantas pedras.

— Não estou preocupada com o peso, apenas com a circunferência. — Virou-se para Lehzen.

— Tem uma fita ou qualquer coisa parecida para que possamos deixar ao guardião uma medida rigorosa?

Lehzen puxou um pedaço de renda do bolso e passou-o em torno da cabeça da rainha, fazendo um nó onde as pontas se tocavam sobre a testa dela. Ela estendeu-o ao guardião.

— Agora já não há desculpa para não ter o tamanho certo.

Vitória ouviu o profundo suspiro que o guardião soltou quando abandonaram a sala.

De regresso à segurança da carruagem, Vitória permitiu-se rir.

— A cara do guardião quando eu experimentei a coroa. Esforcei-me tanto por não me rir. Mas a verdade é que ele devia ter ido verificar antes.

Lehzen deitou-lhe um olhar de lado.

— Admira-me que Lorde Melbourne não se tenha lembrado de tratar do assunto, Majestade. Está sempre tão ansioso em ser útil.

O sorriso de Vitória desapareceu. Endireitou-se um pouco mais no assento.

— Lorde Melbourne é o primeiro-ministro. Não pode tratar de todos os pormenores. O tamanho da minha coroa dificilmente poderá ser considerado um assunto de Estado, Lehzen.

— Não? Mas o que poderia ser mais importante, Majestade?

Vitória virou-se para olhar pela janela. Perguntara a lorde Melbourne se podia acompanhá-la à Torre, mas ele alegara que, de momento, estava muito ocupado com os preparativos da Coroação. Como Lehzen referira, contudo, o que poderia ser mais importante do que uma coroa que assentasse bem? Vitória congratulou-se por ter insistido em experimentá-la. Tudo, todos os ornamentos de Estado, tinham sido concebidos para homens grandes e corpulentos. Ela mal conseguia levantar os garfos de ouro ou os copos de cristal facetado que os tios haviam usado. Até mesmo as facas e os garfos do serviço de cerimónia eram enormes.

Tinha decidido não mostrar qualquer sinal de desconforto depois de a mãe lhe ter dito uma vez, após um banquete de cerimónia em Windsor, ainda o rei era vivo:

— Que mãos pequenas tem, Drina. Talvez devamos mandar fazer um talher especial, mais adequado a alguém do seu tamanho.

Conroy sorrira, ao lado dela.

— Acha sensato, Duquesa? A sua filha tem uma certa tendência para se tornar roliça. Não queremos encorajá-la a comer demasiado.

Fora uma conversa que ela nunca esquecera. Mas agora decidira que, mesmo que a sua mãe não tivesse tido a melhor das intenções, ela tinha toda a razão. Tinha umas mãos pequenas e não havia qualquer razão para que a rainha do país mais poderoso do mundo não tivesse talheres feitos à sua medida — ou, para dizer a verdade, uma coroa que lhe servisse.

Era uma ideia que, normalmente, partilharia com lorde Melbourne. Ele fora sempre um ouvinte tão atento. Com ele, nunca sentira que estava simplesmente à espera de que ela terminasse para poder dar a sua própria opinião, sempre superior. Claro que podia dizer a Lehzen, mas falar com a baronesa não era o mesmo que com lorde M.

CAPÍTULO QUINZE

A orquestra começara já a tocar, e a música vinda do salão de baile chegava ao quarto da rainha. Vitória não conseguiu deixar de bater o pé quando começaram a tocar uma das suas polcas favoritas. Ouviu uma exclamação abafada de *monsieur* Philippe, o cabeleireiro que era chamado em ocasiões especiais. Estava a fazer-lhe um penteado muito elaborado usando um ferro de frisar e o súbito movimento de Vitória fizera-o queimar os dedos.

— Peço desculpa, *Monsieur* Philippe, mas é difícil não me mexer quando ouço música. Já está quase?

— *Oui, Votre Majesté.*

Monsieur Philippe falava francês com um sotaque que não era familiar a Vitória, mas como o seu discurso se limitava a uns quantos *oui, non* e *et voilà*, ela não tinha qualquer problema em segui-lo. Nessa noite, pedira-lhe que a penteasse segundo o estilo *à l'impériale*. O cabelo era apanhado atrás num carrapito, e tinha duas cascatas de canudos sobre as orelhas. Harriet Sutherland começara a usar o cabelo arranjado desta maneira e Vitória escutara lorde Melbourne cumprimentar a duquesa pela sua elegância.

— *Et voilà, Votre Majesté.*

Vitória virou-se para olhar para o espelho, com *monsieur* Philippe orgulhosamente de pé atrás de si. Mas o seu reflexo fê-la ficar paralisada de horror. Como a duquesa era alta, podia ostentar aquele penteado elaborado, mas em Vitória aquilo parecia absurdo, fazendo dela mais um cão de colo do que uma grande dama.

101

— Oh. Mas estou ridícula. — Sentiu lágrimas indesejadas a marejarem-lhe os olhos. — Queria tanto ficar elegante. — Vitória quase uivou. — Mas estes canudos fazem-me parecer o *Dash*!

Lehzen saiu da sombra.

— Penso que está muito bem, Majestade.

— Não, não estou! Pareço uma tola e toda a gente se vai rir de mim.

— Ninguém se ri da rainha, Majestade. — Vitória tapou o rosto com as mãos, mordendo o lábio esforçando-se por não chorar.

Houve um frufru e um murmúrio nas suas costas. Por fim, uma voz suave disse:

— Quer que lhe arranje o cabelo numa trança solta, Majestade? Creio que é um estilo que iria bem com um rosto como o vosso. — Vitória virou-se e deparou-se com uma rapariga com mais ou menos a sua idade, que usava o cabelo preso em duas tranças enroladas em torno das orelhas. — Sou a Skerrett, Majestade, a ajudante da senhora Jenkins.

A senhora Jenkins deu um passo em frente, numa atitude de grande indignação galesa.

— Por favor, perdoe a Skerrett, Majestade, pela sua imprudência. É nova no palácio e ainda não conhece os nossos costumes.

Vitória olhou à sua volta e reparou no desconsolo no rosto de *monsieur* Philippe, na indignação no de Jenkins, mas o seu olhar foi atraído pela forma notavelmente impecável como Skerrett arranjara o seu próprio cabelo.

— Penso, *Monsieur* Philippe, que executou o estilo admiravelmente, mas não se adequa ao meu rosto. Pode deixar-nos.

Monsieur Philippe abandonou o quarto às arrecuas, com todas as fibras do seu corpo a expressarem um orgulho ultrajado.

Vitória olhou para a nova criada.

— Penso que gostaria de experimentar o estilo que sugeres. Consegues fazê-lo rapidamente? Não quero chegar atrasada ao meu próprio baile.

— Oh, sim, Majestade. Arranjo o meu cabelo em cinco minutos. — Skerrett levou a mão à boca, apercebendo-se de que falara num tom demasiado familiar.

Jenkins franziu o sobrolho.

— Tem a certeza de que é sensato, Majestade? A Skerrett nunca a penteou e Vossa Graça não quer mais atrasos.

Vitória levantou o queixo; as lágrimas tinham recuado e sentia--se agora mais senhora de si.

— Se a Skerrett conseguir arranjar o meu cabelo com metade da graça com que arranjou o dela, ficarei bastante satisfeita.

No preciso momento em que Skerrett tinha acabado de prender a segunda trança na posição certa, em torno da orelha esquerda de Vitória, a porta abriu-se e entrou Emma Portman.

— Venho dizer-lhe que no salão de baile está tudo com um aspeto magnífico, Majestade. Não via nada tão magnífico desde os tempos do vosso tio George. Mal posso esperar por ver o Grão--Duque. Ouvi dizer que é muito atraente.

— Oh sim, e queria perguntar a Lorde M como é que devo dirigir-me a ele. Será como Alteza Real ou Alteza Imperial, não sei. E será que fala inglês? Eu não falo russo, isso é certo. Onde está Lorde M? Ele tem a resposta; tem sempre.

O rosto de Emma Portman foi atravessado por um estreme-cimento.

— Estou certa de que estará aqui a qualquer momento, Majestade.

— Mas já devia aqui estar. Ele sabe que não posso entrar sem ele.

Emma baixou o olhar para o chão.

— Talvez, Alteza, seja melhor não esperar. Se algo o atrasou, não vai querer deixar os seus convidados à espera.

Skerrett prendeu o último gancho no cabelo da rainha.

— Espero que tenha ficado a seu gosto, Majestade.

Vitória olhou-se no espelho.

— Sim. Está muito melhor. Muito obrigada. — Virou-se para Emma. — Mas acha que Lorde M chegará dentro de pouco tempo?

— Sim, Majestade, como já disse. Contudo penso que seria um erro esperar por ele. Não se pode começar a dançar antes de Vossa Majestade abrir o baile.

Vitória observou Skerrett colocar a sua tiara na posição certa.

— Tem razão, suponho. Lorde M está sempre a dizer que a pontualidade é a boa educação dos príncipes. Por favor, diga ao camareiro-mor que entrarei dentro em breve.

Emma abandonou o quarto em passo vivo.

Vitória deitou outra olhadela ao espelho e alisou o brocado da sua saia. Este vestido, com mangas compridas franzidas no ombro e a cauda a deslizar atrás de si cintilante de fio de ouro, parecia-lhe a coisa mais adulta que alguma vez usara.

— Parece saída de um conto de fadas, Majestade — disse Skerrett suavemente.

— A rainha não precisa de ouvir o que pensas, Skerrett — disse, ríspida, Jenkins.

Vitória sorriu.

— Só espero que não haja uma fada má que me lance um feitiço.

Skerrett devolveu-lhe o sorriso.

A porta abriu-se de novo e Vitória virou-se, esperando ver Emma, mas em vez dela, viu a mãe, no limiar, com Conroy e Flora um pouco atrás de si.

— Oh, Drina, vim para a acompanhar até ao salão de baile. — Entrou no quarto e olhou com atenção para Vitória.

— Mas que encantadora está! — A duquesa foi até junto da filha e ajustou o colar de diamantes em torno do pescoço para que o pendente ficasse exatamente no meio das clavículas. — A minha menina, tão crescida. Estou tão orgulhosa.

Conroy dirigiu-se a Vitória.

— É tempo de fazer a sua entrada, Majestade. Claro que é a primeira vez que muitos dos convidados a verão, pelo que estou certo de que não será preciso recordar-lhe que se comporte com decoro. Aconselho-a a não beber champanhe, por exemplo.

— Lembre-se de que não deve dançar mais de duas vezes com o mesmo homem — declarou a duquesa. — As pessoas reparam nestas coisas.

— E, claro, vai abrir o baile com o Grão-Duque, Majestade, uma vez que ele é a pessoa de título mais importante — acrescentou *lady* Flora, sempre ansiosa por mostrar o seu domínio do protocolo.

Vitória não disse nada. Percorreram o corredor até à escadaria monumental e Vitória susteve a respiração quando viu o cintilar dos lustres à luz das velas.

O burburinho das conversas no salão de baile silenciou-se à medida que as pessoas se foram virando para ver a rainha. Vitória começou a descer a escada, de cabeça bem erguida, mas falhou-lhe um pé e, por um segundo, pensou que ia cair pela escada abaixo. Mas Lehzen estava mesmo atrás dela e segurou-a por um cotovelo.

— Está segura, Majestade. Penso que percebe agora porque é que não considerávamos seguro que descesse as escadas sozinha, dado o seu equilíbrio instável — disse Conroy. — Que ventura não ter caído pelas escadas à frente desta gente toda.

Vitória soltou o braço do apoio de Lehzen e, sem olhar para trás, desceu a escada, com os olhos a varrer a multidão à procura da única pessoa que desejava ver.

*

O mensageiro do palácio subiu as escadas de Dover House. A porta foi aberta pelo mordomo.

— Trago uma mensagem para Lorde Melbourne da parte de *Lady* Portman.

— Sua Graça não está em casa para ninguém.

— *Lady* Portman pediu-me para dizer que sabe que dia é hoje, mas que a Rainha está a perguntar por ele.

O mordomo anuiu.

— Espere aqui.

O mordomo sabia que o seu patrão estava sentado na biblioteca, a olhar para a caixa que guardava na terceira gaveta da sua secretária. A garrafa de xerez que lá colocara nessa manhã, por esta altura, devia estar quase vazia. Por muito que, nesse dia, não desejasse incomodar o seu senhor, o mordomo percebeu que não devia ignorar a mensagem.

Abriu a porta da biblioteca e viu Melbourne exatamente no mesmo sítio onde o deixara nessa manhã, bem cedo. Pigarreou e Melbourne virou-se para o encarar, irritado.

— Eu disse que não queria ser incomodado.

— Eu sei, senhor, mas trata-se de uma mensagem do Palácio. De *Lady* Portman. Ela diz que a Rainha está a perguntar por si.

— A Emma devia ter mais juízo.

— *Lady* Portman diz que sabe que dia é hoje, Vossa Graça, mas que a mensagem não podia esperar. — Melbourne suspirou.

— Tirei para fora o seu fato de cerimónia, senhor.

Melbourne afastou-o com um gesto e o mordomo recuou. O mensageiro aguardava-o no vestíbulo. Levantou os olhos.

— Então?

O mordomo anuiu.

— Pode dizer a *Lady* Portman que Sua Graça estará lá dentro de pouco tempo.

*

Vitória instalou-se no trono. Pelo menos agora os seus pés tocavam no chão. Fez um sinal a um lacaio para que lhe trouxesse uma taça de champanhe. Bebeu-o rapidamente enquanto olhava para Emma Portman, de pé do seu lado direito.

— Já teve notícias de Lorde M?

Emma esboçou um sorriso tenso.

— William vem a caminho, tenho a certeza.

Nesse momento, o mordomo-mor anunciou:

— Sua Alteza Imperial, o Grão-Duque Alexandre da Rússia.

Os convidados dissiparam à frente do grão-duque, que avançou pela carpete vermelha em direção a Vitória. Era alto, senhor de um magnífico bigode louro que lhe arranhou a mão quando ele a aflorou com os lábios.

— *Bienvenue en Angleterre, votre grande Altesse Impériale.* — Lehzen insistira que na corte da família imperial russa se falava francês.

— Encantado por estar aqui, Vossa Majestade. — O Grão-Duque fez um sorriso de predador.

Vitória devolveu-lhe o sorriso.

— Fala inglês.

— Tive uma ama inglesa. O meu pai é um grande admirador do vosso país.

— Devo dizer que me sinto aliviada. Não falo russo, sabe.

— Talvez um dia, quando visitar o meu país, me seja permitido ensinar-lhe algumas palavras.

— Fico a contar com isso.

O Grão-Duque estendeu a mão.

— E agora, Vossa Majestade, dá-me a honra?

Vitória pôs-se de pé e deu a mão ao russo. Ele tinha um ar esplêndido no seu uniforme, com a barretina inclinada sobre um ombro, e um trançado dourado a correr-lhe pela perna das calças abaixo. Ela via que todas as mulheres na sala estavam a olhar para ele com admiração. Mas, por muito atraente que fosse, havia algo ligeiramente alarmante nos lábios vermelhos por baixo daquele bigode.

A um sinal do camareiro-mor, a orquestra começou a tocar uma gavota e o Grão-Duque conduziu Vitória para a cabeça do grupo. Durante alguns minutos o simples prazer de dançar varreu todos os outros pensamentos da sua cabeça. Era o primeiro baile em que não se encontrava sobre o irritante controlo da sua mãe e de Conroy. À medida que o champanhe começou a circular dentro dela, deu consigo a sorrir com prazer.

O Grão-Duque baixou o olhar sobre ela quando se cruzaram um com o outro durante a dança.

— Não sabia que uma rainha podia dançar tão bem.

— Já dançou com muitas, então?

O Grão-Duque riu-se e pegou-lhe na mão para a fazer percorrer o grupo.

À gavota seguiu-se uma polca e o Grão-Duque pegou-lhe na volta como se ela fosse uma pluma. Vitória sentiu-se afogueada e eufórica; o Grão-Duque era muito diferente dos lordes Alfred e George, os seus parceiros habituais. Talvez por ser também membro de uma família real, não tinha o menor pejo em agarrá-la pela cintura ou pela mão com firmeza, liberdades que um súbdito seu nunca se atreveria a tomar. E depois imaginou como seria dançar com lorde M.

Quando a dança terminou, Vitória pegou noutra taça de champanhe e teve a satisfação de verificar que Conroy estava a vigiá-la. Esvaziou o copo. O Grão-Duque fez o mesmo.

— Bebe champanhe como uma russa, Majestade.

— Penso que pode chamar-me Vitória.

— Então, tem de me chamar Alexandre.

— Muito bem, Alexandre. — Levantou os olhos para ele e sorriu. Viu uma centelha de língua cor-de-rosa quando ele lhe devolveu o sorriso. Sentiu-se vagamente tonta, mas foi então que a música recomeçou e Alexandre já a conduzia para uma nova dança. Enquanto a fazia rodopiar pelo soalho, ela pensou ver umas costas familiares, mas foi então que o homem se virou e ela verificou ter-se enganado.

— Que cara, Vitória! Pisei-lhe o pé?

— Oh, não. Pensei que tinha visto uma pessoa, é tudo.

— Alguém que deseje ver? — Vitória anuiu. — Então, invejo esse homem.

Vitória sentiu uma cor indesejada acudir-lhe às faces.

— Oh, está a compreender-me mal.

— Então, deve estar a corar por minha causa.

Vitória sentiu-se aliviada quando a dança chegou ao fim. Fez uma reverência ao Grão-Duque e virou-se, deparando-se com a baronesa mesmo atrás de si.

— Penso que preciso de ir refrescar-me, Lehzen.

— Venha comigo, Majestade.

A sala para onde foram descansar era uma antecâmara que dava para a galeria de retratos. A Sra. Jenkins e Skerrett estavam lá, armadas com estojos de costura para reparar os estragos que a dança entusiástica, mas inexperiente, estava a fazer aos vestidos das convidadas. No fundo da sala encontrava-se um biombo, atrás do qual se encontravam os bacios.

Quando Vitória e Lehzen entraram, *lady* Flora surgiu de trás do biombo. Por um instante ficou de perfil, com uma mão pousada sobre a cintura, e Lehzen teve um sobressalto.

— O que se passa, Lehzen? — indagou Vitória. — Viu um fantasma?

— Um fantasma não, Majestade. — Lehzen inclinou-se e sussurrou ao ouvido de Vitória. — Se olhar para *Lady* Flora de perfil, Majestade — Vitória virou a cabeça —, verá. Penso que está de esperanças.

Vitória arquejou.

— Mas ela não é casada!

— Não, é verdade. — Os olhos de Lehzen estreitaram-se com a excitação. — Mas quando regressou da Escócia, há seis meses, penso que partilhou a carruagem com *Sir* John Conroy. — Fez uma pausa e arqueou as sobrancelhas. — Sozinha.

Vitória cobriu a boca com a mão.

— Parece incrível. Ela é tão piedosa.

— Ainda assim. Os sinais são inconfundíveis.

Vitória virou-se para Lehzen, afogueada do champanhe e da excitação.

— Acha que a Mamã sabe?

— Dificilmente.

Os olhos de Vitória cintilaram.

No fundo da antecâmara havia uma galeria que conduzia aos aposentos privados. Vitória foi até lá para desanuviar a cabeça. Mas quando se encostou à parede à frente do retrato do seu avô George III enquanto jovem, ouviu um passo nas suas costas. Conroy vinha a caminhar pela galeria. Devia ter estado nos aposentos da duquesa.

Viu Vitória e fez uma pequena e rígida inclinação de cabeça.

— Majestade.

Por um segundo, Vitória pensou que podia deixá-lo passar, mas o champanhe levou a indignação que sentia a um pico.

— Porque não está a dançar, *Sir* John? Com *Lady* Flora? Creio que é o seu par favorito.

Conroy olhou-a de cima e os seus lábios estremeceram.

— Vou dançar agora com a vossa mãe.

Vitória inclinou a cabeça para trás.

— Se a minha mãe soubesse o que senhor realmente é, nunca voltaria a dançar consigo!

Conroy abanou a cabeça, indulgente.

— *Nunca* aguentou o champanhe — fez uma pausa —, Majestade.

Virou-lhe as costas e seguiu pelo corredor abaixo.

*

Devagar, Melbourne desceu a escadaria monumental. Penge, o camareiro, ergueu o olhar e abriu a boca para o anunciar, mas Melbourne abanou a cabeça. Não queria chamar a atenção para a sua chegada tardia.

Os muitos anos de experiência diziam-lhe que o baile tinha atingido o seu auge: já se bebera o champanhe suficiente para que as emoções estivessem ao rubro e o cortesão mais sorumbático ganhasse cor e brilho. Dentro de poucos instantes a atmosfera começaria a mudar e, tal como as rosas passado o momento de esplendor, as flores da zona de dança começariam a esmorecer e a murchar.

Com o olhar percorreu o salão de baile. Cumberland dançava, com uma graça surpreendente, com aquela sua horrível esposa alemã. A duquesa de Kent encontrava-se nos braços de Conroy; Melbourne sempre presumira que ela estava apaixonada por ele, mas a expressão do rosto dela confirmou-o. Era lamentável, claro; Conroy era um charlatão, mas como a duquesa se encontrava numa posição em que dificilmente poderia voltar a casar, ele não podia censurá-la por procurar algum conforto.

O seu olhar encontrou a rainha. Estava a valsar com o grão- -duque. Quando ela revoluteou perto dele, os seus olhares cruzaram-se e ele sorriu. Vitória devolveu-lhe o sorriso, mas houve qualquer coisa na forma como os olhos dela se arredondaram que fez com que Melbourne se perguntasse quanto é que ela já teria bebido. Enquanto ela e o russo rodopiavam pela sala, Melbourne reparou que os passos dela, se bem que gráceis, nem sempre eram firmes; havia também algo na maneira como a mão do Grão-Duque lhe segurava a cintura de que ele não gostou.

— Sentimos a sua falta. — Emma Portman olhava para ele com uma sobrancelha arqueada, numa atitude de censura.

— A Rainha parece-me bastante feliz — respondeu Melbourne, ao mesmo tempo que o casal real passava por eles.

— Considera que o Grão-Duque é uma possibilidade?

— Para a mão da Rainha? Está fora de questão. É herdeiro do trono. Não poderia viver aqui e dificilmente a Rainha se poderia mudar para São Petersburgo.

— Que pena. Não sabia que os russos eram tão atraentes.

Melbourne não respondeu. Reparou no acentuar das rosetas nas faces de Vitória. Quando o Grão-Duque lhe sussurrou qualquer coisa ao ouvido, ela voltou a cabeça, virando-a para longe de Melbourne.

— Vai ficar a olhar para ela a noite toda, William? — perguntou Emma, acerba.

Melbourne abanou a cabeça.

— Ela é tão jovem e cândida. Nunca tem um pensamento que não expresse diretamente. Por vezes tremo perante a sua franqueza. E, contudo...

Interrompeu-se. Emma olhou para ele e terminou a frase.

— E, contudo, não consegue tirar os olhos dela.

Melbourne encolheu os ombros, mas depois inclinou-se para a frente, notando um movimento na zona onde dançavam.

— Já reparou onde o Grão-Duque tem a mão?

Emma semicerrou os olhos.

— Acho que podia ser mandado para a Torre por menos.

Melbourne olhou à sua volta e trocou um olhar com lorde Alfred Paget, um dos guardas da rainha. Fez-lhe sinal para que se aproximasse.

— Penso, Lorde Alfred, que é capaz de ser tempo de o Grão--Duque arranjar um novo par. Talvez possa distraí-lo, com tato, claro, mas assegure-se de que o afasta da rainha. Ele tem estado, penso, a tomar algumas liberdades.

Alfred Paget assumiu um ar de indignação.

— Escandaloso! Vou imediatamente tratar do caso.

Cruzou o salão e bateu no ombro do grão-duque. Alexandre começou por ignorá-lo, mas Alfred, o mais novo de seis irmãos, estava habituado a exigir que lhe dessem atenção.

— Vossa Alteza Imperial, chegou um mensageiro de São Petersburgo.

— Diga-lhe que espere. Estou a dançar com a Rainha.

— Creio que é urgente, Vossa Alteza.

Alfred, cuja silhueta esguia escondia uma força surpreendente, passou o braço pelo ombro do Grão-Duque e, com firmeza, conduziu-o para longe de Vitória, levando-o para fora do salão. Melbourne deu um passo em frente.

— Parece-me estar sem par, Majestade. Concede-me a honra?

Ao som da voz de Melbourne, Vitória girou sobre si própria. O seu rosto abriu-se num sorriso.

— Ficaria encantada.

A orquestra tocava agora uma valsa e, quando Melbourne pousou a mão na cintura dela, Vitória sentiu-se em segurança pela primeira vez naquela noite.

— Estava com receio de que não viesse.

— Houve alguns assuntos a tratar.

— Pensei que talvez estivesse zangado comigo.

— Consigo, Majestade? Nunca. — Melbourne olhou-a com ternura.

— Dança muito bem, Lorde M.

— Fico contente por ouvi-lo, Majestade, mas penso que está a ser amável. Temo que os meus dias de dançarino estejam prestes a terminar.

— Não é verdade. Esta noite é o meu par preferido.

Melbourne soltou um suspiro teatral.

— Ainda assim, sou demasiado velho para dançar como costumava fazer.

— Não é velho, Lorde M!

Melbourne olhou por cima do ombro de Vitória e viu o trio composto por Conroy, a duquesa e *lady* Flora de olhos fixos neles.

— Correndo o risco de ser mandado para a Torre, tenho de contradizê-la, Majestade. Não posso negar o avanço dos meus anos, nem mesmo para vos agradar.

Vitória riu.

— Bom, eu nunca penso em qualquer diferença entre nós, Lorde M.

A música chegou ao fim, lorde Melbourne largou a mão de Vitória e curvou-se.

— Ah, e eis que chega Lorde Alfred para a próxima dança.

Vitória mostrou-se relutante.

— Mas eu quero dançar consigo. Tenho tanto para lhe contar.

— Ele ficará muito desiludido se recusar, Majestade. Além do mais, ele é o melhor dançarino de polca do país.

Melbourne afastou-se discretamente ao mesmo tempo que lorde Alfred avançava para convidar a rainha.

Uma polca sucedeu-se à outra e, no fim, Vitória estava sem fôlego e cheia de sede. Lorde Alfred trouxe-lhe uma taça de champanhe; ela bebeu-a avidamente e pediu outra.

Estava prestes a bebê-la quando escutou uma voz inoportuna.

— Com a vossa permissão, Majestade — Vitória girou nos calcanhares e enfrentou o rosto reprovador de *lady* Flora —, mas a duquesa pensa que talvez Vossa Majestade já tenha bebido champanhe suficiente.

Com uma ligeira oscilação, Vitória fixou os olhos nos de *lady* Flora e disse, num tom um pouco alto demais:

— A Mamã mandou-a a *si* para me dizer o que fazer!

A orquestra parara de tocar, pelo que as palavras ressoaram por todo o salão. Houve um instante de silêncio gelado enquanto *lady* Flora olhava para ela, sem perceber, com a face crispada devido a esta humilhação pública. Virou-se e saiu do salão, cambaleante. Enquanto um profundo suspiro percorreu os convidados, Vitória ficou ali, petrificada, zangada e amedrontada. Pela primeira vez sentiu algo parecido com uma vaga de reprovação. Uma voz sussurrou-lhe ao ouvido.

— Está muito calor aqui dentro — disse Melbourne. — Talvez deseje vir até à varanda, Majestade, para apanhar um pouco de ar.

Sentiu a mão dele segurá-la por baixo do cotovelo e ficou grata pelo apoio. Sentia-se um tanto insegura nas pernas. Quando chegaram à varanda, o ar fresco noturno na cara soube-lhe como uma bênção.

Melbourne virou-se para ela.

— Está com um ar um pouco fatigado, Majestade, se me permite dizê-lo. Talvez seja hora de se retirar.

— Mas eu não quero retirar-me. Quero continuar a dançar, consigo!

Vitória inclinou-se para ele. Melbourne estendeu as mãos como se receando que ela fosse cair e, por um instante, ficaram num semiabraço. Foi então que ele recuou e disse baixinho:

— Hoje não, Majestade.

CAPÍTULO DEZASSEIS

Dash abocanhou a bola e trouxe-a a Vitória. Quando ela a lançou de novo, a bola aterrou aos pés da duquesa, que acabara de entrar na galeria. A duquesa deu-lhe um pontapé, afastando-a do seu caminho.

Vitória ficou imóvel. Mandara chamar a mãe para a confrontar com o caso de *lady* Flora e Conroy, mas agora que a tinha ali, à sua frente, não estava certa de como abordar o assunto.

— Dormiu bem, Drina, depois do baile? — A duquesa deitou à filha um olhar carregado de intenções.

Vitória estava prestes a responder quando *Dash* lhe trouxe a pequena bola de volta, a ladrar. Inclinou-se e pegou-lhe. Decidiu que devia ir direita ao assunto.

— Mamã, tem de mandar *Lady* Flora Hastings e *Sir* John Conroy embora imediatamente. Tenho razões para crer que estiveram envolvidos num... — respirou — contacto ilícito.

A duquesa, que avançava pela galeria em direção a ela, parou estupefacta.

— Perdeu a cabeça, Drina? Que disparate está a dizer? — A duquesa arregalou os seus grandes olhos azuis e abanou a cabeça como uma boneca de porcelana atónita.

— Certamente que reparou que *Lady* Flora espera uma criança? — disse Vitória.

— Uma criança? — A incredulidade apoderou-se da voz da duquesa.

— Sim, Mamã. E creio que *Sir* John é o responsável.

A duquesa recompôs-se e, para surpresa e aborrecimento de Vitória, sorriu.

— O que diz? Quem lhe contou essa coisa ridícula?

Vitória respondeu, zangada:

— A Baronesa Lehzen contou-me que eles partilharam uma carruagem quando regressavam da Escócia, há seis meses.

A duquesa riu na cara da filha.

— A Baronesa disse isso? E, claro, ela sabe tudo o que se passa entre um homem e uma mulher.

Vitória apertou com força a bola que tinha na mão. Apeteceu-lhe atirá-la à mãe.

— Não posso permitir que esta... esta corrupção invada a minha corte.

A duquesa fez saltar os seus canudos louros.

— Com franqueza, Drina, eu aconselhá-la-ia a não dar ouvidos a boatos. Não fica bem a uma rainha. — Virando as costas a Vitória, percorreu o logo corredor, afastando-se.

Sem pensar, Vitória atirou a bola às costas da mãe que se afastava, mas falhou o alvo por muito e acertou numa jarra de porcelana de Meissen que lhe fora oferecida por Eleanor da Saxónia. Estilhaçou-se com um estrondo clamoroso. Excitado com toda a animação, *Dash* começou a ladrar.

Vitória apercebeu-se de que estava a tremer de fúria. Pensara que a mãe iria ficar transtornada, até talvez zangada, mas esta atitude desdenhosa era pior do que tudo o que imaginara. Não ia ser ignorada assim. Se a mãe não aceitava a verdade, então não tinha outra escolha que não provar-lha.

*

Nesse dia, enquanto cavalgavam, confiou o seu plano a Melbourne.

— *Sir* John e *Lady* Flora? Não pode estar a falar a sério, Majestade.

— Estou sim, Lorde M. A Baronesa diz que eles partilharam uma carruagem quando vieram da Escócia juntos, e sozinhos.

Amanhã vou fazer o Juramento da Coroação. Como posso jurar servir o meu povo fielmente se a minha própria casa está manchada pela corrupção? Têm ambos de abandonar a corte imediatamente.

Melbourne suspirou.

— Não sabe se isso é verdade, Majestade, e eu teria cautela em levantar acusações, uma vez que *Lady* Flora tem amigos poderosos. O irmão, Lorde Hastings, é o líder dos Conservadores no Parlamento e ele não verá de bom grado o nome da irmã ser associado a um escândalo.

— Como é que posso olhar para *Sir* John cara a cara, sabendo que teve uma conduta tão vergonhosa?

— Eu sei que não gosta dele, Majestade, mas penso que existem formas mais fáceis de se ver livre dele do que acusá-lo de ter deixado *Lady* Flora de esperanças.

— Mesmo que se verifique ser verdade?

— Pense no escândalo, Majestade.

— É tudo o que o preocupa? Evitar um escândalo?

Pela cara dele passou um espasmo de dor.

— Eu sei, Majestade, o quão difícil e doloroso um escândalo pode ser.

Vitória fez um silêncio após o que disse, devagar:

— Então considera que não devo fazer nada.

— É de longe o melhor, Majestade. Se as vossas suspeitas estiverem corretas, dentro de poucos meses não haverá como negar a evidência. Espere e verá, Majestade, espere e verá.

— Mas preciso de saber a verdade.

— Na minha opinião, a verdade está muitíssimo sobrevalorizada.

— O senhor é, creio, o que se costuma chamar de um cínico, Lorde Melbourne. Mas eu não.

Sem esperar para ouvir a resposta de lorde Melbourne, enterrou os calcanhares nos flancos do cavalo, incitando-o a um galope, e não olhou para o lado até chegar a Marble Arch. Atrás dela vinham o cavalariço e lorde Alfred, mas nem sinais de lorde Melbourne.

116

Lorde Alfred aproximou-se.

— Lorde Melbourne regressou a Dover House, Majestade. Apresenta as suas desculpas e pede para lhe dizer que se sente demasiado velho para a acompanhar.

Vitória franziu o sobrolho.

— Estou a ver. Nunca tinha tido este problema.

Lorde Alfred sorriu.

— Estava a cavalgar muito depressa, Majestade.

Depois de ter despido o fato de montar e trocado de roupa, Vitória pediu a Lehzen que chamasse *sir* James Clark, o médico da corte.

— Está doente, Majestade? Talvez se sinta nervosa por causa da Coroação.

— Estou perfeitamente bem, muito obrigada, Lehzen. Não, quero que *Sir* James verifique o estado de saúde de *Lady* Flora. A Mamã recusa-se a acreditar em mim, pelo que a única resposta é um exame médico.

Lehzen anuiu.

— Com efeito, Majestade.

— Concorda comigo, então? Que devemos ir até ao fundo deste... deste assunto?

— Se a Duquesa não acredita em vós, então tem de ter a certeza, Majestade.

Vitória suspirou.

— Lorde M pensa que eu não devia fazer nada.

Lehzen inclinou-se para ela.

— Claro que, no passado, Lorde Melbourne levou uma vida bastante irregular. Talvez não deseje condenar este comportamento.

Vitória notou o tom de desprezo na voz de Lehzen.

— Penso que ele não deseja o escândalo, mas, neste caso, Lorde M está enganado. — Pronunciou estas palavras num tom mais alto do que o normal, como se tentasse convencer-se a si própria.

Lehzen regressou meia hora mais tarde com *sir* James, que era tão calmante quanto eminente. Elevara-se às alturas da sua profissão devido à meticulosa atenção prestada ao falecido George IV — satisfazendo qualquer capricho das fantasias do rei quanto à sua saúde ao mesmo tempo que se coibia de referir a inconveniente verdade que o hábito que o soberano tinha de ingerir três perdizes empurradas com vinho do porto ao pequeno-almoço ser a provável causa das suas maleitas. *Sir* James, cujo nariz bulboso e cheio de pequenas veias sugeria que ele também não se coibia de gozar dos prazeres da vida, havia muito que descobrira que o médico mais em moda era o que escutava com grande atenção o relatar de cada sintoma e lhes reconhecia o significado devido antes de receitar um medicamento tão dispendioso quanto inofensivo.

O médico dobrou-se numa reverência muito profunda a Vitória, o que tornou a sua cara já de si corada muito mais vermelha.

— Vossa Majestade. Em que posso servir-vos? Deseja algo para os seus nervos antes da Coroação? As minhas pacientes do belo sexo parecem achar que a tintura de láudano é muito eficaz em casos parecidos.

Vitória ergueu os seus olhos azuis para os dele, injetados de sangue.

— Tem muitos pacientes, *Sir* James, que estejam prestes a ser coroados na Abadia de Westminster?

O médico produziu um ruído que tanto podia ser um riso como um gemido de desculpas.

— Declaro-me vencido, Majestade.

— Mas em resposta à sua pergunta, pessoalmente não preciso dos seus serviços. Há um outro... assunto de que eu gostaria que se encarregasse.

Sir James arqueou uma sobrancelha tufada.

Vitória começou a andar de um lado para o outro. Na sua cabeça tudo parecera simples, mas agora descobria que não sabia bem como abordar o assunto.

— Foi trazido à minha atenção, *Sir* James, que uma certa dama pode estar num... estado que não é compatível com a... — Vitória olhou para Lehzen em busca de ajuda.

— O seu estatuto, Majestade.

— O seu estatuto? — O médico estava intrigado. — Ah, estou a ver. Crê que a dama se encontra num estado interessante sem o beneplácito do matrimónio.

— Sim. Creio que esteve envolvida em contactos ilícitos com um certo cavalheiro.

— Uma suposição perspicaz, Majestade.

Vitória parou.

— Mas preciso de ter provas, *Sir* James.

O médico engoliu em seco.

— Provas, Majestade?

— Sim. Quero que examine a dama.

A mão carnuda de *Sir* James puxou pelas suíças.

— Posso indagar qual a identidade da dama?

Foi a vez de Vitória engolir em seco.

— *Lady* Flora Hastings.

Houve uma pausa enquanto *sir* James avaliava a situação. O médico puxava as suíças com tanta força agora que parecia estar prestes a arrancá-las.

— Se é que posso ter a ousadia de perguntar, a Duquesa já conhece as suas suspeitas, Majestade?

— Discuti o assunto com a minha mãe, mas ela não está disposta a acreditar em mim.

Sir James suspirou.

— Estou a ver. É meu dever avisá-la, Majestade, de que prevejo algumas dificuldades em efetuar este exame. Se *Lady* Flora não estiver de acordo, não posso forçar o caso.

— Imagino que um médico com a sua experiência seja capaz de determinar os factos apenas olhando para ela.

— Lisonjeia-me, Majestade. Mas verifico que, em casos destes, é muito difícil confiar apenas no que se vê. Há tantos outros fatores a considerar — a roupa, a digestão, até mesmo uma forma particular de estar em pé. Uma postura inclinada para trás pode ser muito enganadora.

Vitória bateu com o pé no chão, impaciente.

— Posso garantir-lhe que não se trata de uma questão de postura, *Sir* James.

— Não, Majestade.

— Tenho de saber a verdade e estou a pedir-lhe que a descubra, *Sir* James.

— Sim, Majestade.

O médico parecia estar prestes a acrescentar mais qualquer coisa, mas Vitória virou-lhe as costas. Quando escutou os passos dele a afastarem-se pelo corredor, virou-se para Lehzen.

— Tem de avisar o camareiro-mor que *Sir* John e *Lady* Flora não deverão receber convites para a Coroação. Dadas as circunstâncias, não posso tê-los lá.

Lehzen franziu a testa.

— Majestade, acho que, se fizer isso, toda a gente vai pensar que acredita no escândalo.

Vitória espetou o queixo.

— Precisamente.

CAPÍTULO DEZASSETE

A duquesa franziu a testa quando anunciaram *sir* James.

— Não o mandei chamar, *Sir* James.

Sir James pôs os olhos no chão, depois olhou para o teto, para todos os lados que não o ponto onde se encontravam a duquesa e a sua companheira. Pigarreou ruidosamente.

— Estou aqui, Vossa Graça, a mando da Rainha.

A duquesa olhou para *lady* Flora que estava sentada a seu lado. A outra mulher fechou os olhos e oscilou levemente.

— Mas ninguém aqui está doente, *Sir* James, pelo que não tenho necessidade de si.

Sir James deslocou o peso de um pé para o outro.

— A rainha foi muito insistente, Vossa Graça. — Os seus olhos pestanejaram na direção de *lady* Flora.

A duquesa irritou-se e, pondo-se de pé, lançou um olhar de fúria ao médico.

— Não há aqui nada que possa fazer. Pode deixar-nos.

Sir James contorceu-se numa desculpa retorcida.

— Com todo o respeito, Vossa Graça, temo não poder fazer o que me pede. A rainha deseja algumas informações sobre *Lady* Flora.

A duquesa esforçou-se por rir.

— A minha filha persiste nessa ridícula fantasia? Pode dizer-lhe que não há mais verdade nisso agora do que hoje de manhã.

Sir James não disse nada, mas não se mexeu.

Lady Flora ergueu a cabeça.

— Eu respondo às suas questões, *Sir* James. Não tenho nada a esconder.

Mas esta resposta não desfez a espiral em que o médico se tinha contorcido.

— Receio, *Lady* Flora, que a rainha exija... um exame. Para não haver dúvidas.

Houve um suspiro da duquesa.

— Impossível! Não permitirei tal coisa. A Drina perdeu a cabeça.

Mas *Lady* Flora deu um passo para a frente da sua senhora e dirigiu--se diretamente ao médico.

— Na vida há duas coisas que me são muito caras, *Sir* James. Uma é a Coroa, a outra a minha fé. Se a rainha pensa que eu poderia ter feito alguma coisa que diminuísse alguma delas, então eu estou disposta a provar-lhe que está enganada.

Interrompeu-se por um segundo, limpando uma gota de transpiração da testa, num gesto impaciente. A seguir, recompondo-se, olhou para *Sir* James, olhos nos olhos.

— Mas insisto em que o meu próprio médico esteja presente, *Sir* James — os cantos da sua boca estremeceram, mimando um sorriso —, para não haver dúvidas.

O médico estava tão ansioso por abandonar a sala que caiu por entre as portas assim que os lacaios as abriram. Foi uma visão cómica, mas nenhuma das mulheres dentro da sala se riu.

CAPÍTULO DEZOITO

Foi o som que a acordou. Um sussurro suave, como se um gigantesco bando de pombos de madeira tivesse pousado do lado de fora do palácio. Enquanto escutava, o ruído começou a fragmentar-se, a tornar-se mais nítido. Havia vozes individuais que pareciam destacar-se, mas as palavras eram levadas para longe pela brisa antes de Vitória conseguir percebê-las. Por fim, uma voz mais penetrante do que as outras irrompeu no seu cérebro entorpecido pelo sono: «Deus salve a Rainha!» disse, seguida por outras num contraponto de celebração.

Vitória saltou da cama e foi até à janela. Para lá de Marble Arch, via uma ondulante tapeçaria de cor: bandeirolas, chapéus, caras viradas para cima. Deviam estar ali milhares de pessoas. O seu povo, pensou, ao mesmo tempo que sentia o ar sair num longo e arrepiante suspiro. Havia já alguns meses que era rainha, mas hoje a responsabilidade recaía-lhe nos ombros como um peso físico. Hoje faria o Juramento da Coroação, que fora proferido pelos inúmeros reis e quatro rainhas que a haviam precedido.

Pensou em todos aqueles olhos na Abadia que estariam postos nela. Quantos deles estariam à espera que ela falhasse, que desse por provadas as suas desconfianças de que não era digna da grandeza do cargo que lhe fora confiado? Vitória mordeu o lábio, mas depois puxou os ombros para trás e espetou o queixo. Não faria erro nenhum. Fora escolhida para este papel por uma providência divina que fizera dela, a filha do sexto filho de George III, herdeira do trono. Se os seus tios tivessem sido menos devassos, haveria uma dezena de filhos legítimos entre ela e o trono, mas eles tinham andado tão distraídos com os prazeres da carne que a coroa tinha vindo até ela. Vitória sabia que houvera uma razão para isto, um propósito divino, e estava determinada a mostrar-se digna dele.

Pegando numa almofada para fazer de orbe e num guarda-sol para fazer de cetro, ensaiou as palavras do Juramento.

— Pela graça de Deus Todo-Poderoso, eu, Vitória, juro solenemente servir o meu país.

A sua voz soou frágil no quarto de pé direito alto. Esperava que, na Abadia, conseguissem ouvi-la. Pensou nos tios; com aquelas vozes sonoras e tonitruantes, era-lhes fácil fazerem-se ouvir. Mas, como dissera lorde M, não há nada de errado em falar baixinho; só faz com que as pessoas ouçam com mais atenção. Vitória sorriu quando pensou no seu primeiro-ministro. Ele estaria lá, claro, e ela garantira que ficaria sentado dentro do seu campo de visão. Que pena aquele desacordo estúpido no parque na véspera. Mas tudo se resolveria dentro de pouco tempo, assim que *sir* James tivesse feito o exame.

A porta de comunicação abriu-se e Lehzen entrou, com o seu rosto largo irradiando ternura.

— Devia estar na cama, Majestade. Ainda é tão cedo.

— Oh, já não consigo dormir mais, Lehzen. — Fez um gesto para a baronesa se lhe juntar no banco da janela. — Olhe lá para fora, Lehzen. Tanta gente.

— Esperam a sua Rainha.

— Estou confiante de que serei digna deles. — Apertou a mão da governanta. — Quero vir a ser uma grande rainha, Lehzen.

— Não tenho a menor dúvida disso, Majestade.

Vitória viu lágrimas nos olhos da governanta.

— Muito obrigada, Lehzen. — Inclinou-se para a frente e depositou um beijo na face da governanta. — Por tudo. — Sentindo uma língua áspera lamber-lhe o pé descalço, Vitória dobrou-se e pegou em *Dash*. — Oh, *Dash*, estás com ciúmes? Também te estou agradecida, claro.

E riu-se. Mas Lehzen não sorriu.

— Servir-vos tem sido a maior honra da minha vida, Majestade.

*

O coche de Estado aguardava-a ao fundo dos degraus, com os ornamentos dourados a cintilar sob a luz do sol. Enquanto descia cautelosamente as escadas para não tropeçar no seu pesado manto escarlate, Vitória não conseguia deixar de pensar na abóbora da Cinderela. Mas isto não era nenhum feitiço. Era a carruagem que transportara os seus antepassados para a Abadia. Quisera que Melbourne a acompanhasse, mas ele afirmara que seria contra o precedente: os únicos companheiros que os soberanos podiam ter no coche eram os seus consortes. Portanto, ela teria de viajar sozinha.

Quando a carruagem entrou no Mall, sentiu uma onda de saudações agitá-la. O assento da carruagem era um pouco baixo, pelo que teve de se soerguer para conseguir acenar à multidão. Quando ergueu a mão, ouviu um outro clamor, e quase foi atirada para trás. Mas o som incendiou um brilho de felicidade dentro dela. Recordou o dia em que seguira as linhas primeiro horizontais, depois verticais, da árvore genealógica até à sua inevitável conclusão. Claro que Lehzen lhe havia dito que era apenas herdeira presuntiva; era ainda possível que a rainha Adelaide pudesse ter um filho que vivesse. Mas Vitória soubera então que era seu destino tornar-se rainha, o seu fado estar sentada onde estava agora, na carruagem dourada, banhada na adoração dos seus súbditos.

A grande nave da Abadia estendia-se à sua frente, com os bancos laterais pintados de carmesim graças aos nobres envergando as suas vestes cerimoniais. Parou no limiar da porta e sentiu as oito damas a levantar o pesado manto, preparando-se para o desfile. Escutou o órgão tocar os primeiros acordes de *Zadok the Priest* de Händel, que eram a sua deixa para começar a andar. Mas os seus pés recusavam--se a mover-se. Estava consciente de todos os olhos pousados em si, aguardando que avançasse. Isto era um desastre. Queria fazê-lo, mas era como se as pernas pertencessem a outra pessoa qualquer.

E foi então que o viu. Lorde M. A sorrir para ela, com a mão ligeiramente estendida como se dissesse: *Venha, não tem nada a temer.* Devolveu-lhe o sorriso e deu o seu primeiro passo.

*

Num quarto na ala norte do palácio, um quarto que nunca recebia o calor do sol, lady Flora aguardava os médicos.

*

Vitória tremia enquanto se mantinha de pé, envergando a camisa que todos os monarcas vestiam antes de serem investidos com as vestes de Estado. Sentiu o coração a bater tão alto que teve dúvidas se o arcebispo não conseguiria vê-lo através da musselina. Como se sentia vulnerável, ali de pé em frente a toda a nobreza no seu veludo carmesim, vestindo apenas uma túnica de musselina. O arcebispo entoava as palavras da cerimónia. Mesmo enquanto ouvia a grandiosa sonoridade da torrente de palavras — Deus Todo-Poderoso, reino, honra e glória —, procurava Lorde M. Ele fez-lhe um ligeiro aceno de cabeça aprovador. Ela voltou os olhos para o arcebispo e quando ele lhe perguntou: *Fará tudo em seu poder para que a Lei e a Justiça com Misericórdia sejam praticadas em todos os seus juízos?* Ela replicou, na sua clara voz aguda: *Sim, farei.*

A veste de Estado púrpura debruada a arminho foi colocada nos seus ombros. Ela sentou-se no trono, que fora preparado com uma almofada especialmente alta para que não desaparecesse nas suas profundezas góticas. O arcebispo pegou no Anel de Estado e, para consternação de Vitória, começou a deslizá-lo pelo seu dedo médio e não pelo anelar. Ele empurrou com força contra aquele obstáculo inesperado e Vitória tentou não gritar de dor quando o forçou a passar por cima do nó do dedo. Ela estremeceu quando ele lhe colocou a orbe na mão direita e o cetro na outra. Esperava que a dor não fosse visível.

Mas o arcebispo já segurava a coroa sobre a sua cabeça, entoando as palavras usadas desde Edward, o Confessor. Por fim, pousou-a. Ficou ali empoleirada durante um bocado, oscilando na sua cabeça, e depois assentou e ela foi inundada de um sentimento de serenidade. Era a rainha desta grande nação, ungida por Deus.

As trombetas soaram e os rapazes da Escola de Westminster cantaram «Vivat, vivat Regina».

Por entre grande burburinho, todos os pares do reino pegaram nas suas coroas e puseram-nas na cabeça. Pelo canto do olho, Vitória viu Harriet erguer os seus longos braços brancos como um cisne e a mãe com lágrimas a correrem-lhe pela cara abaixo.

*

Lady Flora estendeu-se na cama e fechou os olhos. Os médicos falavam em voz baixa na outra ponta do quarto. Procurou as palavras do seu salmo favorito: Ergo os meus olhos para as colinas, de onde vem a minha força. A minha ajuda vem do Senhor, que fez o céu e a terra. *Foi continuando o salmo como se percorresse o carreiro do jardim em direção à sua casa de infância, encontrando consolo no familiar desfiar do ritmo.* Quando chegou ao fim do salmo, recomeçou do princípio.

*

O som do órgão cresceu e o coro começou a cantar o refrão de *Aleluia*. Vitória estava sentada, imóvel, enquanto os nobres do reino se aproximavam, um a um, para lhe prestar vassalagem. Se mexesse a cabeça, por pouco que fosse, a coroa escorregava e inclinava-se sobre um olho. Como o guardião a avisara, o peso das joias era demasiado. Conseguiu manter a postura durante os duques e os marqueses, mas a meio dos condes um nobre idoso chamado lorde Rolle pôs um pé em falso nos degraus para o estrado e esteve prestes a cair aos seus pés, Vitória estendeu uma mão para o impedir de cair no chão e sentiu a coroa escorregar sobre um olho.

Por sorte, lorde Rolle endireitou-se antes de ela escorregar sobre o outro olho e, sub-repticiamente, conseguiu pô-la no sítio. Mas o episódio arrancara-a do seu transe. Quando viu lorde Rolle a cambalear de volta ao seu lugar, com as vestes carregadas de pó e a coroa de lado, sentiu o riso a subir dentro de si. O espartilho enterrou-se-lhe na carne quando os pulmões se encheram de ar.

Uma rainha não pode rir-se na sua Coroação — sabia-o — mas, fosse como fosse, a ideia de uma rainha a rir-se fê-la querer rir-se ainda mais. Via, na nave lateral, a cara zangada do seu tio Cumberland e da sua duquesa com cara de bota da tropa, mas nem mesmo o seu ódio óbvio foi suficiente para acalmar a revolução que ia dentro dela. No preciso momento em que o vulcão de alegria dentro de si estava prestes a entrar em erupção, viu Melbourne subir os degraus, como um mero visconde, um dos últimos a prestar homenagem. Ele levantou o olhar para o dela e, quase imperceptivelmente, abanou a cabeça. Aquele instante de reconhecimento foi o suficiente para evitar que a histeria a dominasse e ela sentiu-se acalmar...

*

Os médicos baixaram as mangas e apertaram os botões de punho. A criada ajudou-os a vestir os casacos e saíram do quarto. Flora não se mexeu.

*

Por fim, terminara. Todos os nobres tinham jurado a sua fidelidade e regressado aos seus lugares em fileiras coroadas. O arcebispo e os outros membros do clero tomaram as suas posições à cabeça da procissão e Vitória sabia que isto era o sinal para que se pusesse de pé. Fê-lo com imenso cuidado para não deslocar a coroa. Enquanto descia os degraus, as suas oito damas que seguravam a cauda tropeçaram umas nas outras para levantarem as vestes de Estado. Ela deu um passo em frente e sentiu o manto preso. Por um instante, pensou que ia ser puxada para trás, mas depois escutou Harriet Sutherland sussurrar uma ordem: *Ao mesmo tempo, vamos,* e Vitória ousou avançar. Para seu alívio, a cauda acompanhou-a.

A procissão desceu a nave, com Vitória a escutar o murmurar de Harriet, *um, dois, um, dois,* enquanto tentava marcar o passo para as damas de honor. Quando passaram pelas cadeiras do coro e entraram na nave, os soldados começaram a abrir a grande porta oeste da Abadia, e pela primeira vez, Vitória escutou os gritos da multidão por cima do som estrondoso do órgão. Foram aumentando à medida que ela se ia aproximando da entrada.

Agora, as portas estavam abertas de par em par e o sol entrava a jorros pela Abadia dentro, refletindo-se nos diamantes da coroa de Vitória que projetavam milhares de pontos de luz. Havia tanta gente. Uma multidão maior do que alguma vez vira. Por todo o lado havia bandeiras, estandartes e até mesmo balões. Noutro dia qualquer, ela poderia ter-se sentido esmagada pelos números, mas hoje Vitória sentia o amor do seu povo em cada fibra do seu corpo. A sua boca abria-se no mais largo dos sorrisos e os seus súbditos devolveram-lhe o sorriso. Nesse momento amou o seu povo; estavam unidos.

*

A um quilómetro e meio de distância, Flora Hastings sentiu o estômago contrair-se e virou a cara para a parede.

CAPÍTULO DEZANOVE

Dash ganiu em protesto quando Vitória lhe despejou a água quente sobre as costas.

— Vá lá, *Dash*, está quieto. Sabes que precisas de um banho.

Dash deitou-lhe um olhar reprovador como se dissesse que naquele dia em particular, poderia ter sido poupado à indignidade de um banho.

— Quero terminar isto antes de mudar de roupa para o fogo de artifício.

Pela primeira vez desde que acordara nesse dia, Vitória encontrava-se sozinha. Assim que Jenkins e Skerrett lhe tinham despido as vestes da Coroação, decidira que a única coisa que lhe apetecia no momento era dar banho a *Dash*.

A cor da água assumiu um satisfatório tom de cinzento à medida que a sujidade das caçadas aos esquilos de *Dash* foi sendo lavada. Quando, por fim, ficou limpo e Vitória largou a coleira do cão, ele correu para longe dela, sacudindo-se freneticamente para se livrar do excesso de água.

Nesse instante, Penge anunciou que lorde Melbourne a aguardava na saleta. O camareiro não conseguiu evitar uma careta quando a água aterrou nas suas meias de seda.

Vitória tentou não se rir, mas não foi capaz.

— *Dash*, chega aqui, seu maroto! Penge, diga a Lorde Melbourne que não demoro.

À frente do espelho, Vitória puxou pelas tranças de ambos os lados do rosto para que ficassem num ângulo mais favorável.

Quando ela entrou, Melbourne estava de pé junto da janela e Vitória observou um ar de melancolia na posição dos seus ombros.

Mas, quando ele se voltou, dirigiu-lhe um sorriso tão caloroso que ela soube que estivera a imaginar coisas.

— Oh, Lorde M, estou tão contente por o ver. Que dia este. Pensei que nunca seria capaz de me aguentar sem rir quando Lorde Rolle tropeçou.

Melbourne olhou-a, com uma nota de ternura nos seus olhos verde-mar.

— Mas afortunadamente, Majestade, a vossa dignidade natural prevaleceu. — Fez uma pausa e, a seguir, disse com uma voz mais grave: — Vim dizer-lhe como esteve esplêndida, Majestade. Ninguém poderia ter agido com mais dignidade.

Vitória ergueu o olhar para ele.

— Eu sabia que estava lá o tempo todo, Lorde M, e isso facilitou as coisas. Acho que tudo é mais... tolerável quando está presente.

Melbourne fez uma pequena vénia.

— É muito amável, Majestade. — Quando falou, foi com o seu tom mais mundano. — A vossa é a terceira Coroação a que assisto e sem dúvida a melhor. A do vosso tio George, apesar de magnífica, ficou bastante estragada pela presença da sua rainha errante a bater na porta da Abadia e a pedir 'que a deixassem entrar. E o espetáculo do vosso tio William foi um caso lamentável. Uma Coroação não é uma ocasião para economias; as pessoas gostam de um bom espetáculo. E hoje tiveram um.

— Ouviu como me saudaram quando saí da Abadia? Eu pensei que ia pelos ares.

— A senhora é o símbolo de uma nova era, Majestade, e o seu povo sente-se grato. Estavam cansados de homens velhos e sabem quão afortunados são por serem governados por uma rainha jovem e bela.

Vitória sentiu-se corar.

— Espero ser digna do amor deles.

Melbourne não respondeu, mas manteve o olhar fixo nela. Desta vez, foi Vitória quem primeiro desviou o olhar.

— Estou tão ansiosa por ver o fogo de artifício esta noite! Espero que não chova.

— Já combinei tudo com o Todo-Poderoso, Majestade.

Vitória apontou-lhe um dedo:

— Como espera que acredite nisso, Lorde M, quando sei que nunca vai à igreja?

Estavam a rir-se juntos quando Lehzen entrou. Vinha com um ar fechado.

— Peço desculpa, Majestade, mas *Sir* James Clark está aqui. Ele gostaria de falar consigo.

Vitória viu o sorriso desaparecer do rosto de Melbourne. Por um instante desejou intensamente ter seguido o seu conselho e nada ter feito quanto a *lady* Flora. Mas, recordando o riso da mãe quando abordara o assunto de Flora e Conroy, fez um aceno de cabeça na direção de Lehzen.

— Pode dizer-lhe que entre.

Sir James entrou, fez uma vénia a Vitória, mas evitou olhar para ela diretamente.

— Perdoe-me, Majestade por ousar perturbá-la num dia como o de hoje, mas pensei que gostaria de saber os resultados da minha... visita a *Lady* Flora.

— Sim, com certeza, *Sir* James.

O médico olhou para o soalho como se pensasse que a marchetaria pudesse oferecer-lhe o segredo da vida eterna.

— Devo dizer-lhe, Majestade, que face ao exame, concluí que *Lady* Flora é — engoliu em seco — *virgo intacta*.

Vitória não reconheceu a expressão.

— Mas espera uma criança, *Sir* James?

O médico ficou de um carmesim ainda mais intenso e abanou a cabeça. Melbourne deu um passo em frente.

— Uma coisa geralmente exclui a outra, Majestade.

Verificando a lástima gravada no rosto dele, Vitória apercebeu-se do seu erro.

— Estou a ver. Muito obrigada, *Sir* James. É tudo.

O médico contorceu o rosto numa careta de desculpas.

— Antes de sair, Majestade, devo explicar que creio que o, hum, inchaço, que de facto poderia ser interpretado como uma gravidez, é o resultado de um tumor. Penso que *Lady* Flora está gravemente enferma.

Vitória não disse nada. O médico saiu da sala às arrecuas, seguido de Lehzen. Depois de terem saído, Vitória virou-se para Melbourne e declarou, com intensa mágoa:

— Deveria ter-lhe dado ouvidos, Lorde M.

Melbourne abanou a cabeça.

— É sempre mais fácil dar conselhos do que segui-los, Majestade.

*

Mais tarde, nessa noite, quando saiu para a varanda para assistir ao fogo de artifício, Vitória sentiu entre os cortesãos ali reunidos uma vaga de algo que não reconheceu de imediato. Estava escuro pelo que só conseguia ver os rostos quando iluminados pelas cores garridas das iluminações.

A sua mãe encontrava-se de pé no outro extremo da balaustrada tendo Conroy a seu lado e, quando o artefacto pirotécnico em forma de VR começou a explodir no céu, Vitória viu a ferida de ressentimento na cara da mãe passar de vermelho a azul e dourado. O rosto de Conroy manteve-se na sombra. Vitória sabia que devia dizer qualquer coisa à mãe, lidar com a brecha que se abria entre as duas. Nesse instante, uma nova cascata de ouro caiu do céu e ela viu a mãe apoiar-se no braço de Conroy e o pequeno nó de raiva que se tinha mantido ali desde Ramsgate ardeu dentro do seu peito. Enganara-se quanto a *lady* Flora e Conroy, mas tal não significava que estivesse enganada quanto a tudo o resto. A sua boca encheu--se de cólera quando viu a mãe erguer o olhar para Conroy e sorrir.

Atrás dela houve um suspiro e sentiu a presença de Melbourne.

— As iluminações são magníficas, Majestade. Um final adequado para um dia grandioso.

Vitória sentiu a fúria diminuir ligeiramente.

Os cortesãos na varanda sustiveram a respiração e a multidão no The Mall, mais abaixo, aplaudiu quando a peça principal da exibição, um perfil de Vitória em tamanho natural, se incendiou. Vitória virou-se para Melbourne.

— Que curioso, estou aqui a ver-me desfazer em fumo.

— É uma forma de descrever o espetáculo, mas eu vejo-a como um feixe de luz a inspirar a nação.

— Põe sempre tudo de forma tão feliz, Lorde M.

— Neste caso, Majestade, estou apenas a ser rigoroso.

O perfil em chamas começava a esfumar-se. A coroa colapsou no meio e o nariz e o queixo dobraram-se um sobre o outro. Vitória suspirou.

— É o melhor dia da minha vida e também o pior. Acredita?

O rosto de Melbourne ganhou um brilho verde devido ao foguete final.

— Acredito, mas só porque me lembro de como era ser jovem. Quando tiver a minha idade, descobrirá que o mundo não é tão extremado. As montanhas e vales terão erodido até se transformarem num confortável planalto.

— É apenas isso a que devo aspirar? Conforto? Acho que preferiria ser feliz.

— À medida que for envelhecendo, vai descobrir que há muitos encantos no conforto, Majestade. Mas não estou à espera que acredite em mim. Quando tinha a sua idade, eu também queria ser feliz.

Vitória sentiu um baque no coração.

— E foi? Feliz, quero dizer?

— Sim, creio que sim.

— Com a sua esposa? Como era ela?

— A Caro? No início, quando a conheci, era cativante. Nunca conhecera ninguém tão enérgico e tão imprevisível. Nunca conseguia adivinhar o que iria dizer ou como aceitaria as coisas.

Vitória comentou:

— Eu iria achar tudo isso bastante cansativo.

O olhar de Melbourne estendeu-se sobre The Mall.

— E teria razão, Majestade, ouso dizer.

A efígie de Vitória acabou por colapsar sobre si própria. O céu já sem iluminação pareceu diminuir. Uma brisa gelada surgiu do nada e as pessoas lá em baixo, no The Mall, começaram a mover-se: um rio de gente murmurante começou a fluir em direção a casa, com a cabeça cheia da glória do dia e do brilho radioso da sua rainha.

CAPÍTULO VINTE

Ao longo das duas semanas que se seguiram à Coroação choveu todos os dias. O tempo estava tão mau que Vitória se viu forçada a abdicar das suas cavalgadas diárias com Lorde M e a entreter-se com ocupações dentro do palácio. Praticou piano; tentou começar um retrato de Dash; foi ao ponto de dar uma vista de olhos aos *Comentários* de Blackstone, mas nada, fosse frívolo ou sério, fez desaparecer a nuvem que pairava sobre si, tão opressiva como o céu cinzento no exterior.

A vaga que notara entre os cortesãos na varanda na noite da Coroação era, sabia-o agora, de desaprovação. Ninguém disse nada, mas Vitória sentia a rigidez das reverências, o embaraço das vénias, a incapacidade de a olharem olhos nos olhos. Mais do que uma vez entrara numa sala e ouvira a conversa interromper-se de uma forma tão clara como uma vela que se apaga.

Uma manhã chegara mesmo a perguntar a Harriet e a Emma se algo as preocupava. Harriet pregara os olhos no chão e Emma respondera que o tempo estava a deixá-los a todos desanimados. Não fora uma grande resposta, mas Vitória ficou-lhe grata pelo esforço. Nessa noite perguntara a Lehzen o que as pessoas diziam a seu respeito e Lehzen respondera que não sabia.

Mas Vitória sabia que Lehzen estava a mentir. A verdade é que desde o dia da Coroação, *lady* Flora entrara em declínio. Caíra à cama nos aposentos da duquesa e havia uma quinzena que não era vista em público.

Vitória mandara *sir* James saber da saúde de *lady* Flora, mas ele regressara dizendo que os seus serviços não eram necessários.

A duquesa e Conroy mantinham-se na ala norte e só eram vistos na igreja. Apesar de, em circunstâncias diferentes, Vitoria poder ter ficado satisfeita com isto, agora a ausência dos dois parecia-lhe ameaçadora, tão sinistra como os céus tempestuosos no exterior.

Normalmente, teria encontrado algum alívio no trabalho das suas caixas com Lorde M.

No entanto, desde a Coroação esse prazer esmorecera devido à sombra projetada pela inválida na ala norte. Não mencionara *lady* Flora a Melbourne desde que ouvira os resultados do exame de *sir* James, e ele não trouxera o assunto à baila, mas Vitória sabia que estava tão presente na mente dele quanto na dela.

Ouviu as portas abrirem-se ao fundo do corredor e os passos rápidos de Melbourne a ecoar no soalho.

— Bom dia, Majestade.

— Estou tão feliz por o ver. Nem consigo dizer o quanto sinto a falta dos nossos passeios a cavalo.

— De facto, Alteza. Mas não está tempo para cavalgadas.

Houve um silêncio. Melbourne olhou à sua volta como se procurasse alguma coisa, acabando por encarar Vitória.

— Lamento informá-la, Majestade, de que ouvi informações dizendo que é provável que *Lady* Flora morra.

Vitória levou a mão à boca.

— De certeza que não. Ora, ela tinha um ar bastante saudável ainda há um mês. Sei que a Mamã está a tratar dela, mas ela exagera sempre estas situações.

— Contudo neste caso, temo que a Duquesa não esteja a exagerar.

Vitória ficou com um ar aborrecido.

— Não acredito. Como é possível?

Melbourne respondeu-lhe, tão docemente quanto foi capaz:

— Creio, Majestade, que *Lady* Flora já estaria doente há algum tempo; é assim que, geralmente, as coisas acontecem. O seu rosto tinha um semblante doentio há já algum tempo. E, claro, é muito provável que os recentes acontecimentos tenham precipitado o seu declínio.

Vitória virou-se, afastando-se dele.

— Mandei *Sir* James oferecer-lhe ajuda, mas ela recusou-se vê-lo.

— Imagino que, dadas as circunstâncias, *Lady* Flora não queira receber *Sir* James.

Vitória olhou para ele de lado, deixando descair os ombros.

— Pensa que deveria ter mandado outra pessoa?

— Na verdade, Majestade, penso que a única visita que *Lady* Flora agradeceria nesta conjuntura seria a sua.

Vitória virou-se e encarou lorde Melbourne, com a revolta estampada no rosto.

— Quer que eu vá?

— Não se trata de uma questão do que eu quero, Majestade.

Seguiu-se um longo silêncio. Vitória olhava para o chão. Por fim, ergueu o queixo e no seu rosto espalhou-se uma expressão de desafio.

— Bem, penso que tudo isto é... é... uma tempestade num copo de água. Não vejo razão para dar o prazer à minha mãe de levar isto a sério. Sugiro, Lorde Melbourne — Vitória só tratava o seu primeiro-ministro pelo seu nome completo quando estava zangada com ele —, que paremos de tagarelar e tratemos das minhas caixas.

Melbourne curvou a cabeça.

— Às vossas ordens, Majestade.

Vitória sentou-se e abriu a caixa vermelha. Levou uns bons dez minutos até convidar lorde Melbourne a sentar-se ao seu lado. Foram vendo os documentos que vinham na caixa metodicamente, sem a conversa e a brincadeira do costume e, em resultado disso, fizeram muito, mas sentiram-se insatisfeitos. Vitória não ofereceu, como era seu costume, um cálice de Madeira a Melbourne e ele saiu para o Parlamento bastante mais cedo do que era habitual.

Depois da partida dele, Vitória decidiu que não aguentava ficar enfiada no palácio e correu para o jardim, com *Dash* colado aos seus calcanhares. Por um instante, deixou-se ficar com a cara virada para cima, para a chuva, sentindo as gotas caírem-lhe sobre a boca e escorrerem-lhe pelo pescoço. Fixou o olhar no céu cinzento e disse, bastante alto: «A culpa não é minha!», depois abanou a cabeça à sua própria insensatez.

Ouvindo um ruído nas suas costas, virou-se e viu Lehzen.

— Majestade, o que está aqui a fazer, à chuva?

— Melbourne diz que *Lady* Flora está a morrer!

A cara de Lehzen mostrou com clareza que ouvira a mesma coisa. Mas fez um esforço para esconder o que sabia e arvorou o seu sorriso animado de governanta.

— Todos sabemos que está doente, Majestade, mas conheço casos como o dela em que as pessoas recuperaram. Se está a morrer é porque perdeu a vontade de viver. — Apercebendo-se de que acabara de dizer exatamente a coisa errada, Lehzen apressou-se a corrigir. — Sabe como *Lady* Flora é religiosa. Penso que deseja ir para o céu.

Vitória ficou em silêncio e Lehzen, consciente de que cometera um segundo erro, disse, em desespero:

— Se continuar aqui fora à chuva, Majestade, vai apanhar um resfriado e então teremos duas inválidas no palácio. — Tocou no braço de Vitória, tentando conduzi-la para o interior, mas a rainha sacudiu-a.

— Deixe-me sozinha.

— Mas, Majestade, está molhada até aos ossos. Pelo menos, deixe-me ir buscar-lhe uma sombrinha.

— Não quero nada de si, Lehzen. — Vitória marchou em direção aos arbustos, afastando-se e deixando Lehzen a olhar para ela e a abanar a cabeça.

A chuva continuou a cair. Os jornais começaram a falar do Livro de Job. Os lavradores olhavam para as suas colheitas arruinadas. Nos clubes, e nos corredores do Parlamento, não havia ar fresco que varresse os vapores do boato que revoluteavam em torno da silhueta jacente de *lady* Flora.

As conversas foram-se tornando mais exaltadas à medida que o tempo se foi mantendo húmido. Pairava um sentimento de ultraje no White's, o clube que os Conservadores preferiam.

— O Hastings soube a história toda por uma carta que a irmã lhe enviou. A Rainha pediu a *Sir* James que lhe fizesse um exame.

— A *Lady* Flora? Mas a mulher nasceu com um crucifixo na mão!

— Ainda assim, a Rainha pensou que ela estava de esperanças.

— Devia ter sido uma Imaculada Conceição, como dizem os Papistas. Não há no reino uma solteirona mais determinada do que *Lady* Flora Hastings.

— E pressupunha-se que *Sir* John Conroy fosse a parte culpada.

— Conroy! Mas o interesse dele tem outra direção, certamente?

O duque de Cumberland, que por regra não ligava ao White's, onde sentia que os membros não lhe concediam o respeito devido a um príncipe de sangue, achou a sala de jogo do clube muito mais agradável do que o costume. Certificou-se de que aparecia todos os dias para se deleitar com o último pedaço do petisco do caso Hastings. Era demasiado cauteloso para fazer comentários, claro, mas o ângulo da sua sobrancelha e o suspiro que soltava de cada vez que alguém pronunciava o nome da sobrinha eram o suficiente para que os ouvintes ficassem cientes da sua opinião sobre o assunto.

Até mesmo no Brook's, onde predominavam os Liberais, não havia como evitar as ondas do escândalo. Quando Melbourne atravessava o grande salão de estar, as conversas interrompiam-se e os membros, até mesmo os colegas de gabinete, baixavam os olhos sobre as cartas que tinham na mão em vez de o deterem com um sorriso.

Se Melbourne sabia porque as conversas se interrompiam à sua passagem, não deu o menor sinal disso, mantendo imperturbável o seu ar de indolência cansada. Só o seu mordomo sabia que ele ficava durante a noite toda na biblioteca de Dover House, com a garrafa de cristal a seu lado.

O único entretenimento que a chuva não podia afetar era o teatro. Vitória estava ansiosa para ver *La Sonnambula*, de Bellini. Gostava muitíssimo de ópera em geral e de Bellini em particular. Sentada na escuridão do Camarote Real a escutar ópera era a única ocasião em que se permitia chorar em público.

Por vezes imaginava-se de pé, no palco, a dominar o público com a pureza da sua voz. Como ela invejava Persiani, a sua cantora favorita. Não só pela sua voz, mas pela capacidade de exprimir as suas emoções na perfeição.

Desde muito tenra idade, Vitória aprendera a controlar os seus sentimentos em público, a tornar o seu rosto tão sereno e imperturbável como o de uma das suas bonecas. Mas podia tornar-se difícil. Por vezes quando ia deitar-se sentia os músculos da cara doerem do esforço de manter-se impassível.

Mas ali podia descontrair-se e deixar a música fazer o seu trabalho. Podia sentir os pelos dos braços eriçarem-se quando a diva no palco começava a cantar a famosa ária durante a crise de sonambulismo. Era um momento de puro prazer, o primeiro que tinha desde a Coroação. As pestanas adejaram quando se permitiu suspirar de prazer.

Foi então que algo mudou. A música prosseguiu, mas o seu devaneio sonhador foi interrompido. Ele estava ali: soube-o ainda antes de se virar e ver Melbourne de pé, com uma expressão fechada. Inclinou-se e sussurrou-lhe ao ouvido:

— Lamento incomodá-la, Majestade, mas temo que isto não possa esperar.

O rosto dele estava muito próximo do dela. Vitória sentiu o cheiro de água de lima e tabaco.

— *Lady* Flora?

— Sim, Majestade. Temo que o fim esteja próximo.

— Estou a ver.

Vitória pôs-se de pé e, lançando um olhar pesaroso para o palco, avançou para a porta do camarote. No corredor vermelho e dourado, perguntou:

— Acha que devo ir vê-la?

Melbourne assentiu.

— Penso que vai lamentar se não o fizer.

Vitória apoiou uma mão na parede de veludo vermelho.

— Tenho medo, Lorde M.

Vitória sentiu a mão de Melbourne tocar na sua. O roçar da pele dele infundiu-lhe uma torrente de calor. Virou a cabeça e olhou para ele.

— Eu sei, Majestade. Mas também sei a coragem que tem. — A voz de Melbourne era reconfortante.

— Muito bem. Vou esta noite?

— Creio que amanhã poderá ser tarde demais, Majestade.

Vitória ouvia o tenor lançar-se no dueto de amor enquanto seguia Melbourne ao longo do corredor para o vestíbulo onde a sua carruagem a aguardava.

Penge conduziu-a ao quarto da ala norte onde *lady* Flora agonizava. Vitória quisera despir o vestido de gala, mas em resposta a um olhar de Melbourne, decidira ir como estava. Enquanto percorriam o corredor, Vitória reparou que a carpete vermelha debaixo dos seus pés dera lugar a um droguete fino. Não havia quadros nas paredes. As velas nas palmatórias chiavam e pingavam; eram de sebo, não da cera de abelhas que se usava sempre nos aposentos reais.

À porta do quarto, Vitória hesitou. Virou-se para Melbourne.

— Entra comigo?

Melbourne abanou a cabeça.

— Há coisas, Majestade, que tem de fazer sozinha.

Vitória hesitou. Depois, apoiou a mão na porta, empurrou-a e abriu-a.

O cheiro foi a primeira coisa que a chocou. Suor, febre e algo que só podia ser putrefação. Quis pôr a mão à frente do rosto, mas forçou-se a manter os braços caídos ao longo do corpo. Precisou de um momento até ver *lady* Flora dentro do quarto, alumiado por uma única vela.

A mulher moribunda estava enrolada debaixo de um monte de roupa no meio da cama, e a sua figura mirrada parecia ainda mais enfezada por causa da coroa pendurada em cima dela. Por comparação com os lençóis brancos, a sua cara estava amarela e os lábios haviam começado a recuar sobre os dentes como se o crânio se mostrasse já por baixo da pele. A respiração era pesada e difícil. Do ponto onde estava, Vitória ouviu a farfalheira ao expirar. Enterrando as unhas nas palmas das mãos, Vitória avançou devagar para junto da cama de Flora. Flora tinha a cabeça virada para a parede. Agarrava uma Bíblia junto ao peito magro.

A enfermeira que estava ali sentada ergueu-se, agitada e confusa, e fez uma vénia desajeitada. Com um gesto, Vitória indicou-lhe que saísse e, arvorando o seu sorriso mais brilhante, avançou para onde Flora pudesse vê-la.

— Boa noite, *Lady* Flora. Lamento saber que não está bem de saúde.

Lady Flora virou a cabeça e os seus olhos brilharam quando viu Vitória, mas não disse nada, respirando apenas com dificuldade agonizante.

Enervada, Vitória deu consigo a falar alto:

— Há alguma coisa que possamos fazer por si? Um caldo de carne? Pêssegos, talvez? Os que crescem nas estufas quentes de Windsor são uma verdadeira delícia. Creio que podem tentá-la a recuperar a saúde.

Flora ergueu uma mão frágil como se dizendo *basta* e, com grande dificuldade, disse num tom próximo do desprezo:

— Já passei a fase dos pêssegos.

Vitória abanou a cabeça.

— Não diga isso, *Lady* Flora! Estou certa de que com descanso e os cuidados adequados depressa estará de novo a pé.

Flora arquejou:

— Vou para um lugar melhor — e agarrou a Bíblia com mais força.

Seguiu-se um silêncio apenas interrompido pela horrível respiração de *lady* Flora. A dado momento, Vitória não aguentou.

— Fiz-lhe mal, *Lady* Flora. Vim pedir-lhe perdão.

Flora bateu na Bíblia e disse:

— Só Deus pode perdoar-lhe.

Vitória balançou para trás, nos seus saltos.

— Bem, tenciono pedir o Seu perdão também. — Engoliu em seco. — Acreditei em algo que não era verdade porque queria acreditar, e cometi uma grande injustiça para consigo.

Flora fechou os olhos. Por um longo e horroroso minuto, Vitória imaginou que ela não voltaria a abri-los, mas foi então que as pálpebras contornadas de vermelho se separaram.

— Os seus súbditos — Flora arquejou — não são as suas bonecas. — Olhou para Vitória com grande intensidade. Erguendo a cabeça com um agonizante esforço, disse: — Para ser rainha tem de ser mais do que uma rapariguinha com uma coroa.

E Flora caiu para trás sobre as almofadas, exausta, com um fio de saliva a escorrer-lhe do canto da boca.

Vitória sentiu as palavras de Flora abrirem caminho a fogo na sua testa. Num impulso, dobrou-se, pegou na mão da inválida e levou-a aos lábios. A carne estava fria e cerúlea como se já pertencesse a um cadáver. Flora não se moveu, sendo os horríveis arquejos irregulares o único sinal de que ainda estava viva.

Vitória pousou a mão gelada e recuou para a porta.

Melbourne aguardava-a do lado de fora.

— Não ficou lá muito tempo, Majestade.

— Foi o tempo suficiente. — Vitória passou por ele apressada e avançou para o corredor, não querendo que ele visse as lágrimas que ameaçavam destruir a sua compostura.

Escutou os passos dele no seu encalce e ouviu-o dizer:

— Imagino que tenha sido bastante perturbador, Majestade, mas penso que sabe que fez o que devia.

— O que dificilmente compensará o mal que lhe fiz — respondeu Vitória por entre lágrimas.

— Cometeu um erro e pediu desculpa.

— Fui tão insensata — soluçou.

— Talvez, mas toda a gente tem os seus momentos de insensatez, até mesmo uma rainha.

— Quem me dera poder acreditar em si, Lorde M.

— Tem de acreditar, Majestade. Feitas as contas, sou mais velho e mais sensato do que Vossa Alteza.

Tocou-lhe no cotovelo e acompanhou-a no regresso aos aposentos dela, onde Lehzen a aguardava.

— Boa noite, Majestade.

— Não vou conseguir pregar olho — respondeu Vitória, mas sentiu que um grande cansaço se apoderava dela.

Lehzen deu-lhe o braço.

— Não se preocupe, Majestade. Eu faço-lhe um ponche quente e dormirá como um bebé.

Vitória apoiou-se nela por um instante e fechou os olhos. Quando os abriu novamente, lorde Melbourne desaparecera.

CAPÍTULO VINTE E UM

Quando Vitória acordou na manhã seguinte, a luz do sol brilhava pelas janelas. Saltou da cama, com *Dash* colado aos seus calcanhares, e olhou para o parque. Iria andar a cavalo nesse dia. Depois recordou-se dos acontecimentos da noite anterior e o seu júbilo perante o sol evaporou-se.

Perguntou-se quanto tempo demoraria agora. Ao mesmo tempo que se censurava por um pensamento tão pouco caridoso, não era capaz de afastar a esperança de que a morte de *lady* Flora ocorresse o mais depressa possível. A espera era o pior de tudo.

Não teve de aguardar muito. Vitória encontrava-se na saleta da manhã a tocar um dueto com Harriet Sutherland quando as portas se abriram e a duquesa entrou de rompante, com o rosto duro de dor.

— A minha pobre Flora está morta!

Os dedos de Vitória imobilizaram-se sobre as teclas. Escutou Harriet murmurar que esperava que sua Majestade a dispensasse e o roçagar das suas saias quando saiu apressadamente da sala. Vitória pôs-se de pé. Fechou o tampo do piano o mais cuidadosamente possível.

— Oh, Mamã, isso é terrível.

A duquesa semicerrou os olhos.

— Levou-a à morte, Drina.

— Mas fui vê-la ontem à noite. Para lhe pedir desculpa do meu... erro.

— Erro! Mandou os seus médicos humilharem uma mulher moribunda!

— E pedi-lhe desculpa. — Vitória lutou para manter a nota de pânico longe da sua voz.

— E pensa que isso basta, Drina? Dizer que lamenta, como uma menina que partiu um copo? Seja como for, não é a mim que tem de pedir desculpa, mas a *Sir* John. Acusou-o e ele também é inocente.

À menção do nome de *sir* John, Vitória sentiu a raiva crescer por trás dos seus olhos. A mãe só conseguia pensar no seu precioso Conroy.

— Desse crime em particular, talvez. Mas ele é culpado de coisas piores, Mamã!

A cabeça da duquesa foi atirada para trás como se tivesse sido esmurrada.

— O que diz? *Sir* John sempre foi como um pai para si. E pagou-lhe a sua gentileza com esta... esta calúnia.

Vitória deu um passo em frente, assaltada pelo desejo de agarrar a mãe pelos ombros e sacudi-la.

— Gentileza? É isso que lhe chama? Trancar-me em Kensington como uma prisioneira, troçar da minha altura, da minha voz, da minha ignorância. E a Mamã ria-se com ele!

A duquesa ergueu as mãos como que a proteger-se de um golpe.

— Drina, por favor.

Mas Vitória não ia, não conseguia parar.

— Desde que me lembro, Mamã, pensou sempre nele primeiro, depois em mim! — A voz ameaçava falhar-lhe, mas Vitória conseguiu controlar as lágrimas pela violência da sua raiva.

A duquesa olhou para ela, estupefacta:

— *Wovon redest du?* De que está a falar? Penso que está fora de si, Drina.

Vitória sabia que não ia conseguir controlar as suas emoções durante muito mais tempo. Puxou os ombros para trás, empinou o queixo e disse, devagar e distintamente, com todos os bocadinhos de dignidade que possuía:

— Esta audiência terminou, Mamã. Tem a minha permissão para se retirar.

As palavras pairaram no ar, entre as duas. Pensando que a mãe poderia rompê-las e tocar-lhe, Vitória deu consigo a ansiar sentir os braços da mãe a envolvê-la. A duquesa estremeceu, como se vibrando ao som de um acorde invisível que as unia. Mas depois baixou o olhar e devagar, como se sonâmbula, abandonou a sala.

Vitória chorou.

CAPÍTULO VINTE E DOIS

Havia multidões alinhadas ao longo do percurso do cortejo de *lady* Flora: o tipo de multidões que, por norma, marcava a passagem de um homem de Estado ou um membro menor da família real, não o funeral da filha solteira de um nobre conservador. Os homens tiravam os chapéus e as mulheres curvavam a cabeça quando a carreta passava, puxada por seis cavalos negros, cujas plumas oscilavam na brisa.

Atrás da urna vinha a fila de carruagens enviada pelos enlutados. Houve aplausos desgarrados quando a multidão reconheceu o brasão do duque de Wellington e uma manifestação mais discreta face às armas do duque de Cumberland. Era uma multidão solene, aqui reunida para mostrar o seu respeito por uma mulher de que mal haviam ouvido falar na semana anterior, mas cujo falecimento sentiam agora profundamente.

À medida que a longa fila de carruagens dos nobres conservadores desfilava com estrépito, ouvia-se um murmúrio de expectativa. Esta multidão aguardava e, por fim, quando a última carruagem ficou à vista, teve o que queria. Uma vaia surda começou a aumentar de volume à medida que ia de uma ponta da multidão à outra. Não houve insultos, nem gritos — ao fim e ao cabo, tratava-se de uma multidão de luto —, mas à medida que a carruagem enviada pela rainha passava, com as armas reais bem visíveis na porta, não restaram dúvidas de como a multidão encarou este gesto tardio de arrependimento.

Vitória ficara no palácio no dia do funeral. Tentara ir aos aposentos da duquesa fazer-lhe uma visita, mas a duquesa mandara dizer que se encontrava indisposta.

No dia seguinte, Vitória fora montar para o parque com Melbourne e reparara que os passantes não lhe acenavam ou sorriam como era costume. Quando fez um comentário a este respeito, Melbourne abanou a cabeça.

— Oh, não vale a pena prestar atenção às pessoas no parque, Majestade. Vamos a um último galope? — Mas quando passou com estrépito por um grupo de homens, ouviu um deles gritar qualquer coisa que lhe soou parecido com «ponha». Deixou-a intrigada durante todo o caminho de regresso ao palácio.

Esperara que Melbourne ficasse para jantar, mas ele dissera que tinha assuntos a tratar no Parlamento.

Nessa noite, estendida na cama, Vitória escutava o vento a fazer as janelas bater e pensava no grito que ouvira essa manhã, no parque. «*Exponha, deponha, oponha*» e foi então que o sangue lhe acudiu à cara quando percebeu que o que os homens tinham ousado gritar fora «vergonha». Ficou deitada no escuro, de olhos abertos. Talvez se tivesse enganado; talvez os homens estivessem a discutir uns com os outros. Mas no seu coração sabia que gritavam para ela, desprezando-a pelo que fizera.

No dia seguinte, Vitória reparou que não havia jornais na sua saleta. Quando perguntou a Penge onde estavam, ele respondeu-lhe, num tom hesitante, que achava ainda não terem sido entregues. Vitória franziu o sobrolho e decidiu ir à procura de Lehzen, que saberia o que estava a passar-se.

Enquanto percorria a galeria de retratos em direção ao quarto de Lehzen, abriu-se uma porta ao lado do retrato de George III. Para sua consternação, *sir* John Conroy avançou e pôs-se à sua frente. Ela deteve-se e ficou imóvel, considerando a hipótese de girar nos calcanhares e afastar-se. Não via Conroy, a não ser à distância, desde a noite do Baile da Coroação. O seu rosto branco e comprido estava iluminado por um sorriso que aumentou o sentimento de desconforto de Vitória. Trazia um papel na mão esquerda. De onde Vitória estava, parecia ser uma espécie de caricatura.

Ela deu conta da presença dele com o aceno de cabeça mais ligeiro de que foi capaz e fez menção de passar por ele. Mas Conroy, cujo sorriso não se alterou, deu um passo à frente dela.

148

— Bom dia... — fez uma pausa o tempo suficiente para que fosse insolente — Majestade.

Vitória não respondeu. Sabia, de longa experiência, que ele tinha algo para lhe dizer e a menos que ela forçasse a passagem por ele, não havia como evitá-lo. Quem dera que lorde M tivesse chegado cedo. Conroy não se atreveria a fazer nada na presença dele.

Ainda com aquele sorriso odioso estampado na cara, Conroy estendeu-lhe o papel que trazia na mão, usando a outra mão para o manter esticado, de forma a que ela pudesse ver exatamente o que continha. Ela olhou para o papel em silêncio. Era um desenho vulgar de uma mulher nua da cintura para baixo, deitada numa cama com as pernas no ar. Espreitando entre elas, encontravam-se três figuras, dois homens e uma mulher. Pelo contorno das suíças, ela teve a certeza de que um deles era lorde Melbourne; pelo perfil, adivinhou que o outro era Conroy. Entre os dois, a imagem de uma rapariga baixa e rechonchuda com um sorriso arrapazado, em bicos dos pés, tentando ver o que se passava. Pela pequena coroa empoleirada no alto da cabeça, percebeu que a rapariga pretendia representar a própria Vitória. O título era *A Desgraça de Lady Flora*.

Vitória desviou o olhar rapidamente e esforçou-se por manter o rosto tão impassível quanto conseguiu.

— A imprensa pode ser tão cruel, Majestade — o sorriso de Conroy abriu-se ainda mais. — Quer ficar com isto? Para poder vê-lo com calma?

Reunindo todos os vestígios de autocontrolo que possuía, Vitória manteve o rosto absolutamente inexpressivo enquanto passava por Conroy. Não lhe daria a satisfação de a ver vacilar.

*

Quando o mensageiro chegou, Melbourne estava na biblioteca de Dover House a ler uma das homilias de S. João Crisóstomo. Desde que, pela primeira vez, tomara contacto com o santo capadócio, durante o ponto mais baixo do seu casamento com Caro, que descobrira um consolo perverso nas certezas de um homem que nunca tivera de lidar com uma mulher infiel ou um partido indisciplinado para governar. O santo do século IV pregava contra todo o tipo de extravagâncias, instando os seus seguidores a imitar o exemplo de Cristo e distribuir os seus bens pelos pobres. Havia uma frase que o fazia sorrir sempre: «Como podeis aliviar-vos num bacio de prata quando os pobres têm fome?»

Melbourne olhou para o magnífico apainelado de nogueira da sua biblioteca, para a tapeçaria do encontro de Salomão com a Rainha de Sabá pendurada na parede à sua frente e no retrato de Caro, feito por Lawrence, por cima da lareira. Suspirou perante a sua própria hipocrisia. Fizera muito pouco por quem quer que fosse. Falhara em proteger a rainha das consequências da sua insensatez no caso de Flora Hastings. Os mexericos afirmavam que era demasiado indulgente com a sua monarca e, neste caso, sabia que tinham razão. Devia ter insistido que Flora Hastings, aquela virgem de crucifixo em punho, seria a última pessoa no mundo a ter uma ligação ilícita e que o canalha Conroy era demasiado calculista e interesseiro para se arriscar a um escândalo por ter seduzido a dama de companhia da sua amante. Mas Melbourne fora, como sempre, demasiado escrupuloso. Tal como desviara o olhar quando Caro se atirara a Byron em público, receara arriscar a sua amizade com Vitória dizendo-lhe que estava errada.

Caro e Vitória eram iguais naquela necessidade impulsiva de se afirmarem sem pensar nas consequências, e ele não era capaz de resistir a nenhuma das duas. Melbourne fez um sorriso amargo ao recordar como tentara confortar Vitória afirmando que toda a gente era capaz de cometer um erro, mas fora ele o louco que cometera duas vezes o mesmo erro. A rainha estava agora no centro de uma tempestade de escândalo e suspeitas, tal como acontecera com Caro. E, de ambas as vezes, ele não conseguira evitá-las.

Melbourne bebeu outro grande gole da caneca de *brandy* que tinha a seu lado. Tentou concentrar-se nas convicções do seu inflexível mentor, mas por uma vez não sentiu qualquer conforto em dedicar a sua mente a alguém tão diferente de si próprio.

O mordomo trouxe a carta numa salva de prata.

— Do palácio, Vossa Graça.

Para sua surpresa, o bilhete não era da rainha, mas de Emma Portman:

William,
A rainha trancou-se no quarto e recusa-se a falar com quem quer que seja. Mas, suspeito, falará consigo. Esta tarde há uma revista às tropas e receio que ela não compareça. Por favor, venha.
A sua amiga, Emma

Melbourne terminou o *brandy* que tinha no copo e levantou-se, sentindo dores nos ossos. Enquanto caminhava para a porta, viu--se no espelho. O rosto que olhou para ele, por barbear e enrugado, parecia o de um velho. Melbourne endireitou os ombros e contraiu o estômago.

— Diz ao Bugler que vá buscar água para me barbear. Tenho de me preparar para ir ao palácio.

O mordomo era demasiado experiente para sorrir, mas os seus lábios tiveram um ligeiro tremor quando respondeu:

— Muito bem, Vossa Graça.

Os relógios batiam as onze quando a carruagem de Melbourne virou para The Mall. As árvores ao longo da rua estavam enfeitadas com bandeirolas e haviam erguido bancadas para os espetadores do desfile da Guarda Real montada. Viu imensas pessoas ao longo do percurso que a rainha iria tomar nessa tarde quando fosse passar revista às tropas mas, Melbourne reparou com desconforto, que havia poucos chapéus de senhora entre eles. Os chapéus de senhora eram a diferença entre os súbditos leais que apareciam para saudar a sua rainha e uma turba zaragateira que podia ser paga por qualquer pessoa com bolsos suficientemente fundos.

Melbourne perguntou-se se algum dos Conservadores desceria realmente tão baixo, mas depois pensou com tristeza que talvez não precisasse. Após o funeral, lorde Hastings fizera publicar no *The Times* uma carta da irmã que descrevia o tratamento a que fora sujeita às mãos da rainha. *Lady* Flora pedira que a rainha fosse tratada com o espírito de misericórdia cristão, uma vez que era demasiado jovem para ser plenamente responsável pela sua insensatez juvenil, mas Melbourne duvidava que houvesse grande simpatia por Vitória. Flora Hastings, severa e beata em vida, na morte transformara-se numa mártir sacrificada pelo capricho de uma jovem rainha rancorosa. Enviar médicos para verificar a virgindade de Flora era suficientemente mau, mas humilhar uma mulher moribunda era, aos olhos do público, imperdoável.

Claro que passaria, pensou Melbourne — todo o escândalo acaba por perder o seu picante —, mas por agora as pessoas estavam a deleitar-se com a carne putrefacta da reputação da jovem rainha. Falava-se muito da sua juventude e falta de experiência. Haviam-lhe contado que Hastings a descrevera como uma garota vingativa; na imprensa conservadora houvera até insinuações de que a rainha não estava no seu juízo perfeito e que se deveria nomear um regente.

Melbourne tinha esperança de que as pessoas vissem a mão do duque de Cumberland por trás disto tudo; nada serviria melhor o duque do que ser nomeado regente quando a sobrinha fosse declarada louca. Mas as pessoas ainda se recordavam do que acontecera ao avô da rainha, George III, e era crença geral de que as jovens mulheres solteiras eram atreitas à histeria, que só poderia ser curada pelo casamento e maternidade.

Apesar de, considerou Melbourne, ninguém que tivesse conhecido Vitória poder ter a menor dúvida quanto à sua sanidade, não havia maneira fácil de tornar isto óbvio aos olhos dos seus súbditos. Demasiados de entre eles estariam dispostos a acreditar que a sua rainha era louca. O importante agora era não atiçar o fogo. A rainha tinha de continuar como se nada fosse.

Emma Portman aguardava-o à entrada do palácio.

— Oh, William, graças a Deus que veio! Todas tentámos falar com ela, mas ela trancou a porta e recusa-se a sair. O único som que vem do quarto dela é o ladrar do *Dash*. — Interrompeu-se e pousou a mão no braço de Melbourne, e a sua habitual expressão de desprendimento mundano transfigurada pelo pânico. — Não pensa que ela possa ter feito algum... disparate, pois não? — Baixou o tom de voz. — Não paro de pensar na Caro.

Melbourne franziu o sobrolho. Na galeria comprida que percorriam havia lacaios em ambos os extremos, e apesar de manterem uma expressão impassível, não tinha a menor dúvida de que estavam a prestar atenção a todas as palavras. Ele não queria que os criados alimentassem os boatos acerca da instabilidade da rainha. Caro, claro, tentara matar-se várias vezes, mas neste aspeto ele sabia que a sua soberana e a sua falecida esposa não tinham nada em comum.

— Estou certo de que a Rainha está simplesmente fatigada devido à tensão das últimas semanas.

— Espero que tenha razão, William.

— Claro que tenho razão — retorquiu Melbourne, não sem um toque de impaciência.

Quando iam a subir a escada para os aposentos da rainha, a duquesa surgiu no patamar, acompanhada de Conroy. Ambos estavam de luto fechado. Melbourne inclinou a cabeça à duquesa, e fez a Conroy o gesto mais impercetível de que foi capaz.

— Calculo que vá ver a Rainha, Lorde Melbourne. Bem, desejo-lhe sorte. — Conroy mostrou os dentes no seu mais horrível sorriso.

Os canudos da duquesa agitaram-se ao lado dele.

— Ela recusou-se a ver-me hoje de manhã, a sua própria mãe. Deixou-me parada à porta como um credor.

Conroy prosseguiu:

— Espero que a sua... indisposição não se prolongue. Seria uma pena que faltasse à revista às tropas. As pessoas poderiam pensar que há algo... errado.

A duquesa interrompeu-o.

— Não foi para isto que a eduquei estes anos todos. Para se esconder no quarto. Para rejeitar até a própria mãe. — Melbourne deu consigo surpreendido por notar uma nota de angústia real na voz da duquesa.

Emma disse, apaziguadora:

— A Rainha recusou-se a ver toda a gente, Alteza. A Harriet, eu própria, a Baronesa Lehzen... ninguém foi autorizado a entrar.

A duquesa pestanejou.

— E por que quereria ela ver alguma de vocês quando se recusa a ver a própria mãe? — A seguir olhou para Melbourne e a sua face foi atravessada por uma expressão de desagrado. — Mas imagino que o veja a si, o seu precioso Lorde M.

Melbourne ofereceu-lhe um sorriso quase tão grande como o de Conroy.

— Espero sinceramente que sim, Alteza. Mas suspeito que vai ser a fome e não a minha presença que vai abrir a porta. Estamos perto do meio-dia e não me lembro de a Rainha ter falhado uma refeição.

A duquesa deitou-lhe um olhar inexpressivo e afastou-se, seguida de perto por Conroy.

— Uma resposta muito bem dada, William — declarou Emma, aprovadora. — Tive vontade de arrancar a minha língua à dentada por ter mencionado a Lehzen. Odeiam-se uma à outra, claro.

— Acho que a Duquesa está genuinamente preocupada com a filha. O Conroy, claro, é outro caso.

— Acho que ambos sabemos o que ele quer — comentou Emma —, uma rainha incapacitada com a Duquesa como regente.

Melbourne teve um arrepio:

— Que ideia! Por favor, vá à frente, *Lady* Portman. É tempo de a Rainha se mostrar ao seu povo.

Na antecâmara do lado de fora do quarto de Vitória, encontraram as damas de companhia reunidas num grupo ansioso. Assumiram uma expressão de alívio ao ver Melbourne. Só Lehzen não pareceu ficar nada feliz. Abanou a cabeça, ao olhar para ele.

— Demasiada agitação para nada. Não passa de um ataque de nervos.

Melbourne fez-lhe uma vénia especial.

— Estou certo de que tem razão, Baronesa. Conhece a Rainha melhor do que nós, mas gostaria de tentar a minha sorte se não se opõe.

Com um ar um tanto apaziguado, Lehzen fez-lhe um gesto indicando-lhe que avançasse.

Melbourne bateu com firmeza nas portas duplas.

— Vossa Majestade, posso dar-lhe uma palavra? — Um momento prolongado e, então, a porta abriu-se. Lehzen fungou ruidosamente enquanto Melbourne entrava e fechava a porta nas suas costas.

Vitória pusera um xaile de *paisley* sobre a sua camisa de noite rendada. Tinha o cabelo caído, espalhado sobre os ombros. Estava pálida, e havia grandes sombras escuras por baixo dos seus olhos. Também parecia muito jovem, mas havia nos seus olhos uma lassidão que não lhe vira antes. Foi sentar-se no banco da janela com *Dash* ao seu lado.

— Lamento saber que está indisposta, Majestade. Mas penso que se animará com os seus regimentos. A Guarda Real montada em uniforme de gala é uma visão magnífica. — Vitória não replicou. A sua mão acariciava convulsivamente a longa orelha sedosa de *Dash*. Melbourne deu um passo em frente. — Vá, Majestade. Não quer deixar as suas tropas à espera.

Vitória ergueu o olhar para ele, a sua voz baixa e inexpressiva.

— Não posso ir a lado nenhum. Já viu aquilo? — Apontou para a caricatura de *A Desgraça de Lady Flora* que estava no seu toucador. — Como posso sair?

Melbourne deitou-lhe uma olhadela.

— Não tinha visto, mas não faz qualquer diferença.

Vitória largou a orelha de *Dash* e o *spaniel* saltou para o chão, agradecido. Desta vez, quando a rainha falou, a sua voz revelava um pouco mais de vivacidade.

— Como pode dizer isso? Sou alvo de chacota pública.

Melbourne riu-se.

— Se eu tivesse ficado no meu quarto de cada vez que fizeram troça de mim na imprensa, teria passado os últimos trinta anos sem ver a luz do dia. — Deu mais um passo na direção dela. — Quando recebi a Caro de volta, alguém — o Gillray, acho — desenhou-a como uma pastora conduzindo-me como um cordeiro, preso por uma fita. Na altura, o meu apelido era Lamb e calculo que tivesse sido irresistível. À época magoou-me, mas, como vê, sobrevivi.

Sorriu-lhe, pretendendo que ela lhe devolvesse o sorriso, mas Vitória pregou os olhos no chão. Depois, ela suspirou tão baixo que ele mal a ouviu:

— Foi tudo por minha culpa. Está tudo arruinado.

Melbourne percebeu que todas as tentativas de fazer com que Vitória saísse da depressão a rir eram inúteis. A mágoa de Vitória era mais do que orgulho ferido. Estava atormentada pelo remorso. Fez um gesto, indicando o espaço no assento da janela, ao lado dela.

— Posso, Majestade?

Ao aceno de cabeça dela, ele sentou-se a seu lado. Sentiu uma enorme vontade de lhe passar um braço pelos ombros para a consolar, mas sabia que era a linha que não devia cruzar. Já era contra todas as regras do protocolo estar ali, sozinho com ela, no quarto. Tocar-lhe equivaleria a traição e, claro, havia todas as outras razões pelas quais ele não deveria tocá-la como faria com outra mulher.

— Não posso continuar, Lorde M, já não. — As palavras eram as de uma rapariguinha, mas o desespero por trás delas era o de uma adulta.

Melbourne inspirou profundamente. Uma madeixa do cabelo de Vitória roçava-lhe a mão e ele ansiava enrolá-la em torno do dedo como em tempos fizera com...

— Penso que não lhe contei a razão por que cheguei tarde ao Baile da Coroação. — Vitória virou a cabeça para ele, surpreendida. Melbourne prosseguiu: — Sabia que tive um filho, Majestade? Chamava-se Augustus e, nesse dia, era a data do seu aniversário. Calculo que ele era o que o mundo apelida de fraco de espírito, mas eu achava-o bastante sensato.

Agora, Vitória virou o corpo de frente para ele. Melbourne sentiu o olhar dela tão diretamente como a chama de uma vela.

— Depois da morte da Caro ele passou a ter muito medo do escuro, e não conseguia ir para a cama a menos que eu lhe segurasse na mão. — Fez uma pausa e Vitória inclinou-se para a frente como se com medo de perder uma única palavra. — Sabe, penso que nunca fui tão feliz como nesses momentos, quando via o meu pobre filho deslizar para o sono.

Melbourne forçou-se a prosseguir:

— Quando ele morreu, há três anos, pensei que a minha existência já não fazia o menor sentido.

Os lábios de Vitória tremeram.

— Oh, Lorde M, como pode dizer isso?

Melbourne sorriu.

— Mas já não penso assim, Majestade. Desde que me tornei vosso primeiro-ministro e, espero, vosso amigo, encontrei uma razão para continuar.

Os olhos azuis à sua frente cintilavam. Sentiu a pressão da pequena mão dela na sua e o toque incitou-o a continuar.

— Agora, tem de fazer o mesmo, Majestade. Tem de sair hoje e sorrir e acenar e nunca os deixar ver como é difícil suportar tudo. — Com grande dificuldade, Melbourne levantou-se, abandonando a mão dela.

Vitória pôs-se de pé, mas o seu rosto continuava uns bons trinta centímetros abaixo do dele. Numa voz muito baixa, quase um sussurro, disse:

— Muito obrigada, Lorde M, farei o melhor que puder.

Melbourne fez o que teve esperança que fosse um aceno paternal.

— Agora acho que devo mandar entrar as suas damas, Majestade. Vai querer estar no seu máximo esplendor na Praça das Armas. E, se me permite dizê-lo, o vestido do uniforme é muito elegante.

Pela primeira vez nesse dia, Vitória sorriu.

Foi o sorriso que manteve na cara quando cavalgava *Monarch*, a sua égua branca favorita, por baixo de Marble Arch em direção à Praça das Armas. Usava o fato de montar, com o corte do uniforme Windsor, que Melbourne referira. Tal como o uniforme dos homens, era azul-escuro com guarnições vermelhas e botões dourados na frente, e tinha um chapéu com uma pala a condizer. Sabia que estava extremamente elegante.

Enquanto conduzia *Monarch* por baixo do arco, Vitória esperou ouvir as saudações da multidão que sempre acolhiam a sua aparição. Mas não surgiram. Felizmente, esta ausência de entusiasmo foi abafada pela banda que a precedia a descer o Mall. A música estava alta, mesmo se nem sempre a tempo e afinada. Vitória manteve o olhar fixo nas plumas que oscilavam presas ao capacete do guarda diretamente à sua frente. Não obstante a música e o bater dos cascos dos cavalos, ela sentia o silêncio da multidão. Sabia, mesmo sem olhar à sua volta, que não havia bandeirolas a agitarem-se para ela, crianças levantadas pelos pais para poderem ter uma rápida visão da sua rainha.

Apesar de a distância entre o palácio e a Praça das Armas não ser mais do que setecentos e cinquenta metros, Vitória sentiu cada centímetro percorrido. As suas faces doíam-lhe do esforço de manter a compostura do rosto enquanto passava pelas pessoas que outrora a tinham feito sentir tão amada.

A Praça das Armas estava rodeada por camarotes para os espetadores. À esquerda encontravam-se as esposas e filhas dos militares, à direita os políticos e, no meio, o camarote real. A duquesa de Kent encontrava-se sentada na fila da frente com Conroy à sua esquerda e, para sua grande surpresa, o duque de Cumberland à direita.

Uma voz gritou «Longa vida à duquesa de Kent!» e a duquesa, não obstante o seu luto, permitiu-se um sorriso radioso. Conroy fez um ligeiro aceno de cabeça como se ele também estivesse a ser saudado pela multidão. Cumberland tinha o olhar fixo em frente. Nenhuma multidão de Londres, mesmo aquela que estava a ser paga por importantes elementos Conservadores, era tão venal que fosse ao ponto de saudar Cumberland.

Vitória devia entrar na Praça das Armas por baixo de um arco cerimonial. Por trás deste havia um pequeno toldo onde ela parou *Monarch* para se poder preparar para a prova que a aguardava. A revista aos regimentos levaria, no mínimo, uma hora enquanto as tropas desfilavam à sua frente. Normalmente estaria ansiosa para ver todos os seus soldados envergando os seus uniformes mais bonitos, mas hoje sabia que todos os olhares estariam postos nela à espera de que vacilasse. Também sabia que Melbourne tinha razão, que tinha de encontrar coragem para continuar, tal como ele fizera.

Uma rainha não pode esconder-se dos seus súbditos. E, contudo, hoje seria o seu maior teste. As multidões não tinham vindo para festejar a sua rainha, mas para a condenar, e o que tornava tudo muito mais difícil de suportar era que ela sabia que o merecia. Por um instante hesitou — talvez pudesse dizer que estava a sentir-se fraca e regressar ao palácio —, mas ouviu outra saudação à duquesa de Kent. A ideia do ar de triunfo no rosto de Conroy reforçou a sua determinação.

Vitória respirou fundo e enterrou os calcanhares nos flancos de *Monarch*. Quando passava por baixo do arco, um raio de sol rompeu as nuvens e veio refletir-se nos peitorais de metal dos guardas, encandeando-a. Mas nesse instante de cegueira temporária escutou o surdo assobio da multidão, que cresceu enquanto ela desfilava à frente da cavalaria.

Mantendo o rosto tão imóvel quanto possível, Vitória guiou *Monarch* até ao local onde aceitaria a saudação das tropas. Ansiava por erguer o olhar para Melbourne, nas bancadas atrás de si, mas sabia que não podia conceder-se esse consolo. Os assobios da multidão amplificaram-se até se tornarem autênticas vaias e ouviu uma voz, vinda do fundo da multidão, gritar «E Flora Hastings?» Outra voz agarrou no nome e depois outra, até Vitória pensar que a sua cabeça ia explodir. Mas não lhes daria a satisfação de lhes mostrar o que sentia. Mordendo o interior das faces para não chorar, manteve a sua cara num sorriso imutável. Só quando ouviu uma mulher gritar «Senhora Melbourne» os seus lábios tremeram.

E quando Vitória pensava que não ia aguentar mais, ouviu-se o rufar de um tambor e a banda da cavalaria começou a tocar o hino nacional. Os acordes familiares abafaram o ruído da multidão e Vitória ergueu a mão para fazer a continência às suas tropas. Quando as colunas de soldados começaram a entretecer-se umas nas outras como formigas vermelhas e negras, Vitória escutou as palavras flutuar sobre a Praça das Armas:

Deus salve a nossa graciosa Rainha!
Longa vida à nossa nobre Rainha!
Deus salve a Rainha!
Faça-a vitoriosa
Feliz e gloriosa!
Longa vida reinando sobre nós,
Deus salve a Rainha!

As vozes graves da Guarda Real montada ressoaram pelo largo. Vitória pensou em todos os monarcas que tinham ali estado antes dela. Fosse como fosse, tinham conseguido aguentar; ela devia fazer o mesmo. Quando a multidão se juntou na segunda estrofe, Vitória escutou as palavras como se nunca as tivesse ouvido.

> Os melhores dons que tendes
> Fazei a graça de lhe oferecer
> Para que muito reine.
> Que defenda as nossas leis
> E sempre nos dê razão
> Para cantar com voz e coração
> Deus salve a Rainha!

Tinha o braço rígido de o manter em continência, mas não iria vacilar agora. Quando o hino chegou ao fim, decidiu que faria tudo o que estivesse ao seu alcance para, no futuro, dar ao seu povo razão para cantar com Voz e Coração. Tornou a ouvir a censura sussurrada de *lady* Flora: «Para ser uma grande rainha tem de ser mais do que uma rapariguinha com uma coroa.»

Quando acabaram de cantar fez-se silêncio. Geralmente, quando o hino chegava ao fim, havia vivas e aplausos, mas naquele dia apenas se ouviu o um-dois ritmado dos soldados a encher o silêncio. Vitória olhava em frente, com a mão ainda junto da têmpora.

Foi então que, do fundo da multidão, chegou um grito. Uma voz de criança, aguda e clara:

— Deus salve a Rainha Vitória!

LIVRO DOIS

CAPÍTULO UM

A fila de dignitários à espera de serem apresentados estendia-se ao longo de toda a antecâmara de Guild Hall. Deviam estar ali pelo menos sessenta homens, pensou Vitória, enquanto se esforçava por manter o sorriso no lugar. Desejou que a tiara que tinha na cabeça não fosse tão pesada. Tinha-a escolhido para impressionar os burgueses que iriam estar presentes no banquete de lorde Mayor, mas agora lamentava a escolha. Começava a sentir a dor de cabeça a aumentar por trás dos seus olhos.

O hálito de lorde Mayor fez-lhe cócegas na orelha.

— Creio que conhece *Sir* Moses Montefiore, Majestade.

Vitória sorriu ao homem corpulento que se dobrava sobre a sua mão.

— Certamente que sim. Fico contente por tornar a vê-lo, *Sir* Moses.

Ficou feliz por ver alguém que conhecia. *Sir* Moses fora armado cavaleiro na sua primeira investidura. Fora o primeiro judeu a receber tal honraria e Vitória sentia orgulho em ter aberto tal precedente.

— E como passa *Lady* Montefiore? — Vitória recordava-se da alegria da mulher durante a cerimónia de investidura. De todos os seus deveres, conferir títulos constituía um dos seus maiores prazeres. Era um papel que só ela podia desempenhar e não havia a menor dúvida quanto à sua popularidade.

Sir Moses sorriu abertamente de prazer.

— Muito bem, Majestade, mas ficará ainda melhor quando souber que Vossa Alteza perguntou por ela.

— Mandar-lhe-ei um convite para a minha próxima audiência.

O sorriso de *sir* Moses abriu-se ainda mais.

— Ficará transbordante de alegria, Majestade. Sois muito atenciosa.

Vitória anuiu. Antes de passar ao homem seguinte, deitou uma olhadela a Melbourne, de pé ao seu lado, para ver se ele reparara na interação. Melbourne estava sempre a encorajá-la a conversar com as pessoas em ocasiões como estas e queria que ele visse que ela estava a fazer progressos. Para sua surpresa verificou que ele não estava a olhar para ela, antes a consultar o relógio de bolso. Apesar da falta de atenção dele a fazer querer franzir o sobrolho, vexada, o lorde Mayor estava a murmurar outra apresentação pelo que não teve outra hipótese que não sorrir ao homem expectante, de pé à sua frente, aguardando a ocasião de fazer a vénia que estivera a praticar durante a manhã toda.

Foi só depois de ter sido conduzida à pequena antecâmara onde devia aguardar até todos os convidados se encontrarem sentados à mesa do banquete para fazer a sua entrada formal, que conseguiu falar com Melbourne.

— Tem um compromisso mais importante, Lorde Melbourne?

Como raras vezes lhe chamava outra coisa que não lorde M, a sua irritação era clara. Mas Melbourne não parecia sentir nem metade do remorso que ela esperava. Franziu o sobrolho enquanto guardava o relógio.

— Confesso, Majestade, que estou distraído. Neste momento, no Parlamento, discute-se uma proposta de lei antiesclavagista e estou preocupado que a votação corra contra o meu Governo.

Vitória ficou confusa.

— Mas eu julgava que a escravatura tinha sido abolida há vários anos. Lembro-me de, em criança, ter uma taça que tinha um escravo agrilhoado de um lado e o mesmo escravo em liberdade do outro.

Melbourne estava sério.

— O tráfico de escravos foi proibido, Majestade, há muitos anos. Mas a escravatura continua em alguns dos nossos territórios, nas ilhas das Caraíbas em particular. Os fazendeiros da Jamaica dizem que não podem fazer as suas colheitas sem escravos que cortem a cana-de-açúcar. E os Conservadores decidiram apoiar a causa deles na esperança de se verem livres do meu Governo.

Vitória começou a andar de um lado para o outro na sala, e os seus passos tinham um eco de indignação.

— Mas como é que os Conservadores podem ser tão malvados? Com certeza que sabem que a sua causa é justa? Não acredito que Wellington, o homem que lutou pela liberdade em Waterloo, desça tão baixo.

Os lábios de Melbourne tremeram.

— Wellington é agora um político, e conservador, e procura as suas vantagens onde pode. Os Conservadores pensam que conseguem reunir uma maioria contra o meu Governo neste ponto — há muitos membros com interesses no açúcar, pelo que Wellington e os amigos vão usar isso para me derrubar.

Vitória deteve-se.

— Há alguma coisa que eu possa fazer? Se eu apoiar a sua causa em público, de certeza que ninguém se atreverá a opor-se.

Melbourne assumiu um ar pesaroso.

— Temo não vos ter ensinado tão bem quanto deveria, Majestade. Vossa Alteza não tem qualquer poder para intervir nos assuntos do Governo. Pode aconselhar, encorajar certamente, até mesmo avisar, mas nunca insistir.

Vitória olhou para Melbourne.

— Estou a ver. Mas então o que vai acontecer?

Antes de ele poder responder, a porta abriu-se para deixar passar a mãe e Conroy. Vitória não tinha querido a mãe no banquete, mas Melbourne dissera-lhe que, depois do caso de Flora Hastings, era vital que ela parecesse, pelo menos em público, estar de boas relações com a duquesa. Fora com relutância que Vitória acedera em convidar a mãe, mas recusara-se a partilhar uma carruagem com ela. A presença de Conroy era a retaliação da duquesa; se não podia vir com a filha, não vinha sozinha.

A duquesa tinha rosetas em ambas as faces. Aparecer em público sempre a excitara.

— Tantos vivas à medida que a minha carruagem passava, Drina! Foi muito agradável.

Conroy curvou-se perante Vitória.

— Penso, Majestade, que é tempo de a vossa mãe ter um título que reflita a sua popularidade junto do povo. Rainha-mãe parece-me apropriado. — Dirigiu-lhe um sorriso que deixou bem claro que sabia que as multidões não tinham saudado a carruagem de Vitória com o mesmo entusiasmo.

Vitória mostrou o seu desagrado. Olhou para Melbourne, mas ele tinha os olhos pregados no chão.

— Não vejo razão para alterar o seu título, Mamã. No fim de contas, o nome que usa pertencia ao querido Papá.

Teve a satisfação de ver o sorriso de Conroy desaparecer, mas antes de poder dizer mais qualquer coisa, o lorde Mayor entrou para a conduzir ao salão de banquetes.

Ao tomar o seu lugar no estrado, procurou instintivamente por Melbourne, mas ele não se encontrava à vista. Conroy reparou no olhar e quando passou por ela para ir tomar o seu lugar, disse-lhe:

— Se procura Lorde Melbourne, temo que vá ter uma deceção. Chegou um mensageiro do Parlamento e ele viu-se obrigado a sair. Tanto quanto percebi, o seu Governo corre o risco de cair. Vivemos tempos incertos, Majestade, tempos incertos. — E de novo sorriu, com um prazer indisfarçável à ideia da queda de Melbourne.

Sem que um único músculo traísse que ouvira a sua observação, Vitória manteve-se sentada ao longo dos intermináveis discursos que se seguiram ao banquete, perguntando-se se era possível que Conroy tivesse razão e, se sim, o que aconteceria a seguir.

Olhando para o cintilante grupo que tinha à sua frente, os homens de sucesso envergando os seus fatos de corte, complacentes na sua prosperidade, satisfeitos por estarem a comer na presença da sua rainha, imaginou-se a fazer isto tudo sem Melbourne a seu lado, para lhe conceder um olhar de confiança ou um rápido erguer de sobrancelha quando um discurso se tornava particularmente ornamentado. Percebeu que Conroy estava a tentar assustá-la. Os Liberais eram ainda populares no país e de certeza que o Governo não cairia por apoiar o fim da escravatura que, ao fim e ao cabo, deveria ser a atitude de todas as pessoas com a cabeça no sítio certo. Ainda assim, sentiu um aperto de medo ao pensar no rosto distraído de Melbourne quando consultava o seu relógio de bolso. Foi então que o lorde Mayor se virou para propor o brinde real e ela foi forçada a pôr de lado as suas preocupações e sorrir para o grupo ali reunido enquanto sua muito graciosa soberana.

No dia seguinte Melbourne mandou dizer que não podia ir montar, pelo que Vitória foi até ao parque com o seu cavalariço e o escudeiro. Lorde Alfred era um companheiro agradável; a sua família servia na corte há gerações e aprendera a arte da conversa fútil com os soberanos desde o berço. Enquanto tagarelava sobre a nova caleche de *lady* Lansdowne e a rivalidade das filhas gémeas de *lady* Vesey pelo amor do filho mais novo dos Fitzgerald, Vitória permitiu-se deixar-se agradavelmente levar para um mundo em que novas carruagens e projetos matrimoniais eram as únicas coisas que importavam.

De tarde, posou para o seu retrato, usando as vestes da coroação. Hayter, o artista, pusera-a numa pose em que se mantinha de pé e a olhar para trás, por cima do ombro. Era uma posição difícil de manter, especialmente porque a coroa, mesmo a réplica que usava, era tão pesada. Mexeu ligeiramente a cabeça e ouviu Hayter tossir, em desaprovação. Tentou endireitar-se e disse às suas damas, que estavam sentadas em semicírculo à sua frente:

— Foi o mesmo na coroação. Passei o tempo todo preocupada, com medo de que a coroa escorregasse para cima do meu nariz. Tudo aquilo foi tão enervante que senti que o meu coração batia com tanta força que o arcebispo ia vê-lo através da camisa.

Outra tosse de irritação proveniente de Hayter.

Harriet Sutherland olhou para o artista, inquisitiva.

— Calculo que possa falar? — Hayter assentiu e a duquesa continuou: — Ninguém diria, Majestade. Do sítio onde eu estava, Vossa Majestade parecia bastante à vontade. Melbourne disse que nunca tinha visto um monarca com um ar tão sereno durante a coroação.

— Disse? — indagou Vitória, esquecendo-se que se esperava que se mantivesse em silêncio, pelo que ganhou outra tosse de Hayter.

Emma Portman correu em sua salvação.

— Oh, sim, Majestade, o William disse-me o mesmo. E devo dizer que concordo. A vossa foi a terceira coroação a que assisti e, de longe, a mais satisfatória. O vosso tio George teve uma cerimónia magnífica, mas era tão gordo que mal se conseguiu enfiar no trono e, claro, deu-se aquele incidente infeliz com a esposa, a rainha Carolina, a tentar entrar. Depois, a coroação do vosso tio William foi uma ocasião muito austera; sem música que se visse, nem bailes ou festas depois, uma desilusão. Não, como o William disse, a senhora recuperou o esplendor da monarquia, Majestade.

Vitória sorriu. Além de falar com o próprio Melbourne, não havia nada de que mais gostasse do que falar sobre ele. A julgar pela frequência com que Harriet e Emma mencionavam o nome de Melbourne, elas também gostavam de conversar sobre ele.

— Mas estou preocupada com Lorde M. Parece tão ausente agora.

Desta vez, Hayter não fez o menor esforço para esconder a sua irritação com tosse.

— Por favor, Majestade.

Vitória regressou à sua pose de rainha, mas Harriet pegou no fio da conversa.

— Penso que está preocupado com a votação antiesclavagista, Majestade.

Emma inclinou a cabeça para um lado e disse:

— É curioso; há um ano, o William ficaria encantado em largar as rédeas do poder. Estava sempre a queixar-se de como era aborrecido governar e como preferiria passar o tempo na biblioteca da sua casa de campo, Brocket Hall. Mas agora está muito mudado. Não acha, Harriet?

Harriet respondeu, ardentemente:

— Oh, sim. O meu marido diz que nunca viu o Melbourne tão envolvido. Parece que recebeu uma segunda oportunidade de vida.

Emma assentiu.

— Penso que há muito tempo que não o via tão feliz. Não desde — fez uma pausa, na dúvida quanto ao que iria dizer a seguir —, bem, não desde que era muito mais jovem.

Vitória escutava-as num silêncio feliz.

A um quilómetro e meio dali, na Casa dos Lordes, Melbourne tentava fazer-se ouvir por cima do barulho dos bancos da oposição.

— E digo ao nobre Lorde que a escravatura em todas as suas formas constitui uma afronta à sociedade civilizada. Tenho de repetir à Câmara que um ponto de princípio não pode ser posto de lado só porque é inconveniente.

Houve berros dos seus apoiantes, mas perderam-se no meio dos insultos e assobios dos Conservadores. Melbourne via o duque de Cumberland do outro lado da Casa, a abanar a cabeça com vigor, e a cicatriz na sua cara mais lívida do que nunca. O duque não tinha propriedades na Jamaica, mas apoiava o lóbi do açúcar porque, enquanto ultraconservador, ansiava por ver a derrota dos Liberais, a quem culpava de todos os males desde a Lei da Reforma até às más colheitas.

— Lorde Hastings. — O lorde chanceler fez um gesto com a cabeça para o orador no outro lado da Casa.

Hastings levantou-se e começou a lamentar o tratamento injusto dos plantadores de açúcar e os efeitos que a ruína do seu negócio teria na economia doméstica. Hastings também não tinha interesses nas Caraíbas, mas estava igualmente a usar este assunto contra Melbourne, a quem acusava de cumplicidade no escândalo em torno da sua irmã Flora.

Melbourne virou-se para Sutherland, que abanou a cabeça.

— Vai haver uma votação esta noite, e penso que vai ser apertada como tudo.

Sutherland suspirou.

— Há demasiada gente que tem dinheiro nas plantações. Não suportam a escravatura em casa, mas desde que lhes sirva os bolsos...

— O mundo sempre foi gerido pelo interesse próprio, Sutherland. Já está na política há tempo suficiente para saber isso.

— Ainda assim. Até mesmo o Wellington apoia a moção. Pensava que era um homem de princípios.

— O duque é um político.

— Uma coisa tem de excluir a outra?

— Na minha experiência, Sutherland, não há princípio suficientemente forte que faça frente ao desejo de um homem de se tornar primeiro-ministro.

— Não vais retirar a moção para salvar o teu Governo? Penso que a rainha levaria muito a mal.

Melbourne olhou para as botas.

— Sim, acho que levaria. Mas mesmo que eu ceda nisto, arranjarão outra coisa. Os Conservadores querem o poder e hão-de arranjar uma maneira de me derrubar.

Sutherland sorriu.

— E prefere ser derrubado com uma moção em que acredita? Tem princípios, Melbourne, mesmo que se esforce por parecer que é um cínico.

— Todos os Governos acabam por cair.

Quando saía da sala, Melbourne pensou na rainha e sentiu o seu rosto mudar. Ela ia levar a mal, como dissera Sutherland, mas, pensou, ele também não ia gostar. Não se importava muito de perder a sua posição; há cerca de sete anos que estava à frente do Governo e já tinha tido a sua dose de poder. Não sentiria a falta das intermináveis argumentações e palavras persuasivas que eram necessárias para manter unida a sua heterogénea coligação de Liberais aristocratas e fogosos radicais. Estava cansado de explicar a homens zangados que o poder era para ser exercido com discrição.

Em tempos gostara daquilo, claro, do sentimento de que todo o mundo olhava para ele, mas depois da morte de Augustus, descobrira que lhe era cada vez mais difícil apreciar o jogo que tinha à sua frente. No entanto, desde que Vitória subira ao trono, encontrara um novo propósito. O seu papel era educar a rapariga e fazer dela uma rainha credível: ela tinha todos os instintos certos, ou pelo menos a maior parte deles, mas não aprendera como governar. Não percebia como era delicada a relação entre o monarca e o Parlamento, que o seu poder não passava de uma fachada em que não podia apoiar-se. Perguntou-se se lhe teria ensinado que uma mudança de primeiro-ministro era parte inevitável da vida política. Se o voto lhe fosse contrário, descobriria.

*

No Palácio de Buckingham, Vitória e as suas damas jogavam às cartas na sala de estar azul. Mas quando a rainha perdeu duas vezes seguidas, Harriet sugeriu que talvez fosse melhor tocarem piano.

Vitória levantou-se e as damas seguiram-na. Ela começou a vaguear pela sala sem destino.

— Pergunto-me o que terá acontecido a Lorde M. Normalmente aparece depois do jantar. Acham que talvez tenha sofrido um acidente? Creio que tem um cavalo novo que é bastante arisco.

Emma e Harriet trocaram um olhar e Emma disse:

— Acho que é mais provável que tenha ficado preso no Parlamento por causa da moção contra a escravatura. Suspeito, Majestade, que se o debate se prolongar, não o vejamos esta noite.

Vitória foi até à janela que dava para o The Mall. Nada que Harriet ou Emma pudessem dizer a impediria de olhar para a escuridão à espera de um vislumbre da carruagem de Melbourne.

Ao fim do que pareceu às damas de Vitória uma eternidade, escutaram o som de cavalos a passar por Marble Arch.

— É a carruagem dele — declarou Vitória. — Estão a ver? Eu disse-vos que ele vinha.

Quando passava pelo Arco, Melbourne viu a silhueta da pequena cabeça na janela dos aposentos privados da rainha. Sentiu a dor do que estava prestes a fazer apertar-lhe o peito. Ao sair da carruagem, escutou os estalos dos seus joelhos num protesto, com todas as partes do seu corpo a resistirem ao que aí vinha. Ao percorrer a galeria de retratos a caminho dos aposentos privados da rainha, viu-se de relance num espelho e reparou que o seu cabelo estava agora mais grisalho do que da última vez que reparara.

Vitória estava à sua espera junto da porta da sala de estar. Atrás dela estavam Harriet e Emma, que lhe deitaram um olhar inquisitivo. Abanou a cabeça impercetivelmente. Mas Vitória estava demasiado excitada para reparar.

— Oh, Lorde M, as outras já tinham desistido de si, mas eu sabia que viria. Tenho estado ansiosa por falar consigo o dia todo. Aconteceram tantas coisas. Recebi uma carta do tio Leopold a dizer que vem visitar-me e um pedido da Mamã a pedir que lhe aumente a pensão e consegui manter o *Dash* quieto o tempo suficiente para terminar o retrato que estava a fazer dele.

Melbourne olhou para o rosto ansioso, os olhos azuis brilhantes, e forçou-se a sorrir.

— Só por si, isso já é um feito, Majestade. Se consegue persuadir o *Dash* a ficar quieto, então estou certo de que não haverá feito diplomático que envolva as cabeças coroadas da Europa que não esteja ao seu alcance.

Vitória riu, mas não era o seu riso normalmente descontraído; havia nele um toque forçado que sugeriu a Melbourne que também ela estava a desempenhar um papel.

— Pergunto-me se as cabeças coroadas serão tão suscetíveis a guloseimas como o querido *Dash*.

— Diz-me a experiência que toda a gente é suscetível a qualquer coisa, Majestade. Mas suspeito que poderá ser mais fácil descobrir o que deseja o coração de *Dash* do que o do Rei Leopold.

Vitória riu-se de novo.

— Na realidade, eu sei exatamente o que o tio Leopold quer — casar-me com o meu primo Albert tão cedo quanto possível. Ele pensa que eu preciso de um marido para acalmar a minha atitude leviana.

Melbourne viu Emma Portman olhar para ele por cima do ombro de Vitória. Sabia que estavam à espera de que ele lhe desse a notícia. Mas a rainha continuava a falar, quase como que para não lhe dar oportunidade de falar.

— Disse-lhe que não fazia a menor intenção de me casar no presente, na realidade provavelmente não nos próximos três ou quatro anos. E quando o fizer, certamente não será com um rapaz como Albert. Quando veio visitar-me, há três anos, não sabia conversar e começou a bocejar às nove e meia. — Olhou para Melbourne. — Portanto, como vê, Lorde M, nem sempre sou assim tão diplomática.

Melbourne aguardou para ver se ela tencionava dizer mais alguma coisa. Por fim, declarou em voz baixa:

— Tenho uma coisa para lhe contar, Majestade. Como sabe, vim do Parlamento. Lamento dizer que a moção da Jamaica, proibindo a escravatura na ilha, passou por apenas cinco votos. Em resultado disso — hesitou, sentindo mais dificuldade em dizer isto do que imaginara —, decidi apresentar a minha demissão do cargo de primeiro-ministro. — A voz baixou tanto que quase parecia um sussurro.

Por contraste, a voz de Vitória retiniu como um sino na sua clareza.

— Demitir-se? Mas por que haveria de fazer tal coisa se a moção passou?

Melbourne suspirou.

— Os Conservadores, Majestade, são como as hienas. Uma vez que pressintam uma fraqueza vão desgastar o meu Governo até o destruírem por completo. Prefiro sair agora, segundo os meus termos.

Vitória olhou para ele, inexpressiva.

— Mas quem será o primeiro-ministro?

A resposta de Melbourne veio rápida:

— Depende de si, Majestade. Como soberana é sua função designar o novo primeiro-ministro. Eu chamaria o Duque de Wellington. É o Conservador mais importante.

— Wellington? Mas ele é tão brusco, fala comigo sempre como se eu fosse um dos seus oficiais mais jovens.

Melbourne sorriu.

— Duvido que ele queira voltar a ser primeiro-ministro, Majestade. Calculo que vá recomendar-vos que chameis *Sir* Robert Peel; ele lidera os Conservadores nos Comuns e é realmente o homem do futuro.

Vitória começou a andar pela sala, distraída. Harriet, Emma e Melbourne seguiram-na com o olhar.

— Mas eu não conheço *Sir* Robert Peel! Como posso ficar confortável com alguém que não conheço? — Parou de andar e virou-se para ele. — Decidi não aceitar a sua demissão, Lorde M. — Inclinou a cabeça para um lado e sorriu, com um riso tão feiticeiro quanto conseguiu.

Apesar de Melbourne perceber a intenção por trás do sorriso e se sentir comovido, perseverou.

— Lamento, Majestade, mas não pode negar-me isto.

O sorriso de Vitória tornou-se férreo.

— A sério? Pensava que o primeiro-ministro estava ao serviço da Coroa.

— De facto, Majestade. Mas esquece-se de que eu ainda tenho o direito de me demitir.

O olhar de Vitória encontrou o dele, depois disse, com um tom na voz que fez Melbourne tremer:

— Quer realmente abandonar-me?

Melbourne desviou o olhar, incapaz de suportar o apelo direto do rosto dela. Quando falou, deu consigo a dirigir-se às mãos dela, que estavam enclavinhadas uma na outra.

— Temo não ter escolha, Majestade.

Vitória separou as mãos e alisou as pregas do vestido.

— Estou a ver. Então penso que devo retirar-me. Boa noite, Lorde Melbourne. — E sem se virar para olhar para ele, apressou-se a abandonar a sala, com Harriet e Emma nos seus calcanhares. Emma deitou-lhe um olhar de simpatia, como se soubesse o quanto esta conversa lhe custara. Mas, pensou ele, ninguém tinha forma de saber realmente o estrago que fora feito.

CAPÍTULO DOIS

A chuva fizera cair todas as flores das cerejeiras dos jardins do palácio, que juncavam os carreiros como *confetti*. Mas Vitória não reparava nas flores ou nas poças de água por baixo dos seus pés. Não se importava que estivesse a chover com força, que o seu vestido novo de musselina cor-de-rosa estivesse ensopado, ou que as tranças de cada lado das suas orelhas lhe estivessem coladas à cara, ou mesmo que as suas damas de companhia estivessem agarradas umas às outras debaixo de uma sombrinha.

Vitória empunhava a sua sombrinha não para se proteger da chuva, mas para vergastar os arbustos das sebes. Havia algo de satisfatório em ver as orgulhosas cabeças das tulipas tombar sob o seu morticínio. Golpe, golpe, golpe. Tendo reduzido a bordadura a uma cena de devastação, Vitória olhou à sua volta à procura de algo mais para destruir.

Harriet Sutherland aproximou-se dela e disse, suavemente:

— Não acha que deveríamos voltar para dentro, Majestade? Está a chover muito e eu detestaria que apanhasse um resfriado.

— Vão para dentro, se quiserem. Eu estou tão bem aqui como noutro sítio qualquer.

Harriet recuou para a sua sombrinha. Vitória continuou o seu assalto pelo jardim, lembrando-se de um canteiro de peónias junto das fontes que teria um prazer especial em dizimar. Em tempos, lorde Melbourne dissera-lhe que as peónias eram a sua flor favorita.

Mas quando se virou, ouviu outra voz nas suas costas.

— Drina!

Vitória deteve-se. Para sua surpresa, viu a duquesa de Kent a caminhar na sua direção, trazendo uma sombrinha.

Quando chegou junto de Vitória parou e passou o braço livre em torno da filha. Vitória retesou-se; mal falava com a mãe, muito menos a abraçava, desde a morte de *lady* Flora, mas depois sentiu o aroma da água de alfazema que a duquesa usava sempre. Por uma vez, Vitória permitiu-se descontrair e pousou a cabeça no ombro da mãe.

— Minha pobre Drina. Vim assim que soube de Lorde Melbourne.

— Oh, Mamã! O que vou fazer? Ele é o único que me compreende.

Vitória sentia o coração da mãe bater debaixo da sua face.

— Não é o único, Drina.

Vitória não disse nada, permitindo-se por uma vez sentir o conforto da presença maternal. Olhou para a mãe e viu ternura na face dela.

— Mas é tão difícil.

— Eu sei, Drina. Mas eu ajudo-a e talvez seja melhor ter alguém da família a seu lado.

Vitória sentiu as lágrimas acudirem-lhe aos olhos.

— As pessoas estão sempre a dizer que é demasiado chegada a Lorde Melbourne. Agora verão que é senhora de si própria.

As lágrimas rolavam agora pela cara de Vitória. A duquesa pousou a sombrinha e pôs os braços em torno da filha.

— Deixe estar, *Liebchen*. Não deve preocupar-se tanto. Vou tomar conta de si, bem sabe.

Apenas por um momento, pela primeira vez em anos, Vitória permitiu-se desvanecer-se no abraço da mãe. Sentiu-se segura no círculo daqueles braços a cheirar a alfazema, em ser de novo a pequena *Maiblume* da sua mãe.

*

Nessa noite, Melbourne compareceu a uma receção em Holland House, mas não ficou muito tempo. No caminho de regresso de Kensington, disse ao cocheiro que fizesse um desvio por Piccadilly em vez de passar pelo Palácio de Buckingham. Quando a carruagem virou para Trafalgar Square e passou pela coluna semi-construída em honra de lorde Nelson, Melbourne recordou a face de Vitória na noite anterior quando lhe perguntara se pretendia, de facto, abandoná-la. Subitamente, a biblioteca de Dover House perdeu o seu encanto e ele deu consigo a dizer ao cocheiro que se dirigisse para uma certa rua secundária, em Mayfair.

Melbourne não visitava o bordel de Ma Fletcher há pelo menos um ano, pelo que a sua presença provocou grande excitação. A própria Ma Fletcher foi toda graciosidade e tato e, quando bateu as palmas, meia dúzia de raparigas apresentou-se na saleta em estados vários de seminudez. Melbourne olhou para elas e tentou não bocejar. Não foi capaz de reunir o entusiasmo necessário. Mas depois reparou que uma das raparigas, uma lourinha com não mais de vinte anos, tinha uma expressão de expetativa no rosto que o intrigou. Apontou para ela e foi recompensado com um sorriso radioso de triunfo.

Ma Fletcher indicou a rapariga com a mão.

— Esta é a Lydia, senhor. Uma escolha muito popular.

Melbourne subiu as escadas atrás de Lydia e dirigiram-se para um quarto amplo, no primeiro andar. Cheirava a cera de abelhas e a água de colónia, mas por baixo desse cheiro havia algo mais sombrio — uma mistura de suor e desejo. Melbourne despiu o casaco, sentou-se na cadeira de braços perto da lareira e desapertou o lenço do pescoço. Lydia aproximou-se dele e deixou que o roupão que vestia lhe escorregasse pelos ombros nus. Aproximou-se e sentou--se ao colo dele, e quando Melbourne pousou a mão na sua coxa permitiu-se imaginar o que sentiria se tivesse outra jovem mulher nos seus braços. Lydia riu-se e começou a desapertar-lhe os botões dos calções. Melbourne olhou para a nuca lisa dela e perguntou:

— Que idade tens, Lydia?

Lydia ergueu os olhos.

— Faço dezanove para o mês que vem, senhor.

— És tão jovem. — Suspirou. — Imagino que eu deva parecer muito velho aos teus olhos.

Lydia abanou a cabeça com todo o vigor.

— Oh, não, senhor. Há muitos que cá vêm e que são muito mais velhos. E o senhor tem o seu cabelo todo, o que é mais do que posso dizer da maior parte dos meus cavalheiros. — Passou os dedos pelos caracóis louro-acinzentados de Melbourne e sorriu, encorajadora.

Houve alguma coisa na maneira como ela inclinava a cabeça que o fez dobrar-se para a frente e perguntar:

— Diz-me Lydia, que idade pensas que tenho?

A forma como os olhos dela se toldaram em pânico antes de recuperar o seu sorriso profissional foi o suficiente para perceber que tinha cometido um erro em perguntar.

— Oh, senhor, de certeza que não tem um dia mais do que quarenta?

Com delicadeza, Melbourne desprendeu a mão de Lydia da sua braguilha. Pôs-se de pé e estendeu a mão para o casaco. A rapariga soltou um gemido de desapontamento.

— Disse alguma coisa errada, senhor? Eu não sou boa a adivinhar idades, eu sei, mas o senhor não parece velho, nada mesmo. Não quer deitar-se comigo? Prometo que não vai arrepender-se.

Com delicadeza, Melbourne disse:

— Sinto que a minha disposição mudou. Mas não te preocupes, vou dizer à Ma Fletcher que a culpa não foi tua. — Meteu a mão no bolso do colete e encontrou um soberano de ouro. — Toma — meteu-lhe a moeda na mão. A expressão de alegria de Lydia disse-lhe que conseguira amenizar a descortesia feita ao seu orgulho profissional.

Na carruagem, a caminho de casa, Melbourne sorriu da sua própria tolice. Chegado a Dover House pediu *brandy*. O mordomo regressou com a garrafa e, enquanto Melbourne sorveu um longo gole, reparou que ainda tinha os botões da braguilha desapertados.

CAPÍTULO TRÊS

O relógio do palácio bateu as onze horas enquanto Vitória marchava de um lado para o outro sobre o pavimento de parquê da sala do trono. A última badalada ainda ressoava no ar quando anunciaram o duque de Wellington. Vitória virou-se e estendeu-lhe a mão, dirigindo o melhor dos seus sorrisos ao grande general. Conhecia-o desde criança, mas sempre achara assustadores a sua postura rígida e modos bruscos.

— Muito obrigada por vir, Duque. Estou certa de que sabe porque o chamei aqui hoje. Gostaria que formasse um Governo.

Wellington foi cauteloso.

— Sinto-me honrado, Majestade. No entanto, temo ter de declinar. Sou demasiado velho para servir o país como primeiro-ministro de novo. Devia chamar *Sir* Robert Peel, que é o único homem que, neste momento, pode ter autoridade sobre o Parlamento.

Vitória bateu com o pé no chão.

— Mas eu não conheço *Sir* Robert Peel e conheço-o a si desde sempre, Duque!

Wellington deslocou a sua grande cabeça leonina de um lado para o outro.

— Ainda assim, Majestade, tenho de recusar.

Vitória tentou uma outra abordagem e disse com quanta energia foi capaz de conjurar:

— Vai mesmo negar-se à sua soberana — fez uma pausa —, e comandante?

Wellington sorriu.

— Um bom soldado sabe quando deve bater em retirada, Majestade, e temo que esta seja uma batalha que não pode vencer.

Vitória suspirou.

— É muito pouco prestável.

— Se posso dizê-lo, Majestade, penso que descobrirá que *Sir* Robert é um cavalheiro bastante capaz. Sei que está habituada a lidar com Melbourne. Apesar de Peel não ter o à-vontade de Melbourne, é o único homem capaz de reunir apoio suficiente de ambos os lados para formar um Governo com alguma hipótese de êxito. Pode não o desejar, mas o país precisa de Peel.

Vitória não respondeu.

— Desejo-lhe um bom dia, Majestade.

Wellington recuou dois passos rígidos, após o que se virou e abandonou a sala. Vitória recomeçou a andar de um lado para o outro. Tudo o que ouvira acerca de *sir* Robert Peel indicava que ele não seria nada amável. Emma Portman dissera-lhe que não tinha vício maior do que o Cálculo e desaprovava as valsas. Como esperavam que ela se sentisse confortável com um homem que não tinha prazer na vida? Devia haver qualquer coisa que pudesse fazer.

Chamou o lacaio e pediu-lhe que lhe trouxesse a escrivaninha imediatamente. Rabiscou uma mensagem para Melbourne pedindo-lhe que a visitasse tão logo lhe fosse conveniente, e disse ao lacaio que enviasse um mensageiro a Dover House. De certeza que Melbourne cederia quando soubesse que tentara com Wellington e falhara. Não seria tão cruel e desapiedado que a deixasse à mercê de *sir* Robert Peel.

Mas o dia foi decorrendo e não houve sinais de Melbourne. Vitória tentou um dos novos duetos de Schubert com Harriet Sutherland, mas por mais que se esforçasse não conseguia entrar no tempo. Acabou por desistir e começou a andar de um lado para o outro na sala de música. As suas damas mantiveram-se de pé, em semicírculo, à espera que ela parasse.

— Não compreendo o que possa ter acontecido a Lorde Melbourne. Mandei-lhe a carta esta manhã. Normalmente, vem logo.

Vitória viu a troca de olhares entre Harriet e Emma. Antes de poder perguntar-lhes o que significava aquele olhar, a duquesa de Kent entrou na sala sem se fazer anunciar. Vinha claramente num estado de grande agitação.

— Drina, acabei de saber o que se passou com Wellington. Que pena. Mas não se preocupe, eu tenho um plano.

Vitória sorriu.

— Um plano, Mamã?

A duquesa aproximou-se e tomou as mãos de Vitória nas suas.

— Sim, *Liebes*, falei com *Sir* John e pensamos que o melhor a fazer é chamar Robert Peel.

À menção do nome de Conroy, Vitória afastou-se da mãe.

— Estou a ver. Bem, muito obrigada pela vossa preocupação, mas acontece que tenho o meu próprio plano. — Virou-se para Emma Portman.

— A sua carruagem não é marcada, pois não, Emma?

Emma assentiu, intrigada.

— Faça-me a gentileza de a mandar chamar. Lehzen, vou precisar que venha comigo.

Lehzen virou-se para a rainha.

— Onde vamos, Majestade?

— A Dover House.

A duquesa inspirou ruidosamente.

— Mas Drina, Lorde Melbourne demitiu-se. Uma rainha não pode ir atrás do seu primeiro-ministro. Quer mesmo outro escândalo?

Vitória ignorou-a e saiu da sala, seguida de Lehzen.

— O que vão as pessoas pensar? — gemeu a duquesa. Mas não obteve resposta.

*

Melbourne encontrava-se sentado no seu cadeirão favorito na biblioteca. Não era nem de longe a cadeira mais elegante que possuía; o cabedal verde estava gasto e estalado em vários sítios, mas pertencera ao seu pai e nenhuma outra cadeira era tão confortável. Pegara num volume de Gibbon, na esperança de se distrair com os excessos da Roma Antiga. Mas as palavras recusavam-se a tornar-se inteligíveis. Não parava de pensar naquela mensagem do palácio. *Por favor, venha*, escrevera ela, *logo que lhe seja conveniente*.

Sabia que lhe devia uma resposta, explicar-lhe que as coisas eram diferentes agora que já não era primeiro-ministro. Não podia ir assim, sem mais, ao palácio; as pessoas assumiriam que ela o teria chamado para formar Governo. Seria errado ele ir até lá antes de ela ter designado um novo primeiro-ministro. Mas ao pensar na carta que escreveria, pensou também no rostinho e nos brilhantes olhos azuis de Vitória e não conseguiu reunir a determinação de que necessitava.

O seu devaneio foi perturbado por um ruído. Atrás de si, a porta abriu-se, e sem se virar resmungou:

— Pensei que tinha dito que não queria ser incomodado.

Uma tosse e depois uma vozinha aguda, extremamente familiar, disse:

— Espero que me perdoe, Lorde M.

A rainha estava ali, na sua biblioteca. Melbourne pôs-se em pé de um salto, puxando freneticamente pelo colete e pondo o lenço do pescoço no sítio.

— Vossa Majestade. Peço que me perdoe, não esperava visitas.

Vitória sorriu. Estava a gostar bastante de ver Melbourne apanhado desprevenido.

— É evidente.

Olhou à sua volta, examinando a sala. Todas as superfícies se encontravam cobertas por pilhas de livros e resmas de papéis. Na secretária estava um prato com uma empada semicomida e uma garrafa vazia. Não era uma sala adequada a uma rainha. Melbourne agradeceu a Deus ter as botas calçadas.

— Está sempre a falar da sua biblioteca, por isso fico feliz de a ver finalmente.

— Se soubesse que vinha, Majestade... — Fez-lhe uma pequena vénia.

— Como não respondeu à minha carta, pensei que devia vir ter consigo.

— Sozinha, Majestade?

— Não, a Lehzen está lá fora.

— Estou a ver. Mas onde é que tenho a cabeça? Por favor, venha sentar-se.

Conduziu-a até à cadeira em que estivera sentado, mas ela abanou a cabeça e sentou-se na que estava à sua frente.

— Não vou privá-lo do seu cadeirão favorito, Lorde M — disse, a sorrir.

Melbourne olhou para ela e, ao seu sinal, sentou-se. Era muito estranho ver a rainha sentada ali, à sua frente, quando cinco minutos antes tinha estado a imaginar a sua presença.

— O que posso fazer por si, Majestade?

— Hoje de manhã, chamei o Duque de Wellington. Ele afirma que é demasiado velho para ser primeiro-ministro e que eu devia convocar *Sir* Robert Peel. — Inclinou a cabeça para um lado e olhou para ele expectante.

— Pensei que isso pudesse acontecer. Mas não é razão para alarme. *Sir* Robert Peel não é má pessoa. Um pouco sério, talvez, mas honesto e direto. Não deve ter problemas com ele. — Forçou-se a dirigir-lhe um sorriso reconfortante. — Lembra-se do dia em que subiu ao trono, Majestade? Estava a brincar com as suas bonecas e eu perguntei-me se uma rapariga tão jovem poderia realmente ser rainha?

Vitória espetou o queixo.

— Não estava a brincar com as bonecas. Fez-me perguntas sobre elas.

Melbourne teve vontade de rir perante a veemência dela.

— Onde quero chegar é a isto: no instante em que a ouvi falar soube que era uma rainha no pleno sentido do termo, Majestade. Servi-la tem sido o maior privilégio da minha vida, mas sair-se-á muito bem sem mim.

— Mas não quero!

Melbourne inclinou-se na sua direção.

— Até as rainhas têm de fazer coisas de que não gostam.

Vitória começou a fazer beicinho.

— Parece-me que *nunca* faço aquilo de que gosto! Porque é que não pode simplesmente voltar? Ainda não perdeu nenhuma votação. Tenho a certeza de que conseguiria.

Melbourne hesitou, e então, num tom de voz muito diferente do seu habitual tom divertido, disse:

— Sabe, Majestade, que eu não acredito em muita coisa. Mas há uma coisa em que acredito, e é na Constituição britânica, em toda a sua glória esfarrapada. Para mim, regressar sem o apoio do Parlamento seria inconstitucional e nada — fez uma pausa, e a sua voz baixou de tom —, nem mesmo a minha devoção por vós, me impedirá de cumprir o meu dever.

Vitória olhou para ele, sem expressão.

— Estou a ver.

— Como disse, Peel não é um mau sujeito. Lembre-se apenas de que se ele lhe pedir alguma coisa com que não concorde, diga-lhe que precisa de tempo para avaliar. Na dúvida, atrase sempre.

Ela hesitou, após o que perguntou no seu tom habitual:

— E vem jantar esta noite, Lorde M? Para eu poder contar-lhe tudo?

Melbourne pestanejou.

— Esta noite não, Majestade. Até este assunto estar resolvido, não, e mesmo depois não posso estar consigo com a mesma frequência com que estive até agora.

Vitória pôs-se de pé, e quando ele também se levantou, perguntou:

— Mas porque não? Pode não ser o meu primeiro-ministro, mas continua a ser, acho, meu amigo.

Ergueu o olhar para ele ao mesmo tempo que dizia isto e Melbourne sentiu a força do seu límpido olhar azul. Baixou os olhos e respondeu, tão docemente quanto conseguiu:

— Acho que compreende a razão.

Fez uma pausa, após o que acrescentou com um pouco mais de vigor:

— Um monarca não pode ser visto a favorecer apenas um partido. Tem de jantar com Robert Peel.

Vitória virou a cara para longe dele. Com um aperto de dor, ele viu a orelha delicada rodeada pela grossa trança. Mas tinha de prosseguir.

— É provável que ele lhe peça que faça algumas alterações na Casa Real. Harriet Sutherland e Emma Portman são casadas com ministros liberais. *Sir* Robert vai querer que tenha damas conservadoras junto de si.

Vitória virou-se e encarou-o e ele viu que havia duas manchas vermelhas nas faces dela.

— Damas conservadoras? Não, muito obrigada!

Desta vez, Melbourne evitou olhar para ela.

— Note, Majestade, que eu pediria o mesmo caso estivesse na posição dele. Um primeiro-ministro não pode trabalhar se sentir que não dispõe da confiança do seu monarca.

Para sua surpresa, Vitória não protestou e uma centelha de algo que não reconheceu cruzou-lhe o rosto. Alisou a saia, naquele gesto rápido e hábil que tinha e disse, áspera:

— Não o perturbo mais, Lorde Melbourne. Muito grata pelo seu conselho.

Já junto da porta ele viu Lehzen, que aguardava no vestíbulo, franzir o sobrolho enquanto saíam. Em parte para benefício dela, Melbourne perguntou:

— Vai chamar Peel?

— Não se preocupe, Lorde Melbourne. Pode não ser o meu primeiro-ministro, mas ainda lhe dou ouvidos. Falarei imediatamente com Peel.

— Uma decisão sensata, Majestade.

Vitória não respondeu. Puxou o véu para a cara, para não ser reconhecida por alguém que passasse, e entrou na carruagem, com Lehzen precipitadamente atrás de si. Não olhou para trás.

*

Vitória ponderara com cuidado a escolha do local do seu primeiro encontro com *Sir* Robert Peel. Sempre recebera Melbourne na sua sala de estar privada, mas era demasiado íntimo para o líder dos Conservadores. A sala do trono seria mais imponente e, ao passo que recebia Melbourne a sós, decidiu que queria ter as suas damas consigo. Nunca antes se encontrara com Peel e era importante ter consigo todo o apoio à sua disposição.

Às três, hora a que Peel era aguardado, ela estava a ver as propostas para a moeda com as damas. Os desenhos encontravam-se espalhados numa mesa à sua frente, juntamente com um protótipo da nova moeda de uma coroa.

Vitória suspirou, exasperada, quando os examinou.

— Neste não tenho queixo e neste tenho dois queixos. Como é que podem dizer que é um retrato rigoroso quando nenhuma destas imagens se parece com a outra? — Bateu com o pé no chão, zangada.

Harriet pegou na moeda e estendeu-lha, com o seu sorriso mais doce.

— Mas veja a moeda em si, Majestade. É bastante mais convincente em relevo, acho.

O bater do pé de Vitória transformou-se num estampido.

— Mas pareço um ganso com uma coroa na cabeça!

Antes de Harriet e Emma poderem protestar, a porta abriu-se e Penge anunciou *sir* Robert Peel.

Vitória estendeu-lhe a mão para que a beijasse. Como ele era invulgarmente alto teve de se dobrar a meio e ela viu uma mancha rosada no alto da cabeça dele, onde o cabelo começava a rarear. Isto deu-lhe confiança.

— Boa tarde, *Sir* Robert. Estava a analisar os desenhos para as novas moedas. Não estou certa de me agradarem. Diga-me, o que pensa disto?

Apontou para a moeda na mesa. Peel pegou-lhe e examinou-a com cuidado, tirando o monóculo para poder analisar cada pormenor. Por fim, com grande deliberação, disse:

— Não vejo nada de errado, Majestade. Na realidade, diria que está muitíssimo parecida.

Vitória não esperara gostar de *Sir* Peel e agora sabia que tivera razão.

— Muitíssimo parecida. A sério?

A sua voz foi tão gelada que Harriet e Emma olharam uma para a outra alarmadas, mas Peel não pareceu sentir a *froideur* e prosseguiu no mesmo tom.

— Sim, Majestade. A maior parte das moedas é bastante grosseira nos pormenores, mas esta é notavelmente rigorosa.

Vitória olhou para ele fixamente, com desagrado. O perfil na moeda era odioso; estava fora de questão que a sua cara fosse imortalizada daquela forma. Melbourne, claro, tê-lo-ia visto de imediato. Abanou a cabeça.

— Ainda assim, não serve.

Peel ia dizer mais qualquer coisa, mas Emma Portman lançou--lhe um olhar de aviso e ele manteve-se em silêncio.

Vitória prosseguiu:

— Mas está aqui devido a outro assunto, *Sir* Robert.

Aliviado por se encontrar em terreno mais sólido, Peel anuiu e, a seguir, olhou de relance para as damas de companhia de pé atrás da rainha, qual guarda pretoriana de saiotes. Engoliu em seco e disse:

— Talvez se pudesse ter uma audiência privada, Majestade.

Vitória espetou o queixo, considerando a sua próxima jogada. Decidiu que seria melhor conduzir esta parte da audiência sozinha pelo que acenou a cabeça numa despedida desolada e, num roçagar de sedas, elas abandonaram a sala.

Pegando em *Dash*, que rosnava aos pés de Peel, Vitória instalou--se num sofá. Não convidou Peel a sentar-se, deixando-o a pairar à sua frente como uma cegonha relutante. Depois de aguardar um momento, Vitória arqueou uma sobrancelha e perguntou:

— Então, *Sir* Robert?

Peel enfiou o polegar no bolso do colete, um gesto que adotava com frequência quando se dirigia à Câmara dos Comuns.

— Estou aqui para lhe garantir, Majestade, que tenho suficiente apoio no Parlamento para formar um Governo.

Vitória inclinou a cabeça com o gesto o mais pequeno possível, deixando claro aos olhos de Peel que ele poderia ter o apoio do Parlamento, mas aqui no Palácio as coisas eram diferentes. Contudo, Peel já enfrentara públicos mais assustadores do que uma adolescente, mesmo sendo ela a soberana. Enfiou o outro polegar no colete e encarou a rainha como se ela fosse a líder da oposição.

— Como sabe, Majestade, o Governo serve segundo a vontade da Coroa.

Vitória brincava com a orelha de *Dash*.

— Sei como funciona a Constituição, *Sir* Robert.

Peel esforçou-se por ignorar o tom gélido da voz dela.

— E, claro, Majestade, sabe que é essencial que a Coroa — hesitou, recordando-se que, no fim de contas, não se encontrava no Parlamento, e prosseguindo num tom menos retórico —, ou seja, Vossa Majestade tem de parecer estar acima da política partidária e não favorecer nem um lado nem outro.

Vitória levantou a cabeça para olhar para ele e ele precisou de tudo o que tinha para não dar um passo atrás.

— Veio até cá para me dar uma lição sobre como governar, *Sir* Robert?

Peel inspirou profundamente e disse, audaz:

— Existe a questão da Casa Real, Majestade.

— Da Casa Real? — repetiu Vitória, devagar.

Peel decidiu atirar-se de cabeça e, no que imaginou ser o seu tom de voz mais razoável, declarou:

— Duas das vossas damas, Majestade, são casadas com ministros de Melbourne, e as suas aias são todas filhas de nobres Liberais. Se substituísse uma ou duas delas por damas ligadas ao meu lado da Câmara, não correria o perigo de parecer favorecer um lado sobre o outro.

A rainha sentou-se muito direita, e Peel reparou que *Dash* também estava tenso, como se preparado para saltar sobre um rato desprevenido.

— Quer que eu dispense as minhas damas, as minhas amigas mais próximas e queridas. O que virá a seguir, *Sir* Robert? As minhas camareiras? As criadas da casa? Quer rodear-me de espias?

A fúria na voz de Vitória surpreendeu Peel, que explicou:

— Não é minha intenção privá-la das suas amigas, Majestade, apenas pedir-lhe que seja amiga de todos.

Vitória sacudiu um imaginário grão de pó da sua saia.

— Não vou definitivamente abdicar das minhas damas, *Sir* Robert!

Peel retorquiu, sem pensar:

— O quê, nem de uma só?

Vitória olhou-o durante um segundo e depois:

— Penso que me fiz entender perfeitamente. Boa tarde, *Sir* Robert.

Peel hesitou, pensando se deveria dizer mais qualquer coisa, mas entreviu um clarão azul e percebeu que seria inútil. Começou a virar-se antes de se lembrar que devia sair da sala às arrecuas. Deu uns passos desajeitados, mas depois, como a rainha parecia preocupada com o seu cão, virou-se e saiu o mais depressa que pôde.

Vitória aguardou até *sir* Robert estar fora de vista, se não mesmo do alcance da sua voz, e agarrando o focinho de *Dash*, disse num tom brincalhão:

— *Sir* Robert não vai dizer à tua mamã o que fazer, nem ele nem ninguém.

E *Dash*, ouvindo o toque de aventura na voz da dona, abanou a cauda tão vigorosamente quanto conseguiu.

*

Sir Robert não foi diretamente para casa. Em vez disso, deu instruções ao cocheiro para que passasse em Apsley House, ou, como o duque de Wellington gostava de lhe chamar, Número Um, Londres. Encontrou Wellington na biblioteca. Dadas as cores vivas do outro homem, bem como a sua atitude irritável, Peel suspeitou que o tivesse acordado da sua sesta da tarde. Isto fê-lo lamentar o impulso de o visitar, mas sentia que tinha de contar a alguém o que se passara na sua audiência com a rainha.

Wellington virou-se para ele, o seu olhar azul-claro avaliando-o.

— Veio diretamente do Palácio? Quer um chá? Não, pelo seu ar, vai querer algo mais forte. — Fez um gesto para o mordomo. — *Brandy* e soda.

Depois, virou-se para Peel.

— Imagino que a sua audiência não tenha sido bem-sucedida?

Peel bebeu um gole da caneca de *brandy* que fora colocada à sua frente.

— Ela dispensou-me como a um lacaio apanhado a roubar as pratas.

Wellington arqueou uma sobrancelha.

— Ao que parece a rainha tem o mau génio do avô. Mas não pode recusá-lo.

Peel sentou-se pesadamente numa das poltronas de couro.

— Temo que o tenha feito. Recusa-se a mudar uma única das suas damas.

Wellington produziu um som entre o ladrar e o resfolegar.

— Disparate, homem, volte lá e ofereça-lhe alguém encantador como a Emily Anglesey. Garanto que Sua Majestadezinha a trocava por uma metediça como a Emma Portman.

Peel esvaziou o copo e disse, convicto:

— Lamento, duque, mas não posso formar um Governo assente nos encantos de *Lady* Anglesey.

Wellington deu-lhe uma palmada no ombro, e quando Peel ergueu os olhos percebeu como deveria ter sido poderosa a presença do duque no campo de batalha.

— Não pode ou não quer? Não tem estômago para a luta, hein? Precisa de a conquistar como o Melbourne faz.

Peel pôs-se de pé; esta visita fora claramente um erro. Respondeu, rígido:

— Temo não ter a informalidade de Lorde Melbourne.

Wellington riu-se da sua cara ofendida.

— Ou o jeito dele com as mulheres, Peel. Ela seria sua se a namoriscasse um bocadinho.

Peel ansiava pelo conforto da sua sala de estar e a compreensão da esposa. O seu trabalho era formar um Governo, não aturar os caprichos de raparigas de dezoito anos.

— Não tinha percebido que namoriscar era um pré-requisito para se ser primeiro-ministro, Duque. E agora, se me permite, não o retenho mais tempo.

Pela segunda vez naquele dia, *sir* Robert Peel saiu de uma sala com a sensação de ter sido injustiçado.

CAPÍTULO QUATRO

Nessa noite, no palácio, o jantar foi uma ocasião infeliz. Vitória estava sentada numa ponta da mesa, a duquesa de Kent na outra e, como não falavam uma com a outra, coube aos elementos da Casa Real manterem uma aparência de convívio. Lorde Alfred Paget contou uma longa e confusa história acerca das suas tentativas de ensinar o seu cão, *Sra. Bumps*, a jogar xadrez. Harriet e Emma tentaram embelezar a anedota até quase se transformar numa conversa. Emma tomou a iniciativa de dizer que a tia era dona de um gato que jogava *piquet*[14] e Harriet confidenciou que havia um papagaio em Ragsby que anunciava as marcações na sala de bilhar. Normalmente, era o tipo de conversa disparatada que deleitava Vitória e os cortesãos olharam para ela a ver se conseguiam que ela esboçasse um sorriso.

Mas a rainha não parecia estar a divertir-se, dissecando a comida com o garfo e a faca como se fosse um espécime de laboratório. Entretanto, a duquesa não fazia qualquer esforço para seguir a conversa, comendo o mais que podia num silêncio total.

Vitória olhou para a mãe a raspar o último pedaço de *quenelles de brochet* do prato e suspirou. Se lorde M estivesse ali, encontraria forma de tornar tudo mais fácil. Não era uma capacidade que Robert Peel possuísse, a julgar pelo seu desempenho nessa tarde. Não estivera à espera de ficar encantada, mas ele nem sequer fora bem-educado. Entrar por ali e propor retirar-lhe todas as amigas;

---

[14] Um dos jogos de cartas mais antigos que se conhecem. É para dois jogadores e utiliza um baralho de 32 cartas. (*NT*)

fora como se se tivesse esquecido de com quem falava. Como era possível que Melbourne a tivesse deixado a ter de lidar com um homem tão grosseiro? Pousou a faca e garfo com estrépito e os lacaios avançaram para retirar os pratos, não obstante os protestos da duquesa dizendo que ainda não tinha terminado.

Após o jantar, Vitória sentou-se a ver um volume de *La Mode Illustrée*. Gostava da nova linha de decote a roçar as clavículas e o pescoço. Em tempos, lorde M dissera-lhe que tinha uns ombros bonitos. Convidou Harriet e Emma a sentarem-se junto dela e mostrou-lhes um dos vestidos de que gostou particularmente. Harriet, que era por regra considerada uma das mulheres mais bem vestidas de Londres, indicou um estilo que pensava que ficaria particularmente bem a Vitória, e passaram uma meia hora feliz a virar as páginas e a discutir passamanarias e a largura ideal de um folho de renda.

Quando chegaram à última página, Emma olhou para Vitória.

— Sei, Majestade, que irá ter de fazer alterações na Casa Real, agora que vai haver um novo governo, e penso que devo ser eu a sair. A Harriet tem muito mais capacidades do que eu e penso que o bom gosto dela vos será valioso, ao passo que eu mal sei tocar piano e dificilmente serei uma autoridade em moda.

Harriet abanou a cabeça.

— Não, a Emma tem sabedoria e experiência. O Sutherland está sempre a dizer que a Emma é o melhor homem do Gabinete. Sem Lorde Melbourne, penso que, mais do que nunca, a rainha vai precisar dos seus conselhos!

— É muito amável, Harriet, mas penso que a rainha precisa de uma companheira mais jovem. Eu tenho idade para ser mãe dela.

Ambas as mulheres olharam para a duquesa de Kent, que estava sentada num sofá perto da lareira, com as pálpebras a fecharem--se-lhe.

Vitória, que estivera a escutar esta troca de palavras em silêncio, ergueu os olhos.

— A questão é que eu considero as duas inestimáveis. Não são só as minhas damas, são também minhas amigas, e não tenho a menor intenção de abdicar de nenhuma das duas.

Harriet e Emma olharam uma para a outra. Emma foi a primeira a falar.

— Mas Alteza, é costume as damas da Casa Real mudarem quando muda o Governo.

— Isso é ridículo. Que direito tem Robert Peel de me dizer de quem devo ser amiga?

Harriet respondeu, delicadamente:

— Penso, Majestade, que ele teria dificuldade em formar Governo se não se vir que tem o vosso apoio.

Vitória dirigiu-lhes um sorriso cúmplice.

— Precisamente.

Emma e Harriet entreolharam-se de novo, admiradas com a reação de Vitória.

Vitória levantou-se, e quando toda a sala já estava de pé, dirigiu-se às duas:

— Por isso estão a ver, minhas senhoras, não se põe a questão de alguma de vocês sair.

Harriet fez uma vénia profunda e Emma imitou-a.

A duquesa despertou do seu devaneio e disse, num tom lastimoso:

— Mas onde vai, Drina? Quero falar consigo. Não devia agir sempre sozinha. É perigoso.

Vitória virou-se para ela, de olhos a tremeluzir.

— Mas eu não estou a agir sozinha, Mamã. Tenho as minhas damas.

A duquesa fungou.

— Esquece, Drina, que os laços de sangue são mais fortes do que tudo.

Vitória deteve-se.

— Acredita mesmo nisso, Mamã? Talvez deva dizê-lo a *Sir* John Conroy.

A duquesa levantou as mãos ao ar, em desespero.

— É tão infantil, Drina. *Sir* John e eu só queremos servir os seus interesses. É tudo o que sempre quisemos. — A duquesa estendeu a mão para o lenço e começou a limpar os olhos.

Vitória hesitou; a mãe nunca chorava em público. Voltou para trás e sentou-se ao lado dela.

— Eu sei, Mamã, que está preocupada, mas não é preciso. Já aprendi a tomar conta de mim.

— Penso, Drina, que isso é uma questão de opinião. Foi visitar Dover House sozinha, contra o meu conselho, e agora creio que disse a *Sir* Robert que recusa desistir das suas damas.

A duquesa deitou um olhar zangado a Harriet e Emma, que estavam juntas no outro extremo da sala.

— Sim, Mamã, disse. Mas não o fiz por capricho. Sei o que estou a fazer.

— Acha que sabe, mas *Sir* John diz que anda a brincar com o fogo. Este país precisa de um primeiro-ministro, e se parece que está a evitar que o país seja governado, então o país culpá-la-á.

Vitória ergueu-se.

— Como diz, Mamã, os laços de sangue são mais fortes do que tudo. Talvez devesse confiar na minha capacidade de decisão e não na de *Sir* John. — Virando as costas à mãe, saiu rapidamente da sala, com Emma e Harriet logo atrás de si.

*

Na manhã seguinte, Emma Portman dirigiu-se a Dover House a uma hora que, normalmente, consideraria demasiado cedo para ser civilizada, mas as regras tinham de ser tornadas mais flexíveis em tempos como os que corriam. O mordomo de lorde Melbourne disse-lhe que Sua Senhoria estava ainda na cama, mas Emma não lhe prestou atenção e avançou, subindo as escadas, direita ao quarto. O mordomou tentou protestar, mas o brilho no olhar de *lady* Portman disse-lhe que toda a resistência era inútil.

Melbourne estava estendido na cama, a ler o *The Times* quando Emma entrou de rompante. Viu a cara de desculpa do mordomo e fez-lhe um aceno com a cabeça, indicando que estava tudo bem. Emma sentou-se na borda da grande cama de dossel.

— Com franqueza, Emma, podia ter-me avisado. Não estou apresentável.

— O assunto que aqui me traz não pode esperar e eu sou demasiado velha para me chocar com o seu queixo por barbear ou o ovo no roupão.

Melbourne baixou o olhar e verificou que havia, de facto, uma mancha de gema coagulada na lapela do seu roupão *paisley*.

— Bem, vai ter então de me aceitar como estou, Emma. Mas que assunto é esse que não podia esperar que a recebesse na biblioteca como uma respeitável senhora casada?

— A rainha recebeu Peel ontem.

— Eu sei. Disse-lhe que era a única atitude sensata.

Emma olhou para ele, inquisitiva.

— Mas sabia que ela lhe disse que não abdicava de nenhuma das suas damas?

Melbourne suspirou.

— Não. Na realidade, eu disse-lhe que teria de fazer alterações na sua casa ou Peel sentiria que não tinha a confiança dela.

— Vi o Peel quando ia a sair. Tinha as orelhas tão vermelhas como se ela as tivesse esmurrado!

Melbourne tornou a suspirar.

— Mas como é que Peel não conseguiu persuadi-la de que era do interesse dela fazer essas mudanças? Não seria bom para ela ser vista como rainha de um só partido.

Emma Portman riu-se.

— Sabe perfeitamente porque é que ele não consegue convencê-la. Ela não vai mudar as damas porque o quer de volta, William.

Melbourne saiu da cama e tocou a campainha, a chamar o seu criado de quarto.

— Não é uma decisão que lhe caiba — disse, ríspido.

— Ainda assim é a sua intenção. — Emma arqueou uma sobrancelha. — E não se pode culpá-la, na realidade. Para que há de aturar um tosco como o Peel se pode ter o seu encantador Lorde M?

A porta abriu-se e o mordomo entrou, seguido de um dos mensageiros reais, que estendeu uma carta a Melbourne.

— Da rainha, Vossa Senhoria.

Melbourne abriu-a e franziu a testa.

— Está a ver — disse Emma, sorrindo —, aí tem a sua convocatória.

Melbourne soltou um ruído que, vindo de uma pessoa menos polida, poderia ser considerado um grunhido.

— Espero, ao longo do último ano, ter ensinado à rainha a diferença entre disposição e dever.

Emma aproximou-se dele e deu-lhe um beijo na face.

— Tenho a certeza de que foi essa a sua intenção, William. Mas esquece que a rainha é também uma jovem rapariga que gosta de ter o que quer.

*

A menos de um quilómetro de distância, no White's, em St. James, a praça-forte do Partido Conservador, o duque de Cumberland atravessava a biblioteca. Se viu que alguns membros lhe viraram as costas, não deu qualquer indicação de ter reparado; estava demasiado focado em alcançar Wellington, que reunia a sua corte numa conspiração de proeminentes membros conservadores, incluindo Robert Peel, num dos extremos da sala.

O duque avançou para o meio do grupo, com a cicatriz lívida em contraste com a face, e sem saudar ninguém, atacou.

— Pode realmente ser verdade que o Partido Conservador, o partido de Burke e Pitt, tenha sido derrotado pelo capricho de uma miúda de dezoito anos? — Virou os seus olhos azuis raiados de sangue para Peel, que recuou um passo.

— Não posso formar um Governo, senhor — as vogais fechadas do sotaque do norte eram evidentes na sua voz —, sem o apoio da soberana. — Devolveu o olhar irado de Cumberland sem vacilar.

Cumberland levou o dedo à testa e virou-se para Wellington.

— Acha, Wellington, que o comportamento dela é racional? Fazer um alarido tal por causa das suas damas. Faz-me lembrar o meu pai. Ele não estava nada racional no início da sua... triste aflição.

Peel ergueu uma sobrancelha.

— Está a dizer que a rainha não está mentalmente sã, senhor?

— Estou a dizer que ela não é suficientemente forte para os deveres da governação. Que necessita de orientação. Quando o meu pai ficou doente, escolheu-se um Regente. Porque não fazer o mesmo agora?

Wellington encostou-se à pedra da lareira e observou Cumberland com um olhar frio.

— Estou certo de que a Duquesa de Kent estaria mais do que pronta a assumir a posição e, claro, *ela* é muito popular entre o povo. — A ênfase de Wellington era clara; a duquesa dispunha do tipo de apoio popular que faltava a Cumberland.

Cumberland devolveu-lhe o olhar, zangado.

— Considero que dificilmente a Duquesa conseguirá ser regente sem ajuda.

Wellington sorriu.

— Oh, estou certo de que *Sir* John Conroy ficaria felicíssimo por a aconselhar. Creio que é muito ambicioso.

A cor do rosto de Cumberland escureceu.

— Uma simplória alemã e um charlatão irlandês; dificilmente servirão.

Do seu canto, ouviu-se a voz de Peel.

— Então, em quem é que estava a pensar, senhor?

Wellington deu um passo na direção de Cumberland.

— Oh, creio que o Duque pensa que o regente deve vir da família real britânica, não estou certo?

Cumberland puxou os lábios para trás formando algo que se aproximou de um sorriso.

— Certíssimo, Wellington. A Duquesa tem precedência enquanto rainha-mãe, mas precisaria de um corregente de sangue real.

Wellington assentiu.

— Bem, vamos rezar para que não se chegue a tanto. Outra regência não seria nada boa para o país.

Cumberland tentou não mostrar o seu desagrado.

— É melhor uma regência do que ter uma rapariga histérica no trono.

Peel pigarreou.

— Não diria que a rainha é histérica, senhor. Na realidade, pareceu-me bastante calma.

Cumberland virou a cabeça, com brusquidão.

— Mas o comportamento dela foi absolutamente irracional, não foi?

Wellington sorriu.

— Ouso dizer que, na cabeça da rainha, o seu comportamento é bastante racional. Imagino que pense que, se se recusar a ceder na questão das damas, vá conseguir ter Melbourne de volta.

— Mas isso é inconstitucional — berrou Cumberland.

— Também o é substituir uma monarca sã por uma regência, Vossa Alteza Real — declarou Wellington, com exagerada cortesia.

Os lábios de Peel estremeceram.

— Tem de se fazer alguma coisa — resmungou Cumberland, ignorando o insulto implícito.

Wellington assentiu.

— Sim, precisamos de um primeiro-ministro. Ela irá chamar Melbourne agora, mas pergunto-me o que irá ele fazer?

— O que ela quiser, claro; o homem está apaixonado por ela — declarou Cumberland.

— Talvez, mas até mesmo Melbourne pode resistir a tornar-se o segundo cão de estimação da rainha — afirmou Wellington — e, diga-se o que se disser da sua política, o homem conhece o seu dever.

Peel olhou para Wellington e, depois, para Cumberland.

— As suas noções de economia política são tristemente deficientes, mas é um homem de honra.

Cumberland olhou para os dois, incrédulo.

— Honra e dever, com franqueza! Não estamos num romance de *Sir* Walter Scott. O Melbourne é homem e político; fará o que for melhor para servir os seus interesses.

O sorriso de Wellington não vacilou.

— Bem, cá estaremos para ver, mas por agora estamos nas mãos dele.

Cumberland parecia estar prestes a repreendê-los de novo, mas tornou-se evidente que pensou melhor. Fazendo a ambos um levíssimo aceno de cabeça, girou nos calcanhares e deixou-os, com os membros do clube a desviarem-se dele o mais depressa que conseguiam, como ovelhas assustadas.

Peel virou-se para Wellington.

— Calculo que se a rainha não vir a razão... então a determinada altura, seremos forçados a considerar a ideia de uma regência.

Wellington semicerrou os olhos.

— É possível, claro, mas de uma coisa estou certo: o povo preferiria ter o Pequeno Polegar no trono do que ser governado pelo Duque de Cumberland. Metade do país pensa que ele assassinou o seu camareiro e a outra metade acredita que ele é pai do filho da irmã. A pequena Vicky pode ser jovem e palerma, mas não é um monstro. Ou, pelo menos, ainda não.

CAPÍTULO CINCO

Vitória aguardava Melbourne na sua sala de estar privada. Abriu uma das caixas e tentou concentrar-se num documento acerca da nomeação do deão da Catedral de Lincoln, mas não foi capaz de se concentrar. Fechou a tampa da caixa de despachos vermelha e examinou o seu reflexo no espelho pendurado na chaminé. Envergava o vestido cor-de-rosa que, um dia, Melbourne declarara ficar-lhe bem, mas no espelho pareceu-lhe que lhe dava um ar macilento. Teria tempo para se mudar?

Olhou para o relógio *boulle* sobre a consola de malaquita; eram quase onze horas. Se mudasse de vestido agora, Melbourne podia chegar e ela não queria deixá-lo à espera. Beliscou as faces com força e mordeu os lábios, tentando trazer um pouco de cor ao rosto, mas continuou pálida. Fora-lhe tão difícil dormir na noite anterior! Perguntou-se se lorde M notaria; normalmente era muito observador.

Antes de o relógio ter terminado de bater as onze, o lacaio abriu a porta e deixou entrar lorde Melbourne.

Vitória viu logo que o seu sorriso não era tão caloroso como esperara, mas não permitiu que o seu próprio sorriso vacilasse quando lhe estendeu a mão.

— Caro Lorde M, não tenho palavras para lhe dizer como estou feliz por o ver. — Sorriu, conspiradora. — Não pensa que resolvi as coisas de uma forma maravilhosa?

Melbourne respondeu, átono:

— Foi muito engenhosa, Majestade.

— *Sir* Robert queria afastar todas as minhas damas e substituí-las por espias conservadoras.

200

Para seu grande alívio, viu os lábios de Melbourne estremecerem quando ele exclamou:

— Peel é um excelente político e um homem de princípios, mas temo que nunca tenha compreendido bem o belo sexo.

Olhou para Vitória que sustentou o seu olhar. Então, num tom mais baixo, ela disse:

— Senti a sua falta, Lorde M.

Melbourne arqueou uma sobrancelha.

— Só passou um dia e meio.

Deu um passo em frente e ela ergueu os olhos para ele, ansiosa, mas ele falou com a maior seriedade.

— Vim aqui para lhe dizer, Majestade, que não seria do seu interesse que eu voltasse a ocupar o cargo de primeiro-ministro.

Vitória teve de repetir as palavras na sua cabeça antes de lhes perceber o sentido e, depois, retorquiu atónita:

— Não é do meu interesse? Mas é tudo o que desejo no mundo.

Melbourne inclinou a cabeça e prosseguiu, no mesmo tom sério.

— Agradeço o elogio, Majestade. Mas não posso permitir que, por minha causa, ponha em risco a posição da Coroa.

Vitória sentiu que a sua cabeça ia explodir. Nunca lhe ocorrera que Melbourne poderia não regressar uma vez que ela tivesse resolvido o assunto de Peel. E agora ele estava a falar-lhe como se ela fosse uma criança obstinada e não a sua soberana.

Espetou o queixo.

— *Permitir*, Lorde Melbourne?

Melbourne prosseguiu:

— Peel está no seu pleno direito de lhe pedir alterações na Casa Real. No fim de contas, as suas damas foram propostas por mim.

Vitória sentiu o estômago contrair-se-lhe e a sua respiração tornou-se curta e áspera.

— Mas as minhas damas são minhas amigas. Se as perder agora, como o perdi a si, ficarei sem ninguém. Será outra vez como em Kensington com a Mamã e *Sir* John. Penso que não consigo suportá-lo. — Sentiu as lágrimas subirem-lhe aos olhos e mordeu o lábio. — *Sir* Peel não percebe isto, mas penso que o senhor tem de compreender, Lorde M.

Melbourne suspirou, e o seu rosto formoso lutou para manter a compostura. Vitória pensava que ele tinha de ceder, mas quando ele tornou a falar, fê-lo de novo com aquele tom detestável:

— Lamento, mas se eu concordar em formar um Governo agora, será Vossa Majestade quem sairá a perder. Os críticos, e eu tenho muitos, dirão que vos manipulei, uma mulher jovem e impressionável, para minha vantagem política.

Vitória respondeu, fervorosamente:

— Mas não é verdade. Não sou um pedaço de barro que qualquer mão consiga moldar.

Ele olhou-a e proferiu, lenta e cautelosamente:

— Não, Vossa Majestade já não é uma criança, e é por isso mesmo que deve tentar compreender que não interessa de quem gosta ou não.

Vitória indignou-se; como era possível que ele não compreendesse que ela precisava do seu apoio, e não de um sermão sobre os deveres de um soberano?

— Claro que interessa! Eu sou a Rainha. — Ao mesmo tempo que dizia isto, viu-o abanar a cabeça.

— Vi... — e depois refreou-se — Majestade, certamente compreende o que está em jogo aqui?

Vitória puxou os ombros para trás e com toda a energia que conseguiu reunir, exclamou:

— Lorde Melbourne! Esquece-se de quem é!

Mas o rosto de Melbourne não se alterou. De costume tão versátil, parecia esculpido em granito. Os seus olhos gentis e expressivos mostravam-se duros e a sua boca, perpetuamente sorridente, era agora uma linha severa. Vitória sentia que o seu coração ia partir-se; confiara plenamente nele e agora ele estava a dizer-lhe que não faria a única coisa que ela queria no mundo.

Por fim, perguntou, numa vozinha baixa:

— Não quer ser meu primeiro-ministro?

Quando ele falou, foi como se as palavras estivessem a ser-lhe arrancadas à força:

— Nestas circunstâncias não, Majestade. A relação entre a Coroa e o Parlamento é sagrada e não vou permitir que a ponha em perigo.

E antes que ela tivesse tempo de responder, Melbourne prosseguiu, numa voz tensa:

— Tem de me desculpar, Majestade. — E sem esperar pela autorização dela, virou-lhe as costas e saiu rapidamente da sala.

*

Conroy ia a caminho do Palácio, vindo do seu alojamento em Bruton Street, quando um mensageiro lhe entregou uma carta pedindo-lhe que se apresentasse em Cumberland House. A mente subtil de Conroy começou a calibrar os pontos em que os interesses da duquesa e de Cumberland poderiam coincidir e enveredou para o Palácio de St. James, onde o duque tinha os seus aposentos, com uma sensação de expectativa. Com Melbourne fora do caminho e Cumberland por aliado, poderia haver um sem número de possibilidades de progresso.

Cumberland recebeu-o na sala de armas, onde cada centímetro da parede estava coberto delas. Um raio de sol incidiu sobre uma fila de sabres expostos e saltou pela sala, ofuscando Conroy por instantes.

Cumberland estava de pé sob um machado de prata gravado, com o ar de um homem que não piscaria os olhos perante uma execução. Quando anunciaram Conroy, o duque estava a inalar uma grande pitada de rapé e começou a espirrar com violência. Uma vez terminadas as explosões, semicerrou os olhos na direção do seu visitante.

— Cá está você, Conroy — disse.

Conroy escutou a impaciência na voz do outro homem e disse com suavidade:

— Vim assim que recebi a sua mensagem, excelência. Apesar de me confessar um tanto surpreendido por a receber. Sou, como sabe, muito próximo da Duquesa de Kent, com quem nem sempre tem mantido relações amigáveis.

Cumberland espirrou de novo.

— As coisas mudaram, Conroy. — O duque deu uns poucos passos na direção do seu visitante e declarou, num sussurro teatral:

— Estou preocupado com a minha sobrinha. Parece-me que se encontra fora do seu juízo normal — fez uma pausa e, depois, com um piedoso revirar de olhos —, como o meu pobre pai.

Conroy baixou o olhar, enquanto tentava perceber as intenções do duque. A rainha tinha um temperamento nervoso, atreito à histeria como todas as mulheres jovens, mas pôr em dúvida a sua sanidade, comparando-a ao louco rei George III, era prematuro. Mas como isto era claramente o prelúdio de qualquer coisa mais, anuiu gravemente.

— Creio que tem razão, senhor. Desde criança que tem um temperamento nervoso. É possível que a pressão da sua posição tenha provocado um desarranjo dos sentidos.

— Exatamente! — Um dos cantos da boca de Cumberland ergueu-se, em anuência. — Pensei que poderia concordar comigo. O Papá costumava falar sozinho e gritar sobre nada em especial. A minha sobrinha faz alguma coisa do género?

Conroy devolveu o sorriso ao duque.

— O comportamento da Rainha tem certamente sido... errático. Houve o caso Hastings e agora esta história das damas. Sabe que ela foi realmente a Dover House para um *tête-à-tête* com Melbourne?

— Um comportamento nada digno de uma monarca — declarou o duque, abanando a cabeça. — Claro que ninguém quer acreditar que a cabeça que segura a coroa está menos do que sã, mas se for esse o caso não podemos fugir ao nosso dever.

Conroy curvou-se, num assentimento.

— Não, claro que não, senhor. — Aguardou que o duque prosseguisse, perguntando-se que cartas planearia ele jogar.

O duque agitou uma mão.

— Estou certo de que a Duquesa deve estar muito preocupada com o bem-estar da filha. Eu, claro, preocupo-me com o país. Pode ser que, entre nós, cheguemos a um acordo.

Conroy ergueu o olhar.

— No que se prende com uma regência, senhor?

Cumberland anuiu.

— Claro que, como mãe dela, a Duquesa é a escolha óbvia. Mas não creio que o Parlamento queira outra mulher a mandar, em especial sendo estrangeira. Se a Duquesa tivesse um corregente, da família real britânica — fez outro dos seus sorrisos retorcidos —, penso que não haveria objeção possível.

Conroy devolveu o sorriso.

— Estou confiante de que a Duquesa concordaria, senhor.

— Mas precisamos de provas. Poder-se-ia pensar que o seu comportamento recente seria suficiente, mas o Wellington e o Peel são cautelosos como o diabo.

— Provas?

— Alguma indicação de que o estado mental da rainha está alterado.

— Compreendo, senhor.

— Ótimo. — O duque tirou de novo a sua caixa de rapé do bolso, deitou uma pitada na mão e levou-a ao nariz. Três espirros mais tarde, olhou para Conroy como que surpreendido por ele ainda ali estar. — Bem, penso que é tudo o que desejava dizer. Pode deixar-nos.

Conroy saiu da sala em silêncio. A arrogância do duque era insuportável. Se Conroy tinha alguma dúvida quanto aos rumores de que Cumberland assassinara o seu camareiro, agora pensava que eram absolutamente credíveis. Dispensá-lo como se fosse um criado, em vez de um aliado inestimável. Se ao menos estivesse em posição de agir sozinho, mas Conroy sabia que se a duquesa queria ter alguma esperança de alcançar o poder e a influência que lhe cabiam por direito (e a ele também, naturalmente), precisavam da ajuda de Cumberland.

Claro que, quando se chegasse a esse ponto, Conroy não tinha a menor intenção de apoiar uma corregência. A duquesa já tinha um conselheiro, mas de momento o duque era a única pessoa que podia levar o assunto da regência a bom porto. Este exercício de lógica acalmou Conroy e, depois de ter atravessado o The Mall até ao Palácio de Buckingham e chegado aos aposentos da duquesa, já recuperara a sua serenidade.

Encontrou a duquesa a estudar as suas contas com a camareira, *Frau* Drexler. Quando ele entrou, ela estava a suspirar:

— Oh, *Sir* John, sabia que Madame Rachel, a minha modista, já não me dá mais crédito? Dentro de pouco tempo vou ver-me forçada a vestir andrajos. Não está certo que a mãe da Rainha seja humilhada desta forma.

Conroy sorriu.

— Não penso que, no futuro, tenha de se preocupar com as suas contas, Duquesa. Trago notícias que, penso, vão interessar-lhe muito.

Olhou para Drexler e a duquesa fez-lhe um gesto para que abandonasse a sala.

Conroy sentou-se no sofá junto da duquesa. Talvez se tenha sentado um pouco mais próximo do que seria apropriado, mas sabia que a duquesa era uma mulher que reagia à proximidade física. Quanto mais perto dela estivesse, mais poder ele teria.

— Acabei de estar com o Duque de Cumberland.

A duquesa virou-se para ele, espantada.

— Cumberland! Mas porquê? Ele é meu inimigo!

Conroy pousou uma mão forte na da duquesa, envolta numa luva de renda.

— Isso pode ter sido verdade no passado, mas agora penso que têm mais em comum do que pensa.

A duquesa ergueu os seus olhos azuis límpidos para ele.

— Mas o que posso eu ter em comum com aquele homem horrível?

— O Duque, tal como nós, está preocupado com a rainha. Crê que a tensão da sua posição esteja a ser demasiado esforço para o seu espírito.

A duquesa abanou a cabeça.

— Não, não, a Drina pode ser casmurra e obstinada, mas não está louca.

Conroy tomou a mão por baixo da sua e apertou-a.

— Não exatamente louca, mas... — fez uma pausa à procura da palavra correta — sobrecarregada. O Duque sente, e eu concordo com ele, que o que lhe faz falta é um período de calma e reclusão num sítio onde possa recuperar as forças.

A mão da duquesa tremeu na dele.

— Calma e reclusão?

— Sim. Claro que para isso acontecer, haveria que designar um regente para se encarregar dos assuntos da governação.

A duquesa baixou os olhos sobre a mão que apertava a sua.

— Uma regência. Isso foi o que sempre almejei, poder guiar a minha filha em vez de ser sempre afastada de tudo. Mas não percebo porque é que este... porque é que Cumberland quer isto.

— Ele imagina que precisaríeis de um corregente.

Os canudos louros estremeceram.

— Não, *Sir* John, isto não pode ser. Não posso trair a minha filha para ajudar aquele homem.

Conroy amaldiçoou-se por ter avançado demasiado depressa.

— Penso que a única pessoa que estaríeis a ajudar, Vossa Graça, seria a vossa filha. Penso que, neste momento, ela corre o perigo de perder toda a credibilidade junto do público. Um período de reflexão afastada da perniciosa influência de Lorde Melbourne só pode ser benéfico. E claro, se Vossa Graça for regente quando ela estiver completamente restabelecida, poderá devolver-lhe o trono. Se fosse entregue ao Duque — fez uma pausa e olhou a duquesa olhos nos olhos, intencionalmente —, bem, digamos que o Duque deseja tanto o trono que duvido que o devolva uma vez que o tenha.

Segurava agora a mão com força e entrelaçou os dedos nos dela. Sentindo que ela precisava de mais confiança, prosseguiu:

— Um curto período como regente seria suficiente para mostrar à vossa filha, e na realidade a todo o país, o que vos é devido enquanto rainha-mãe. Receberia o respeito que merece e, claro, todos os vestidos de que precisasse.

A duquesa retirou a mão.

— Acha mesmo que eu faria isso por uns vestidos?

Conroy arvorou um ar de profunda contrição e estendeu a mão num gesto de súplica. Ao fim de um longo momento, a duquesa devolveu-lhe a sua.

— Penso que a senhora só agiria no melhor interesse da sua filha, Duquesa. Mas dar-me-ia grande prazer vê-la vestida como convém ao seu estatuto. Uma mulher como a senhora devia estar resplandecente. — Ao dizer isto, levantou a mão envolta na luva de renda, levou-a aos lábios e beijou-a.

A duquesa soltou um suspiro profundo.

— Tenho de falar com a Drina. Ela tem de compreender o que acontecerá se não for sensata.

A voz de Conroy soou baixa e urgente.

— Com todo o respeito, Alteza, não pode mencionar o nosso plano à vossa filha. Penso que ela não compreenderá que os nossos motivos são absolutamente desinteressados e creio que poderia usá-lo contra si. É muito melhor não dizer nada e estar preparada para agir, caso exista qualquer outro sinal de instabilidade mental.

A duquesa pôs-se de pé e Conroy imitou-a.

— Não confio no Cumberland, *Sir* John.

Conroy pôs-se à frente dela e agarrou-lhe os cotovelos com as mãos.

— Não, Alteza, nem eu. Mas é melhor, penso, agir com ele, do que deixá-lo agir sozinho. É a única forma de protegermos os interesses da Rainha.

A duquesa olhou para ele, com o rosto toldado de indecisão. Conroy insistiu.

— Diga-me, Duquesa, que sabe que eu tenho razão.

Ele apertou as mãos nos cotovelos dela até ela assentir e, depois, dizer com voz trémula:

— Protegê-la-emos juntos.

Julgando que conseguira convencê-la, Conroy soltou a duquesa e fez uma vénia profunda antes de sair. Uma vez fora dos aposentos, apoiou a cabeça numa coluna de mármore, para que a pedra arrefecesse o calor da sua carne.

CAPÍTULO SEIS

Passara uma semana desde que Melbourne apresentara a sua demissão do cargo de primeiro-ministro e o país continuava sem Governo. Soubera-se que a rainha se recusava a abdicar das suas damas por *Sir* Robert Peel, e os rumores acerca do que se chamara a crise do quarto enchiam os clubes e os corredores. Peel escrevera a Vitória no dia a seguir à sua audiência para lhe dizer que sem a cooperação dela no que tocava à Casa Real, não conseguiria formar um Governo. Ela respondera-lhe que não abdicaria das suas amigas. Vitória gostara de escrever aquela carta, mas não soubera nada de Melbourne após aquele desastroso último encontro. Estivera tão segura de que Melbourne iria aplaudir o seu estratagema, mas em vez disso tinham discutido e agora estava sozinha.

Nessa tarde chamou Emma Portman de lado e perguntou-lhe se sabia a razão por que Melbourne não vinha ao palácio.

Emma ficou com um ar atrapalhado.

— Calculo, Majestade, que esteja à espera de que escolha um primeiro-ministro. Não quer que pensem que está a interferir.

Vitória abanou a cabeça, incrédula.

— Mas o que hei de fazer? Peel não forma Governo a menos que eu aceda às suas inacreditáveis exigências, e Lorde M, que deve saber o quanto eu dependo do seu apoio e do de Harriet e de todas as minhas damas, afirma que eu devo fazer o que Peel quer. Foi bastante ríspido comigo na última vez que nos encontrámos, e não tive mais notícias suas desde então. Amanhã é o meu aniversário. — A face de Vitória crispou-se. — Acha que ele virá à minha festa? Penso que, caso contrário, não vou divertir-me.

— Não poderei dizer, Majestade. Mas suspeito que não virá ao palácio antes de haver um primeiro-ministro designado.

Nessa noite, Vitória ficou estendida na cama a escutar o bater do relógio do seu quarto que ia assinalando cada quarto de hora que passava. Normalmente adormecia assim que pousava a cabeça na almofada, mas nessa noite não conseguia descansar a cabeça. Não queria acreditar que Melbourne tivesse um coração tão duro. Sentia-se ao mesmo tempo zangada e magoada. Sem o ter a seu lado, via serem-lhe negados todos os pequenos prazeres de ser rainha. Tinha esperado com ansiedade a oportunidade de trabalhar nos documentos das suas caixas nessa manhã com ele a seu lado, mas sem ele para lhos explicar e a elucidar, os nomes eram simples nomes e os papéis não passavam de tarefas.

Imaginando o que seria analisar as nomeações com *sir* Robert Peel fê-la sentir um arrepio. Peel, pressentia, não era um homem que ligasse divertimento ou prazer com a execução de um dever público. Do seu breve encontro, sabia que ele iria dar-lhe lições em vez de tentar educá-la sem a fazer sentir estúpida, como Melbourne fazia. Peel não prestaria atenção, achava, aos seus sentimentos. E além do mais, ele era um homem muito grande e desastrado. Não era alguém com quem desejasse dançar.

O relógio ressoou de novo: dez, onze, doze. Meia-noite. Era agora oficialmente o dia de seu aniversário. Dezanove anos. Vitória decidiu que não podia continuar na cama. Saltou do leito, envolveu-se num xaile e calçou os chinelos. Pensou em acordar Lehzen, que dormia no quarto adjacente, mas sabia que a baronesa iria preocupar-se com ela e repreendê-la por andar a passear em camisa de noite. E, além do mais, não podia falar de lorde Melbourne a Lehzen.

Acendeu a vela que tinha ao lado da cama e foi até ao corredor, com *Dash* a saltitar a seu lado. Estava lua cheia, e quando entrou na galeria de retratos os rostos dos seus reais antepassados brilhavam sob a luz prateada. Olhou para o retrato de Elizabeth Tudor, cuja boca era uma linha dura. No passado intrigara-a a razão por que Elizabeth escolhera ser pintada com uma expressão tão desagradável, mas esta noite pensava que a compreendia. Elizabeth, uma mulher sozinha, sem marido, não queria saber se gostavam dela; queria respeito, ou mesmo temor.

À direita de Elizabeth estava Charles I com a família. Lorde Melbourne gostava muito daquele quadro; afirmava que o pintor fizera um esplêndido trabalho ao mostrar como um homem podia ser magnífico e palerma ao mesmo tempo. «Olhe para o trejeito de teimosia na boca dele» — dizia —, «é uma qualidade imperdoável num rei. A monarquia é fundamentalmente absurda e o soberano que o esquece é tolo.» Vitória olhara desconfiada àquela observação e Melbourne rira-se.

— Pensa que estou a ser desrespeitoso, Majestade? Talvez esteja. Não existe maior apoiante da monarquia constitucional do que eu, mas a estrutura só se aguenta se nenhum dos lados se apoiar nela com demasiada força.

Vitória olhou para a curva amuada dos lábios de Charles. Esperava que o seu retrato, aquele em que envergava as vestes da coroação, não revelasse nenhuma qualidade que não lhe fizesse justiça.

Ouviu o ladrar de *Dash*, e o *spaniel* disparou pelo corredor fora atrás de uma qualquer presa invisível. Vitória teve esperança de que não fosse um rato; tinha horror a ratos desde que um tinha passado por cima da sua cara uma noite, enquanto dormia, no Palácio de Kensington. Acordara a gritar de terror. A Mãe recusara-se a crer que uma tal coisa pudesse ter ocorrido, mas Vitória ainda sentia as patinhas arranharem-lhe o peito e o odioso escorregar suave da sua cauda. Desde então insistira que *Dash* dormisse numa almofada aos pés da sua cama. Preferia ser perturbada pelas fungadelas e ressonar dele do que por aquela terrível corrida precipitada.

Dash estava a arranhar o rodapé de madeira por baixo do retrato de corpo inteiro do avô dela, George III. Vitória tinha uma aversão especial a este quadro desde que Conroy lhe dissera que ela tinha ares do avô. Uma vez que neste retrato o rei tinha olhos azuis salientes e uma expressão de confuso espanto, ela não tomara o comentário como elogio. De súbito sentiu-se cansada e, decidindo que poderia finalmente adormecer, dobrou-se para pegar em *Dash* que, sabia, não sairia dali se não fosse levado à força.

Dash não ia largar a sua presa sem luta. Esforçando-se por afastá--lo para longe do rodapé, Vitória assustou-se ao som de uma voz nas suas costas:

— Mas Drina, o que faz aqui? Sozinha a meio da noite?

Virou-se e deparou-se com a mãe, cujo cabelo estava enrolado em papelotes conferindo-lhe o aspeto de um porco-espinho. O seu rosto, iluminado pela vela que trazia, estava cheio de sombras.

— Não conseguia dormir, Mamã.

— Mas não devia andar por aí só em camisa de noite. Apanha frio, e se os criados a virem, podem começar com boatos. Acho que talvez esteja a sentir a minha falta no seu quarto. Dormia sempre tão bem quando estava na cama ao lado da minha. — Passou o braço à volta de Vitória e apertou o seu ombro.

— Não posso estar à espera de dormir tão bem agora que sou rainha, Mamã. Tenho tantas responsabilidades.

A duquesa ergueu a vela à frente do rosto de Vitória como se procurasse aí qualquer coisa.

— Espero que não sejam demasiadas para si, *Liebchen*. Penso que é muito duro ser tão jovem e ter tantas preocupações.

— Não tão jovem assim, Mamã. Já passa da meia-noite, por isso já tenho dezanove anos.

A duquesa sorriu e deu um beijo na face da filha.

— Mas não pode apanhar frio no dia dos seus anos. Deixe--me levá-la de volta ao seu quarto, e ficarei consigo até ador-mecer. Penso que não terá preocupações se a sua mãe ficar junto de si.

Vitória virou-se para seguir a duquesa quando, pelo canto do olho, entreviu um movimento rápido e o brilho de algo cor-de-rosa, e soltou um gritinho de terror.

— Viu aquilo, Mamã? Penso que era um rato ou até mesmo uma ratazana.

Como que confirmando as suas palavras, *Dash* começou a ganir e a ladrar, com o nariz esmagado contra o rodapé de madeira.

A duquesa disse:

— Está a tremer, Drina. Com certeza que não está assim com tanto medo de um ratinho.

— Mas sabe como os odeio, Mamã. Desde que aquele rato passou por cima da minha cara.

— Isso nunca aconteceu, Drina. Não passou de imaginação sua.

A duquesa levou a mão à face da filha.

— Não deve ter medo de sombras, Drina. Ou as pessoas vão começar a murmurar coisas a seu respeito. — Levantou os olhos para o rosto pálido de George III, brilhando sobre elas ao luar. — Lembram-se do seu avô.

Vitória olhou para ela, confusa.

— Do meu avô? O que está a dizer, Mamã?

A duquesa abanou a cabeça.

— Não é o que *eu* estou a dizer, Drina. Mas talvez precise de algum repouso e calma.

Vitória olhou de novo para a face bovina do avô e o significado do que a mãe dizia começou a surgir-lhe.

A duquesa prosseguiu, com fervor apaixonado:

— Mas não deve preocupar-se. Eu protejo-a, Drina, não vou deixar que lho tirem.

Vitória estremeceu, mas desta vez foi de fúria e não de frio. Quando falou, todos os vestígios dos seus anteriores tremores haviam desaparecido.

— Tempos houve, Mamã, em que precisei da sua proteção, mas em vez disso a senhora permitiu que *Sir* John fizesse de si o seu fantoche.

A vela que a duquesa tinha na mão tremeu, lançando sombras discordantes por toda a sala. Quando falou, a fúria na sua voz igualava a da filha.

— *Sir* John, pelo menos, preocupa-se com a minha existência. A minha filha baniu-me do seu afeto.

A resposta de Vitória foi imediata.

— E de quem é a culpa, Mamã?

A duquesa olhou fixamente para ela, antes de se virar e afastar-se rapidamente, com os papelotes a esvoaçar.

Vitória viu-a afastar-se e, virando as costas aos seus antepassados, começou a caminhar para o seu quarto. Na face ainda sentia o calor do afago da mãe.

*

A manhã seguinte nasceu luminosa e clara. Nas cozinhas do palácio, o senhor Francatelli, o pasteleiro-chefe da rainha, dava os retoques finais no bolo de aniversário da rainha. Havia semanas que trabalhava nele, tendo cozido as camadas de bolo de fruta um mês antes, e mergulhando-as depois em *brandy*, pelo que tinham adquirido um tom de madeira de mogno. Depois cobrira cada camada e fizera colunas que suportavam um andar em cima de outro. Agora estava a trabalhar na *pièce de résistance*, um modelo da rainha com *Dash*, esculpido em pasta de açúcar.

Na sala do trono, a esposa do vigário de St. Margaret's, em Westminster, tentava manter a ordem entre os seus jovens educandos enquanto aguardavam para cantar o hino nacional. O esposo ficara encantado com a ideia de oferecer a classe de catequese dela para cantar no aniversário da rainha, mas, pensava ela pesarosamente, ele nunca tivera de manter calados num palácio oito miúdos de sete anos. As crianças guincharam encantadas quando Francatelli entrou empurrando um carrinho com o bolo de aniversário.

— É o maior bolo do mundo, acho.

— Aposto que é maior do que a própria rainha.

— Olha para ali, consegues ver a rainha a brincar com o cãozinho dela!

A mulher do vigário moveu-se rapidamente fruto de uma longa experiência para intercetar uma mãozinha bastante suja de mexer na cabeça do *spaniel* de açúcar.

— Sai já daí, Daniel.

Os lacaios começaram a abrir as portas duplas e a mulher do vigário indicou aos seus jovens educandos que se alinhassem por baixo de um estandarte onde estava pintado *Feliz Aniversário, Vossa Majestade*.

— Cantamos agora, senhora Wilkins?

— Não, aquela é a mãe da rainha, a Duquesa de Kent.

— E quem é aquele senhor que vem com ela? É o marido?

— Não, criança, o marido morreu. Aquele é, creio, *Sir* John Conroy.

— Parece o marido dela.

— És um rapaz impertinente, Daniel Taylor. Por favor, guarda as tuas opiniões para ti.

Fez-se silêncio na sala quando os lacaios indicaram que o séquito da rainha vinha a descer a galeria de retratos. A senhora Wilkins olhou para os seus educandos e, quando Vitória entrou na sala, mais baixa do que a mulher do vigário julgara possível, ela acenou-lhes com a cabeça para que começassem a cantar:

Deus salve a nossa Rainha!
Longa vida à nossa Rainha!
Deus salve a Rainha!
Faça-a vitoriosa
Feliz, gloriosa!
Por muito reinando sobre nós,
Deus salve a Rainha!

As crianças cantavam, como sempre, fora de tom, mas a rainha sorriu e bateu palmas no final da estrofe. A senhora Wilkins fez um gesto a Eliza, o elemento mais pequeno do coro, para que entregasse um ramo de violetas. A rainha enterrou o rosto nas flores e disse:

— Têm um cheiro maravilhoso. Que encantador presente de aniversário!

As crianças, Daniel incluído, irradiavam orgulho. Então, a um sinal da baronesa Lehzen, a senhora Wilkins fez um gesto indicando às crianças que fizessem as suas reverências e vénias e que a seguissem.

Quando se encontravam já a salvo nas cozinhas do palácio, a comer os gelados que lhes tinham sido oferecidos pela baronesa, Daniel perguntou:

— A rainha tem marido, senhora Wilkins?

— Não, ainda não.

— É por isso que está tão triste? — indagou Eliza.

— A rainha não 'tá triste — troçou Daniel.

— Está, pois. Vi lágrimas nos olhos dela quando lhe dei as flores. Lágrimas a sério.

— Se calhar estava a chorar porque teve de olhar para a tua fronha feia.

Enquanto a senhora Wilkins tratava de separar as duas crianças e consolar Eliza, que era realmente uma criança nada atraente, pensou na carinha triste da rainha, e desejou que ela também pudesse ser consolada com a mesma facilidade.

*

Na amplitude embelezada a dourados da sala do trono, Vitória tentava admirar o seu magnífico bolo de aniversário. Não pôde deixar de soltar exclamações de entusiasmo quando lhe trouxeram um banquinho para poder apreciar as figurinhas de açúcar representando-a a ela e a *Dash*, sentados no andar de topo do bolo. A representação era tão rigorosa que ela foi capaz de ver as tranças em torno das suas orelhas e a coroa minúscula na coleira de *Dash*.

Era verdadeiramente engenhoso e comovente. Instintivamente, Vitória virou-se para mostrar a Ordem da Jarreteira de açúcar a lorde Melbourne, que com certeza apreciaria uma coisa assim, quando se lembrou com um aperto no estômago de que ele não estava ali. Esperara por ele junto da sua janela durante uma hora nessa manhã, na esperança de entrever de relance a sua carruagem, mas não houve sinal dele.

— Posso oferecer-lhe as minhas felicitações pelo seu aniversário, Majestade? — Conroy curvava-se à sua frente. — O primeiro de muitos enquanto rainha, espero. — Ao dizer isto sorria, com um sorriso untuoso, e Vitória ouviu a ameaça velada por trás das palavras. Perguntou-se por que estaria ele ali; a Mamã devia saber que ela não apreciava a sua presença. Olhou para a Mãe para lhe mostrar o seu desagrado, mas a duquesa olhava pela janela.

Vitória virou-lhe as costas sem lhe dar resposta e Harriet apressou-se a preencher o desconfortável silêncio.

— Pus todos os seus presentes em cima desta mesa, Majestade. Há um punhal incrustado de joias do Xá da Pérsia e a mais engenhosa caixa de música em prata da Corporação de Birmingham, que vos mostra sentada no trono a acenar enquanto toca *Rule Britannia*. Deixe-me pô-la a tocar para si.

Vitória olhou apática para a sua minúscula dupla mecânica a mover a mãozinha para cima e para baixo, aos solavancos.

— Muito engenhoso. — Virou-se para Lehzen. — Por favor, garanta que lhes agradece em meu nome.

Pegou no punhal com as joias, que tinha no punho um rubi do tamanho de um olho de *Dash*, e pensou que possuía um palácio cheio de armas que não estava autorizada a usar.

Emma Portman entrou apressada, transportando um pacote embrulhado em papel castanho e cordel que depôs nas mãos de Vitória.

— De Lorde Melbourne, Majestade.

Vitória sentou-se para desembrulhar o pacote. Afinal ele não se esquecera do seu aniversário. Por baixo das camadas protetoras estava uma caixa de madeira com uma placa de latão que na tampa tinha gravado: *Oferecido a Sua Majestade a Rainha Vitória. Por ocasião do seu décimo nono aniversário pelo seu dedicado servidor, Lorde Melbourne.*

Rápida, abriu a caixa. Lá dentro, acondicionado num estojo de veludo azul, estava um tubo de latão. Pegou-lhe e reparou que, de um dos lados, tinha uma ocular.

— Oh, Majestade — disse Emma —, creio que é um telescópio. Que típico de William escolher um presente tão invulgar. — A sua voz tinha um tom encorajador, como se soubesse que Vitória precisava de ser convencida.

Vitória pegou no telescópio e chegou-o ao olho. Não conseguiu ver nada, mas Emma estendeu a mão e mostrou-lhe como usar o instrumento.

— Tem de o esticar assim, Majestade, para poder ver o que quer que seja. Tente agora.

Vitória tornou a encostar o olho ao vidro e apontou-o para o teto. Viu a mão papuda de um querubim a segurar uma lira; até conseguiu ver o pó depositado em camadas da cornija. Quando baixava o instrumento, viu uma boca num trejeito de fúria. Ao pousar o telescópio percebeu que a boca pertencia à mãe.

— Oh, Majestade, veja, está aqui um cartão de Lorde Melbourne. — Harriet meteu-lhe a carta na mão.

Ao ver a caligrafia tão familiar, o coração de Vitória começou a bater-lhe com força no peito. Quebrou o selo e viu, com um sobressalto de desilusão, que a carta tinha apenas duas linhas.

Para a ajudar a ver as coisas de forma diferente, Majestade.
Creia-me, como sempre, o seu leal e obediente servidor,
Melbourne.

*

Vitória deixou a carta escorregar para o chão, onde *Dash* a apanhou como um troféu e correu com ela pela sala fora, ganindo, encantado.

— E aqui tem o meu presente, Drina. — Vitória ergueu o olhar e viu a mãe estendendo-lhe um embrulho. Não sorria.

— Muito obrigada, Mamã.

— Não é grande coisa, eu sei, mas também não tenho fundos ilimitados à minha disposição.

Ouvindo a amargura na voz da mãe, Vitória respondeu com tanta ligeireza quanto foi capaz:

— Não preciso de presentes caros, Mamã. A intenção é que conta.

Rasgou o papel e viu um livro. Era uma edição de *Rei Lear*, encadernada em cabedal marroquino vermelho.

— Shakespeare, Mamã?

— Porque não o abre? Marquei uma passagem que penso que deveria ler.

Vitória olhou para o livro que tinha nas mãos. Sentiu a força do olhar da mãe e a presença de Conroy, de pé atrás dela. Forçou-se a abrir o livro devagar, tentando evitar que as mãos lhe tremessem.

O livro abriu-se com facilidade, e ela viu que duas linhas tinham sido sublinhadas a tinta vermelha. *Quão mais mortífero do que o dente da serpente é ter um filho ingrato.*

— Porque não a lê, Drina? — indagou a mãe, numa voz carregada de segundas intenções.

Vitória fechou o livro com um estalo. Pôs-se de pé e dispunha-se a sair quando reparou num movimento súbito junto dos seus pés. Começou por pensar que era *Dash*, mas depois viu uma mancha cor-de-rosa e uma grande ratazana castanha passou-lhe por cima de um dos pés.

Os seus gritos foram tão altos que, mais tarde, os criados afirmaram que os pingentes de cristal do lustre haviam chocalhado. Tentou parar, mas não conseguia deixar de sentir aquele movimento súbito no seu pé. Não havia lugar nenhum seguro.

Lehzen estava agora atrás de si.

— Não se preocupe, Majestade, o *Dash* já a apanhou. Veja, tem-na na boca.

Mas Vitória gritou ainda mais alto. Depois puxou o braço tão para trás quanto o espartilho permitia e atirou o volume de *Rei Lear* com toda a força contra a janela que dava para a varanda. O vidro partiu-se com um estrépito satisfatório. Vitória parou de gritar e começou a rir, baloiçando-se de trás para a frente nos calcanhares, e o barulho foi crescendo à medida que via *Dash* a correr à volta da sala, segurando a ratazana nos dentes.

Um par de mãos fortes segurou-a pelos ombros e imobilizou-a. Olhou para cima e viu Conroy a olhá-la e a sorrir. Aquele sorriso foi como uma cinta apertada em torno do seu coração.

— Está fora de si, Majestade. Ao que parece, a excitação do dia foi demasiado para si. Baronesa, penso que deveria levar a rainha e deitá-la. Vou mandar chamar *Sir* James.

Vitória tentou falar, mas as palavras não saíam. Tinha a voz rouca de toda aquela gritaria, pelo que abanou a cabeça com tanta energia quanta conseguiu.

— A sério, Majestade, tenho de insistir. Está sob uma grande tensão; as preocupações do cargo são claramente um esforço demasiado para si. Precisa agora de um período de descanso e reclusão. É uma sorte que esteja aqui entre amigos, mas pense na reputação da monarquia se alguém de fora testemunhasse um destes episódios. — Conroy falou com firmeza e calma, como se estivesse a restaurar a ordem após um período de anarquia.

— Não concorda, Duquesa, que a sua filha precisa de um período de isolamento calmo? — Conroy virou-se para a mãe de Vitória.

— A minha filha precisa de cuidados, acho.

Vitória quis protestar, mas em vez disso percebeu que estava a chorar. Lehzen segurou-a por um cotovelo.

— Venha comigo, Majestade, é melhor.

Vitória escutou a lealdade na voz de Lehzen. Sabendo que pelo menos a baronesa nunca a trairia, permitiu que a sua antiga precetora a levasse da sala.

Lehzen ajudou-a a tirar o espartilho e Vitória estendeu-se na cama, adormecendo de imediato. Quando acordou, viu Lehzen dobrada sobre ela e, ao seu lado, *sir* James Clark, que lambia os lábios, nervoso.

— Creio que se encontra excessivamente cansada, Majestade. — Tomou-lhe o pulso e fez uma careta enquanto escutava a pulsação.

Vitória virou a cabeça, desviando-se dele, e viu a mãe do outro lado da cama, tendo Conroy a seu lado, arvorando uma expressão de preocupação compreensiva. Foi tomada de uma grande sensação de cansaço. Como seria fácil fechar os olhos e esperar que se fossem embora. Mas quando viu que Conroy tinha a mão no cotovelo da mãe como se ela fosse uma marioneta, uma vaga de fúria fê-la sentar-se.

— Realmente, Majestade, o vosso pulso está bastante irregular. Penso que se torna essencial um período de descanso absoluto.

Vitória inspirou profundamente e arrancou a mão da do médico. Olhando para Conroy disse, tão alto quanto conseguiu:

— Isso está fora de causa, *Sir* James. Eu não tenho absolutamente nada.

— Mas, Majestade, estes episódios de comportamento histérico têm tendência a repetir-se. A Baronesa disse-me que tem um compromisso no Palácio de Westminster esta tarde. Decerto é mais sensato cancelar?

— Seria muitíssimo lamentável — declarou Conroy —, se se sentisse... indisposta em tal companhia. Creio que estará presente um grande número de nobres e membros do Parlamento para assistir ao revelar do vosso retrato.

Vitória agarrou com força o lençol e sentou-se tão direita quanto foi capaz.

— Creio que fui perfeitamente clara. Vi uma ratazana, foi tudo. Têm todos permissão para sair. Exceto a senhora, Lehzen. Desejo falar consigo acerca dos pormenores da cerimónia do quadro.

Sir James Clark ia protestar, mas Conroy pousou a mão no braço dele.

— Temos de fazer o que a Rainha quer, *Sir* James. É evidente que ela crê estar bem. — Conduziu o médico e a duquesa para fora do quarto.

Depois de saírem, Lehzen preparou-se para falar, mas Vitória ergueu uma mão para a impedir.

— Não, Lehzen, não vou ficar na cama. Tive apenas um choque. O presente da... Mamã, e depois a ratazana; foi perturbador, mais nada.

— Mas, Majestade, está com um ar cansado. Penso que lhe faria bem descansar.

Vitória olhou para a cara preocupada da governanta.

— Descanso agora, Lehzen, mas tenho de ir à cerimónia esta tarde. Caso contrário, haverá boatos a meu respeito e já houve demais. Sabe o que diz Lorde M: um monarca tem de ser visto para que acreditem nele.

Lehzen estremeceu à menção do nome de Melbourne, mas assentiu.

— Compreendo, Majestade.

— Além do mais, quem é que quer passar o dia de anos na cama?

Lehzen levou as mãos à boca.

— Oh, Majestade, quase me esquecia. Tenho uma coisa para si. — Remexendo as saias, retirou delas um pequeno embrulho e colocou-o nas mãos de Vitória.

Dentro estava uma miniatura esmaltada de uma rapariga com cabelo ruivo comprido. Vitória olhou para a rapariga e reconheceu Elizabeth Tudor. Claramente pintada mais cedo do que o retrato da galeria, mostrava a imagem de uma rapariga ainda não endurecida pela monarquia. O rosto era circunspecto, mas os olhos suaves. Olhava da pintura como se procurasse alguém em quem confiar, mas o trejeito da boca, o queixo espetado sugeriam que sabia o que era a desilusão.

Vitória sorriu.

— Elizabeth Tudor. Muito obrigada, Lehzen. Gosto muito.

— Foi uma grande rainha, Majestade. Ninguém pensava que fosse capaz de governar sozinha, mas ela trouxe paz e prosperidade ao país.

Vitória olhou para Lehzen.

— A Rainha Virgem. Lehzen, acha que devia seguir o exemplo dela?

A governanta ficou com um ar confuso, mas depois ergueu os olhos para a rainha:

— Penso, Majestade, que há mulheres que precisam sempre de um homem, mas creio que não é necessário para uma rainha.

— Não me parece que Conroy concorde consigo!

Lehzen sorriu.

— Não, Majestade.

Vitória inclinou-se e pegou-lhe na mão.

— Mas até uma rainha precisa de amigos, Lehzen.

*

Conroy não perdeu tempo em mandar uma mensagem para o Palácio de St. James e recebeu outra pedindo-lhe que visitasse o duque de Cumberland tão logo lhe fosse conveniente. Partiu de imediato, antes que a duquesa de Kent lhe perguntasse onde ia.

Desta vez o duque não tinha a caixa de rapé e pôs-se de pé quando anunciaram Conroy.

— Fiquei perturbado quando recebi o seu bilhete, Conroy. Histeria por causa de uma ratazana, foi o que disse?

Conroy assentiu.

— Temo que tenham conseguido ouvi-la na outra ponta do palácio. Naturalmente que mandei chamar *Sir* James Clark de imediato.

Cumberland percorreu a cicatriz da cara com um dedo.

— *Havia* mesmo uma ratazana ou pode ter sido uma alucinação? O meu pai, sabe, costumava ver um cão vermelho. — Olhou para Conroy, na expectativa.

Conroy abanou a cabeça.

— Creio que havia mesmo uma ratazana, Vossa Graça, mas a reação da rainha foi exagerada. *Sir* James pensa que ela sofre de histeria.

Cumberland franziu os lábios.

— Então é nosso triste dever levantar a questão do estado do seu juízo. Penso que Wellington e Peel terão de concordar com o meu ponto de vista quando souberem deste episódio. O país continua sem Governo e a minha sobrinha fica desvairada por causa de um roedor.

Proferiu as últimas palavras com deleite. Conroy viu que Cumberland estava já a assumir o poder e acrescentou, com rapidez:

— A Duquesa não quer que se faça mal à filha.

Cumberland deitou-lhe uma olhadela rápida, aborrecido com este lembrete da sua aliança. Acenou com a mão, num gesto de grandiosidade real.

— Certamente. A Duquesa e eu cuidaremos dela em conjunto.

Conroy dobrou-se numa reverência.

— A Duquesa ficará tranquila quando ouvir isso, senhor.

Cumberland avaliou-o.

— Não temos um momento a perder. — Tirou para fora o relógio de bolso. — Tenho de ir ao White's; atrevo-me a dizer que Wellington estará lá a esta hora. — Cumberland apanhou o chapéu de cima de uma mesa e partiu em direção à porta.

Conroy percebeu que estava a ser dispensado.

— A Duquesa terá de ser informada de todos os... desenvolvimentos, senhor.

Cumberland virou-se, surpreendido de ainda ali ver Conroy.

— Certamente.

*

Havia uma pilha de vestidos numa cadeira no quarto de vestir de Vitória. Tinha pensado vestir o de seda cor-de-rosa, mas quando o pôs percebeu que não servia. Apesar de Lehzen insistir que lhe ficava muito bem, Vitória declarara que a cor era detestável e que parecia um pedaço de ruibarbo com ele vestido. Depois mandou chamar Harriet Sutherland, que sugeriu o brocado creme, mas Vitória decidira que a fazia parecer um pastel. Agora, vestindo um de seda azul, olhava-se no espelho, com Harriet, Emma e Lehzen à espera que ela falasse. Pela expressão nas caras delas, Vitória sabia que achavam que estava a ser pouco razoável, mas nenhuma sabia o que era a sensação de entrar numa sala cheia de estranhos com toda a gente a olhar para si.

— Este vestido faz-me parecer uma... esporinha!

— Uma flor gloriosa, sempre pensei, Majestade! — disse Harriet, com uma pequena vénia.

— Mas eu quero ter o ar de uma rainha!

— Mas é a Rainha, Majestade — afirmou Emma. — Como é que pode parecer outra coisa qualquer?

Vitória estava prestes a responder quando um pajem entrou, esbaforido.

— Peço desculpa, Majestade, mas o Duque de Wellington está cá. Pede uma audiência.

Vitória reparou no ar de surpresa das suas damas.

— Estou a ver. Diz-lhe que vou de imediato.

O pajem saiu e Vitória virou-se para Emma.

— Pensa que ele mudou de ideias quanto a formar um Governo, Emma?

Emma ponderou a pergunta.

— Ficaria muito surpreendida, Majestade. O Duque não é pessoa de mudar de ideias.

— Bem, espero que não esteja aqui para me persuadir a ceder àquele horrível Peel e rodear-me de harpias conservadoras.

Emma sorriu.

— O Duque é corajoso, mas não é temerário, Majestade.

A senhora Jenkins entrou no quarto trazendo a faixa azul da Ordem da Jarreteira. Ia pousá-la quando Vitória disse:

— Obrigada, Jenkins, vou usá-la agora.

Jenkins ajustou a faixa ao braço de Vitória de forma a ficar segura. Vitória respirou profundamente.

— Sinto-me a caminho de uma batalha.

Lehzen pegou na miniatura de Elizabeth e estendeu-lha.

— Talvez deva levar isto, Majestade, para se recordar do que é possível.

Vitória assentiu e enfiou-a no bolso.

Wellington aguardava-a na sala do trono. Quando se dobrou sobre a sua mão, ela percebeu que ele examinava o seu rosto com cuidado, como se procurasse algo.

Ciente de que o duque tinha no mínimo mais trinta centímetros do que ela, Vitória sentou-se e convidou-o a fazer o mesmo. Houve uma pausa momentânea e, então, Wellington falou.

— Vim saber da vossa saúde, Majestade.

Vitória olhou-o, admirada.

— Estou perfeitamente bem, muito obrigada.

O duque assentiu e sorriu.

— Fico muito feliz por sabê-lo, Majestade. Ouvi no clube relatos de um... incidente durante a celebração do vosso aniversário e fiquei preocupado.

Vitória semicerrou os olhos.

— Mas estou de perfeita saúde, Duque, como pode ver.

Wellington pousou as mãos nos joelhos num gesto que anunciava que estava prestes a entrar em assuntos mais sérios.

— Então deve estar ciente de que é tempo de chamar alguém para formar Governo, Majestade. Sei que o Peel não é encantador como o Melbourne, mas é suficientemente sólido.

Vitória espetou o queixo.

— Se me diz que *Sir* Robert é sólido, eu tenho de acreditar em si. Mas não abdicarei das minhas damas. Não são só minhas amigas; são minhas aliadas. — Fez uma pausa e olhou para o duque, olhos nos olhos. — Foi soldado, Duque. Iria para uma batalha sozinho?

Wellington mexeu-se no seu assento.

— Não tinha consciência de que travava uma guerra, Majestade.

Vitória não devolveu o sorriso. Endireitando-se um pouco mais na cadeira, sentiu a forma da miniatura dentro do bolso.

— É porque o senhor não é uma mulher jovem, Duque, e suspeito que ninguém lhe diz o que fazer. Mas eu tenho de provar o que valho todos os dias e não consigo fazê-lo sozinha.

O duque ponderou isto e a superfície enrugada do seu rosto explodiu num amplo sorriso que iluminou toda a sua cara. Se Vitória fosse um soldado, tê-la-ia seguido de boa vontade para a batalha.

— Então, Majestade, não a critico por se agarrar às suas armas.

Vitória sentiu-se inundada de alívio, mas o duque prosseguiu:

— E, no entanto, o vosso maior aliado, o Visconde Melbourne, não está ao vosso lado?

Vitória olhou para o chão e abanou a cabeça.

— Ele e eu não... estamos de acordo.

— O que é infeliz. Parece, Majestade, que precisa de um novo plano de ataque.

Vitória aguardou que prosseguisse, mas ele agarrou na bengala e olhou para ela, pedindo permissão para se retirar.

Ela levantou-se e ele imitou-a. Curvando-se, ele disse:

— Como sabeis, conheci o vosso pai, Majestade. Mas devo dizer-vos que preferia ter-vos a vós a meu lado no campo de batalha.

Fez-lhe uma rígida reverência com a cabeça e saiu.

Vitória levou a mão ao rosto. Ardia.

*

As carruagens encontravam-se alinhadas ao longo de Whitehall. Melbourne enfiou a cabeça pela janela e, vendo que não havia movimento, decidiu sair e continuar a pé. Não tencionara ir à apresentação do retrato, mas recebera uma mensagem de Wellington a pedir-lhe que se encontrassem lá e sabia que seria rude recusar. Não tinha dúvidas de que Wellington quereria que usasse a sua influência junto da rainha para a persuadir a fazer algumas mudanças nas suas damas. Teria de explicar que a sua influência junto da rainha não ia tão longe.

Era importante que Wellington percebesse que a teimosia da rainha não era obra sua, mas algo muito dela. A ironia era que toda a gente pensava que ele a encorajara a resistir a Peel. Sutherland, Portman e lorde John Russel tinham-no visitado, perguntando-lhe quando iria formar um novo Governo, e quando lhes dissera que não planeava regressar enquanto primeiro-ministro, todos tinham ficado estupefactos.

Enquanto caminhava ao longo de Whitehall, viu que a razão da demora era um rebanho de ovelhas que estava a ser conduzido pelo meio da rua por um pastor que envergava um guarda-pó. O pastor parecia bastante indiferente ao caos que causava. Melbourne olhou para o rosto avermelhado e modos pachorrentos do pastor e invejou a sua independência.

Melbourne pensara que se sentiria igualmente exaltado quanto à sua decisão, que encontraria amparo em ter feito a coisa certa, mas na verdade nem mesmo S. Crisóstomo lhe atenuara o sentimento de perda. O dia anterior fora o primeiro desde que a rainha subira ao trono em que não se tinham encontrado ou comunicado por carta. Sabia que haveria um abrandamento, no fim de contas já não era primeiro-ministro, mas não previra o quanto o silêncio do seu trabalho o perturbava, o implacável tiquetaque do relógio a marcar as horas já não pontuadas por caixas vermelhas ou cavalgadas em Rotten Row ou pela vozinha clara a chamar por lorde M.

Melbourne escutou as conversas à sua volta transformarem-se em murmúrios enquanto subia os degraus de Westminster Hall. Uma voz dizia «Aos gritos como uma *banshee*,[15] segundo parece. Teve de ser agarrada por seis lacaios», mas parou quando Melbourne apareceu.

Já no interior viu que o Hall estava cheio de nobres e membros do Parlamento que tinham vindo assistir ao descerramento do retrato, mas também avaliar de que lado soprava o vento político. Viu o duque de Sutherland de pé com lorde John Russell e lorde Durham, e pelas suas expressões furtivas percebeu que tinham estado a falar dele. Para se distrair pôs-se a olhar para as grandes traves de madeira que sustentavam o teto. Estavam ali desde o tempo dos Plantagenetas e haviam sobrevivido ao grande incêndio de 1834 que destruíra todo o resto do edifício do Parlamento. Nessa noite houvera gente que teria ficado bastante feliz por ver todo o edifício arrasado, mas

---

[15] As *banshees* eram fadas cujos lamentos pressagiavam a morte de alguém numa casa. (*NT*)

Melbourne ordenara que o Hall fosse salvo. A sua preocupação e uma bem-aventurada mudança da direção do vento significara que para além de umas chamuscadelas, o teto para que Charles I olhara enquanto estava a ser julgado e a sua vida estava em jogo fora preservado. No fundo do Hall, sobre um estrado de madeira com o cavalete coberto por um pano de veludo vermelho, encontrava-se o retrato da rainha envergando as vestes da coroação, pintado por Hayter. O quadro, encomendado pelo Parlamento, ficaria pendurado nos novos edifícios, quando fossem finalmente terminados.

Melbourne perguntou-se se a rainha conheceria a história daquele espaço. Talvez a fizesse pensar mais seriamente nas consequências do seu comportamento. O país não funcionava sem um Governo. Podia, por outro lado, como os dez anos do Interregno haviam demonstrado, sobreviver sem um monarca.

Sentiu uma mão no ombro e virou-se, deparando-se com a cara de falcão do duque de Wellington.

— Até que enfim que o encontro, Melbourne — disse o duque.

— Talvez devêssemos ir para um sítio mais privado? — Melbourne indicou uma área por trás do retrato onde não estariam expostos aos olhares de toda a gente.

Enquanto caminhavam, Wellington disse, num tom brusco:

— Jogou com muita esperteza, Melbourne. A nossa pequena rainha é uma apoiante dos Liberais tão ardente que não cede uma única touca ao meu partido. Pergunto-me como é que ela se tornou tão teimosa?

Melbourne aguardou até se encontrarem a salvo por trás do estrado para dizer:

— Aconselhei a Rainha a que fizesse alguns ajustes nas suas damas, duque.

Para sua surpresa, o outro homem resmungou uma curta risada.

— E ela também não lhe dá ouvidos? Mulheres.

A seguir, Wellington aproximou-se e, num tom mais baixo, continuou:

— Bem, se ela não lhe está a dar ouvidos a si, quem é que está a dizer-lhe o que fazer? O Cumberland pensa que ela ouve vozes dentro da cabeça, como o avô.

— O velho rei? Mas ele era louco — retorquiu Melbourne, atónito.

Wellington deu uma pancadinha no nariz com o dedo.

— Precisamente. — Depois, num tom ainda mais baixo:
— E o que é mais, o Cumberland anda a mexer-se para uma moção de regência.

O coração de Melbourne deu um salto, mas conseguiu manter o olhar firme.

— Garanto-lhe, Duque, que a Rainha é tão lúcida como qualquer pessoa nesta sala. A única voz que escuta é a sua própria.

Para seu grande alívio, o outro homem anuiu vigorosamente.

— Acredito na sua palavra, Melbourne. Mas quanto mais tempo durar este assunto das damas, bem, não tem bom ar. Se a Rainha não estiver boa da cabeça, então algo terá de ser feito.

— O que quer dizer? — perguntou Melbourne, num tom de voz mais alto do que fora sua intenção.

Várias pessoas que estavam por perto olharam à sua volta.

Wellington levou o dedo aos lábios e olhou para Melbourne com firmeza.

— Se a Rainha não nomear um primeiro-ministro, então o Parlamento terá de designar um regente. Há que ter alguém sensato no centro dos assuntos.

Melbourne mal podia acreditar que Wellington, de entre toda a gente, desse crédito a uma sugestão tão absurda.

— Não pode estar a falar a sério, Duque.

Wellington abanou a cabeça e lançou um olhar matreiro a Melbourne.

— Talvez não.

A seguir, inclinando-se e apontando um dedo ao peito de Melbourne:

— Mas *eu* não sou o homem que pode pôr fim a esses rumores, Melbourne.

Melbourne fitou os impiedosos olhos azuis do velho soldado e percebeu que estava a receber uma ordem.

Houve uma mudança nos sons à volta deles, e as cabeças começaram a virar-se na direção das portas do Hall. O séquito real estava a chegar. Wellington fez um aceno de cabeça a Melbourne e dirigiu-se para o sítio onde se encontravam os membros mais importantes do Partido Conservador. Quando o grupo se deslocou para o receber, Melbourne viu que Cumberland falava com urgência com *sir* Robert Peel.

A grande porta abriu-se, e Melbourne viu a silhueta de Vitória recortada contra o sol da tarde. Ficou impressionado ao verificar o quão pequena ela era e, contudo, havia algo de essencialmente régio na postura determinada da cabeça dela e no passo seguro com que atravessava a câmara, flanqueada, era a única palavra para aquilo, pelas suas damas.

A rainha deteve-se junto ao estrado onde recebeu a saudação de James Abercrombie, o presidente da Câmara dos Comuns. Ele era o tipo de escocês que nunca usava duas palavras quando podia usar vinte. Pigarreou com um cuidado elaborado e começou o seu discurso:

— Gostaria de estender a saudação deste Parlamento, pai de todos os parlamentos, a Vossa Majestade, por ocasião da apresentação deste retrato de Vossa Majestade à nação, pintado por George Hayter, Membro da Academia Real. Posso pedir-vos que nos façais a honra de descerrar este tributo pictórico perante esta assembleia dos vossos mais leais e dedicados súbditos?

Quando pronunciou a última linha, várias cabeças giraram para olhar para Cumberland que não tinha ar nem de leal nem de dedicado. Ouviu-se um murmúrio quando a rainha subiu os degraus do estrado. Colocou-se ao lado do cavalete tapado, examinando a multidão como se à procura de alguém. Depois colocou a mão sobre o cordão dourado que deveria puxar o veludo de cima do quadro. Alguém avaliara mal as alturas relativas do cavalete e da monarca, pelo que a rainha teve de se pôr em bicos dos pés e esticar os braços para chegar ao cordão. Ficou com um ar instável e um tanto absurdo. Melbourne viu Cumberland arquear uma sobrancelha e olhar à sua volta, para os que tinha por perto, enquanto a rainha tentava sem sucesso puxar o cordão para que soltasse o tecido.

O seu rosto estava a ficar rosado do esforço e ela franziu a testa de frustração. Deu um saltinho, como se na esperança de que se puxasse o cordão com todo o seu peso, ele pudesse acabar por ceder.

Melbourne escutou um riso escarninho nas suas costas e, quando se virou, viu que todos os rostos à sua volta lutavam para conter o riso. Observou Vitória endireitar os ombros para fazer uma nova tentativa e, antes de ter tempo de pensar no que estava a fazer, deu consigo ao lado dela, a dizer:

— Posso prestar-lhe uma ajuda, Majestade?

Vitória virou a cabeça e o seu rosto abriu-se num grande sorriso que Melbourne pensou que iria recordar para o resto da sua vida.

— Ficar-lhe-ia muitíssimo grata. Parece que não vou conseguir sem ajuda.

Melbourne estendeu a mão e tirou o cordão das mãos dela.

— Então será um prazer meu servir-vos, Majestade.

As mãos tocaram-se e Vitória olhou para ele, inquisitiva.

— Quer dizer que... — interrompeu-se, com a esperança a cintilar-lhe nos olhos.

— Quero dizer que se Vossa Majestade me conceder a honra de me pedir que forme um Governo, será meu privilégio aceitar.

Viu que Vitória não estava realmente a prestar atenção às suas palavras, mas antes a examinar-lhe o rosto à procura do sentido do que dizia. Sorriu-lhe e, nesse momento, puxou o pano que cobria o retrato.

A multidão arquejou, mas se tal se deveu ao esplendor do quadro ou ao espetáculo da rainha de pé ao lado do seu antigo primeiro-ministro, foi impossível dizer.

No quadro, Vitória olhava para o mundo por cima do ombro. Hayter redefinira o tamanho da coroa, pelo que em vez de estar empoleirada de forma precária, assentava na cabeça de Vitória como se tivesse sido feita para ela. Tinha o cabelo em duas tranças à volta das orelhas e as cores vivas das vestes da coroação e do estandarte real por trás do trono conferiam ao quadro um ar mítico, como se ela não fosse apenas a rainha, mas o próprio símbolo da soberania.

Vitória ergueu o olhar para Melbourne.

— Gosta, Lorde M?

Passara menos de uma semana desde que ela lhe chamara assim pela última vez, mas Melbourne sentiu uma alegria pateta no seu coração.

— Nenhum quadro vos pode fazer realmente justiça, Majestade. Ela devolveu-lhe o sorriso.

— É bem melhor do que aquelas horríveis caricaturas que me retratavam como um pastel.

— Estou certo de que mais ninguém vos desenhará como um pastel, Majestade. Pelo menos, não enquanto eu for primeiro-ministro.

Vitória riu-se.

— Então, espero que se mantenha no cargo enquanto eu for rainha.

Abercrombie surgiu junto do cotovelo da rainha.

— Se quiser fazer a gentileza de me permitir apresentar-lhe alguns dos membros que subscreveram o retrato.

Vitória olhou para Melbourne.

— Sim, com certeza. Creio já ter terminado de falar com o — fez uma pausa e sorriu — primeiro-ministro.

— Creio que sim, Majestade.

Os olhos de Abercrombie arregalaram-se enquanto conduzia a rainha até junto da fila dos membros do Parlamento que aguardavam para serem apresentados. Melbourne seguiu-os, uns passos atrás, sabendo que seria a forma mais rápida de mostrar aos seus pares que decidira regressar ao Governo. Enquanto a rainha percorria a fila de homens, recebendo as suas saudações com o seu leve e rápido sorriso, ia, de vez em quando, olhando para trás por cima do ombro para Melbourne, como se para se asseverar de que ele continuava ali.

Na outra ponta da sala, Cumberland que estava de pé junto do duque de Wellington, passava convulsivámente o dedo sobre a cicatriz da cara enquanto observava a sobrinha avançar ao longo da fila da receção, a sua pequena estatura parecia ainda mais minúscula pela floresta de homens à sua volta.

— E é aquilo a Ungida do Senhor. Os franceses sabiam o que estavam a fazer quando estabeleceram a Lei Sálica.

Wellington permitiu-se um sorriso.

— As mulheres podem ser uma praga infernal, mas o público gosta de ter uma rainha jovem. Faz com que o país se sinta jovem, não sabia?

— Ninguém quer uma rainha que perdeu o juízo.

— Oh, penso que a Rainha está bastante lúcida. Veja como ela conseguiu que Melbourne regressasse. Penso que não restam dúvidas de que ela vai manter a cabeça no sítio.

Cumberland escutou qualquer coisa no tom da voz do duque que o fez voltar-se.

— Gostaria de saber se Robert Peel está de acordo consigo, Duque. Vê negada a sua hipótese de ser primeiro-ministro porque a Rainha não abdica de um único saiote.

— *Sir* Robert sabe que não falta muito para chegar ao poder — Wellington ergueu uma sobrancelha a Cumberland —, mas só o fará nas devidas circunstâncias.

Vitória estava quase ao mesmo nível deles, do outro lado da sala. Quando viu Wellington, olhou para Melbourne, depois de novo para o duque, e sorriu. Um sorriso que teve resposta.

Cumberland, que observou esta troca de sorrisos, decidiu que não valia a pena ficar. Saiu do Hall sem se despedir, com o dedo ainda a percorrer a assinatura da cicatriz no seu rosto.

*

Nessa noite, Melbourne jantou no palácio e a família real pôde terminar a sua refeição sem ser interrompida enquanto a rainha escutava deliciada as histórias dele da corte de George III. Depois do jantar, a rainha tocou um dueto com Harriet Sutherland.

A atenção de Melbourne estava apenas meio dedicada à música; olhava para a pequena cabeça da rainha, observando a maneira como ela chupava as faces sempre que se deparava com uma passagem mais difícil.

— A Rainha está com um ar muito feliz esta noite — disse Emma Portman. Não reparara que ela estava atrás dele. Melbourne respondeu sem tirar os olhos de Vitória.

— Tão jovem, mas com tantas responsabilidades. Não devia ter de as carregar sozinha.

Nesse instante Vitória ergueu os olhos do teclado e, vendo Melbourne a olhar para ela, sorriu-lhe, revelando os seus pequenos dentes brancos. Emma observou aquela troca de olhares e disse, lentamente:

— Sabe que tem os dias contados, não sabe, William?

Melbourne olhava ainda a rainha quando retorquiu:

— Claro. Todos os primeiros-ministros o sabem.

— Não, não estou a falar disso. Ela é muito jovem, como diz, mas um dia em breve casará, e então...

— E então olhará para o marido e não para mim — terminou Melbourne. — Sim, Emma, eu sei.

Emma teve a sensatez de não dizer mais nada.

A música parou e Vitória levantou-se e aproximou-se do sítio onde eles estavam.

— Quer jogar às cartas, Lorde M? Tenho saudades dos nossos jogos de *piquet*.

Melbourne baixou o olhar para ela e sorriu:

— Eu também, Majestade. Eu também.

LIVRO TRÊS

CAPÍTULO UM

— Há uma carta para Vossa Majestade, de Bruxelas. — Lehzen tirou a carta de um bolso das suas saias.

Vitória suspirou.

— Não quero lê-la agora, Lehzen. Hoje, não.

Lehzen pousou a carta no toucador e retirou-se. Skerrett estava a tirar os ganchos do cabelo de Vitória, desfazendo o penteado complicado que usara na abertura formal do Parlamento. Vitória olhou para a carta com um ar ameaçador. O dia fora esgotante; estivera sob o olhar do público desde manhã até agora. Fora até ao Parlamento no coche de vidro, a acenar e a sorrir às multidões o tempo todo, quer lhe devolvessem o aceno ou não, e depois no Parlamento estivera sob o escrutínio de todos aqueles homens grisalhos, enquanto mentalmente se dirigia aos membros da Câmara dos Lordes e dos Comuns. O pior fora ter de ler o discurso que descrevia os planos do Governo para a sessão parlamentar seguinte. Havia sempre frases tão longas e tortuosas.

Queixara-se a Lorde Melbourne de que aquilo era como ler o tipo de sermão que lhe causava sono quando ia à igreja, mas Melbourne rira-se e dissera-lhe que ninguém podia adormecer quando ela falava ou seria preso por traição. Mas nem mesmo lorde M podia compreender o esforço de manter a voz firme enquanto lia o discurso em frente àquele público. Sempre que levantava os olhos da página, como lorde M a incitara a fazer, via algum nobre de cara vermelhusca com a mão em concha na orelha numa pantomima de surdez, ou um qualquer cadavérico membro do Parlamento a sorrir, cinicamente, porque considerava a sua pronúncia peculiar.

Nunca olhou para a direita, onde sabia que o duque de Cumberland estava sentado, aguardando na esperança de que ela cometesse um erro. Havia poucos momentos em que desejava ter nascido homem, mas o suplício de hoje fazia-a desejar ter uma voz de barítono que não precisasse de se esforçar para ser ouvida.

Houvera um momento em que se sentira bastante rouca e desejara um gole de água. No entanto, sabendo que toda a gente estava à espera de um tal sinal de fraqueza, engolira em seco e prosseguira, permitindo-se no final da frase erguer os olhos e apanhar o sorriso encorajador de Melbourne.

Agora, só queria estender-se na cama, fechar os olhos e dormir, mas a carta estava ainda no toucador. Era do tio Leopold, o irmão da mãe, que cinco anos antes fora convidado pelo novo país, a Bélgica, a subir ao trono e a tornar-se rei. Antes de Vitória nascer, fora casado com a princesa Charlotte, a herdeira do trono inglês, até ela morrer de parto juntamente com o bebé. Ser rei da Bélgica era uma espécie de consolo por não ser príncipe consorte de Inglaterra, mas não o suficiente, pelo que o tio Leopold decidira que ser tio da rainha de Inglaterra era uma responsabilidade muito séria que devia assumir quer a sobrinha quisesse, quer não. Escrevia-lhe pelo menos uma vez por semana aconselhando-a a como se comportar enquanto rainha. Se ela não lhe respondesse de imediato, escrevia--lhe outra vez censurando-a, relembrando que era a única pessoa em situação de lhe oferecer conselhos desinteressados, porque, *Minha querida sobrinha, escrevo-lhe não só enquanto tio a uma sobrinha, mas como um soberano a outro. Por isso faria bem em escutar o que lhe digo e recordar que o seu bem-estar é a minha única preocupação.*

Apesar de apetecer a Vitória escrever-lhe que a única preocupação dele deveria ser o bem-estar dos seus próprios súbditos, não tinha a coragem suficiente. Interrogou-se sobre o que poderia conter esta carta; a última fora uma lição sobre a sua insensatez em recusar abdicar das suas damas por *sir* Robert Peel. *O dever de um monarca constitucional é para com o interesse público acima do interesse pessoal. Sei que é muito afeiçoada às suas damas e, claro, ao estimável lorde Melbourne, mas tem de perceber que uma tal ostensiva exibição dos seus afetos pessoais a deixa exposta a acusações de parcialidade e preconceito.*

A Rainha de Inglaterra tem de ser vista como estando acima das maqui-
nações de partidos e presidir, não interferir. Se não compreende a insensatez
do seu procedimento, então o seu povo pode deixar de a respeitar enquanto
monarca e começar a perguntar-se qual a razão de estarem a ser governados
por uma rapariguinha estouvada.

Rasgara aquela carta e sentara-se a escrever ao tio, dizendo-lhe
que nunca mais queria ouvir uma palavra dele. Mas mesmo quando
a sua pena arranhava o papel furiosamente, ela sabia que escrevia
uma carta que nunca enviaria.

No dia seguinte decidiu que a melhor vingança seria responder
com tal afabilidade que Leopold se veria forçado a duvidar se ela
teria ou não lido os seus insultos. Portanto escrevera uma longa e
divagante carta perguntando pelos primos Coburgo e contando-lhe
com uma minúcia intolerável todos os seus recentes compromissos
eclesiásticos. Enquanto rei dos belgas, Leopold tornara-se católico,
e Vitória sentiu satisfação em recordar-lhe a sua própria posição
como chefe da Igreja Anglicana.

— É tudo, Majestade? — Skerrett pairava sobre ela. — Deseja
que lhe ponha os papelotes?

— Não, podes ir. — E a jovem criada fez uma vénia e abandonou o quarto.

Pegando na carta, Vitória estendeu-se na cama. Quando o seu
momento de repouso foi interrompido por *Dash*, puxou o cão para
si e passou os dedos pela sua pelagem macia e encaracolada.

— Que sermão achas que o tio Leopold vai fazer-me agora,
Dash? Ele não ia gostar que eu lhe escrevesse a dizer-lhe como
orientar a sua política externa. Sou tão rainha quanto ele; na realidade até muito mais, já que o meu país existe há mil anos e o dele
tem só cinco anos.

Dash deitou-lhe um olhar de adoração, abanando a longa cauda.
Vitória deu-lhe um beijo no nariz.

— Se ao menos toda a gente fosse como tu, *Dash*, a minha vida
seria mais fácil.

Dash lambeu-lhe a mão, concordando. Por fim, Vitória agarrou
na carta, quebrou o selo e abriu-a. Para sua surpresa não era a mis-
siva habitual, mas uma nota breve informando-a de que a visitaria

na semana seguinte, porque queria falar com ela acerca do seu primo Albert. Vitória atirou com a carta para o outro lado do quarto, fazendo *Dash* ladrar, alarmado.

A porta de comunicação abriu-se e Lehzen surgiu, embrulhada no xaile, o cabelo cheio de papelotes, com uma expressão preocupada no rosto largo.

— Há alguma coisa errada, Majestade? Sente-se indisposta?

— Sim! Uma coisa muito errada! O meu tio Leopold anunciou-me que vem até cá para me falar de Albert. Como é que se atreve! Não tenho a menor intenção de me casar durante os próximos anos, e quando o fizer, não vai ser com um copinho de leite como o Albert.

Lehzen anuiu.

— Penso que o seu primo Albert não é realmente o parceiro certo para si.

— Lembra-se de quando ele esteve cá há uns anos, com o Ernst? Quando íamos dançar, começava a bocejar e dizia que estava demasiado cansado para participar. Imagine, alguém demasiado cansado para dançar! E ele foi tão aborrecido, sempre a perguntar-me quantos acres tem o grande parque de Windsor e se eu alguma vez visitara a Real Casa da Moeda. O Ernst não é tão mau; pelo menos, sorri de vez em quando e gosta de dançar, mas o Albert saiu cá um bebé. Quer dizer, ele é só três meses mais novo do que eu, mas bem que podiam ser três anos.

— Quando chega o Rei Leopold? — perguntou Lehzen.

— Na próxima semana. Não percebo como pode ele partir do princípio de que eu fico feliz por o receber. Imagino que tenha escrito à Mamã e que ela lhe tenha dito que será bem-vindo. Calculo que aquele par tenha andado a cozinhar esta visita em conjunto. Mas não vou aturar isto. Ninguém me vai escolher um marido.

— Não, Majestade. A escolha deve ser sua.

— O tio Leopold não quer saber se eu e o Albert estamos bem um para o outro; só quer garantir que os Coburgos estão em todos os tronos da Europa. Fá-lo sentir-se Imperador em vez de rei de um país que há cinco anos ainda nem sequer existia. E quem são os Coburgos, já agora? Apenas uma família nobre pouco importante que casou bem.

Lehzen tossiu.

— A sua mãe é uma Coburgo, Majestade.

— Sim, mas o meu pai pertence a uma linhagem real que vai até William, o Conquistador.

— Estou certa de que o rei compreenderá quando lhe disser que, por agora, não faz intenção de casar.

Vitória riu.

— Ele vai inclinar a cabeça para um lado e dizer — adotou um sotaque alemão carregado —, ah, minha pequena *Maiblume*, isso é porque é uma jovenzinha que não compreende a forma como o mundo funciona. É por isso que tem de escutar o que os mais velhos lhe dizem.

Suspirou.

— O tio Leopold e a Mamã pensam que ainda podem controlar-me, mas não vão dizer-me o que fazer; nem eles, nem ninguém.

Soou tão feroz que *Dash* rosnou, solidário, o que fez com que ambas as mulheres se rissem. Lehzen pousou a mão sobre a de Vitória, um gesto a que só se permitia quando estavam sozinhas as duas, em privado.

— Por favor, não se preocupe, Majestade. Ninguém pode forçá-la a fazer algo com que não concorde. Já não.

— Não — concordou Vitória. — Já não.

Na manhã seguinte, quando Melbourne veio para trabalharem nas caixas, Vitória tinha a miniatura de Elizabeth Tudor que Lehzen lhe oferecera ao lado do tinteiro.

Melbourne reparou nela imediatamente e, olhando para Vitória a pedir autorização, pegou-lhe para a examinar.

— Um objeto encantador. Que mulher admirável era a vossa predecessora.

— Como seria a voz dela, pergunto-me. Acho tão difícil fazer com que a minha seja ouvida.

Melbourne olhou para ela.

— Estou certo de que as pessoas a ouviam porque era a rainha, tal como vos escutam a vós.

— Não pensa que tenho uma voz demasiado delicada para uma rainha? Penso que, ontem, as pessoas estavam com um ar bastante descontente, em particular o tio Cumberland.

— O vosso tio Cumberland tem um ar descontente desde o dia em que o conheci. Se os outros tinham um ar de desagrado, é porque não apreciam as minhas políticas, e não pela forma como foram comunicadas. Na minha opinião, Majestade, a senhora tem uma bela voz falada e não pode haver nada de mais digno do que a forma como se comportou ontem. Na verdade, se me é permitido dizê-lo, foi bastante mais régia do que o seu tio, que não conseguia ler o discurso sem a ajuda de grandes quantidades de rapé. Creio que os pontos mais finos das nossas políticas se perdiam no meio das consequentes explosões.

Vitória riu-se.

— Diz sempre a coisa certa, Lorde M.

— Assevero-lhe, Majestade, que os Conservadores não concordam consigo. Mas parece inquieta, esta manhã. Passa-se alguma coisa?

— Vivo atormentada por uma praga de tios. Primeiro tenho o tio Cumberland a olhar para mim como uma gárgula, e agora o meu tio Leopold escreveu-me a dizer que vem cá.

Melbourne sorriu.

— E como parece encantada com a ideia, Majestade.

— Quer casar-me com o meu primo Albert.

Melbourne olhou para a miniatura que tinha na mão.

— Creio que não se afeiçoou ao seu primo da última vez que o viu.

— Não, na verdade, não.

— Nem todas as rainhas casam, Majestade. — Melbourne repôs a miniatura da Rainha Virgem na mesa.

Vitória olhou para ela e depois para Melbourne.

— Acha que ela se sentia sozinha?

Melbourne fez uma pausa e, depois, respondeu:

— Creio que encontrou... companheiros.

Vitória deitou-lhe uma olhadela.

— Bem, não faço qualquer intenção de casar por agora. — Continuou: — Não tenho visto assim muitos casamentos felizes.

Melbourne suspirou.

— Nem eu, Majestade, nem eu.

Vendo a dor no rosto dele, Vitória apercebeu-se de que enquanto ela fora leviana, ele falara sinceramente. Antes de poder dizer mais qualquer coisa, Lehzen surgiu à porta, com um ar de desculpa, mas determinado.

— Peço desculpa, Majestade, por interromper, mas chegou um mensageiro da Câmara que diz que tem de falar urgentemente com Lorde Melbourne.

Vitória viu uma expressão de alarme atravessar por um instante o rosto de Melbourne, depressa substituída pelo seu habitual meio sorriso. Fez-lhe uma triste vénia.

— Peço desculpa, Majestade, mas creio que tenho de tratar disto. — Começou a recuar, afastando-se dela.

— Claro. — Vitória assentiu, mas depois, antes de conseguir conter-se, acrescentou: — Mas volta, Lorde M?

Melbourne virou-se e olhou para ela.

— Volto, Majestade.

Vitória anuiu e viu-o partir.

Lehzen recordou-lhe que ainda se encontrava na sala fazendo um barulho algures entre um suspiro e um estalido de desa-provação.

Vitória dirigiu-se-lhe diretamente:

— Passa-se alguma coisa, Baronesa?

Lehzen hesitou, depois disse de repente:

— Ele não vai ser seu primeiro-ministro para sempre, Majestade.

— Imagina que eu não sei isso, Baronesa?

Lehzen apoiou uma mão na parede.

— Não, Majestade, mas às vezes preocupa-me que possa não estar preparada. Apoia-se tanto nele e ele não poderá estar sempre por perto.

— De facto. — A voz de Vitória era gelo.

A mulher mais velha inclinou a cabeça. Depois disse, em voz baixa:

— Cuidei de vós, Majestade, desde que éreis menina. Foi a minha vocação. Por isso, por favor perdoai-me se, por vezes, me preocupo para lá da minha posição. Quando vos diz respeito, esqueço tudo o que não seja a vossa felicidade. — No final do seu discurso, a voz estava tão baixa que Vitória teve de fazer um esforço para perceber as palavras. Uma vez terminado, Lehzen começou a recuar para sair da sala.

— Espere!

Lehzen deteve-se, e Vitória aproximou-se e tomou-lhe a mão.

— Eu sei o muito que gosta de mim, Lehzen, e estou-lhe muito grata, mas eu tenho de fazer o meu próprio caminho.

CAPÍTULO DOIS

Leopold I, rei dos belgas, era um homem de faces de cor intensa e com uma opinião ainda mais forte acerca dos seus próprios talentos. Em jovem fora extremamente bem-parecido e dera a volta à cabeça do melhor partido de toda a Europa, Charlotte, princesa de Gales, a única filha de Charles IV e herdeira do trono de Inglaterra. O pai dela quisera um noivo mais ilustre do que um filho mais novo e sem dinheiro de um obscuro ducado alemão, mas nem mesmo ele pôde negar que Leopold fazia um figurão no seu uniforme de hussardo.

No final, a paixão de Charlotte e o fascínio de Leopold tinham ganhado a batalha e George consentira no casamento. A filha herdara muito da determinação da mãe e quanto mais cedo tivesse um marido que a mantivesse na ordem, melhor. Leopold e Charlotte, que estavam genuinamente apaixonados, ficaram encantados quando descobriram que Charlotte esperava um filho pouco depois do seu casamento.

Leopold pensara tanto naquela criança e em como selaria o lugar dos Coburgos no coração do poder na Europa para sempre. Mas à medida que a gravidez avançava e Charlotte começara a ficar mais gorda e sem fôlego, os médicos tinham começado a ficar preocupados e a aparecer com instrumentos de tortura: as sanguessugas, as ventosas. Leopold implorou à mulher que os mandasse embora, mas ela pensava que devia ouvi-los uma vez que carregava o herdeiro do trono de Inglaterra. Quando os médicos lhe disseram que estava demasiado gorda, até deixara de comer as *marrons glacés* que apreciava acima de tudo. Mas, como Leopold soubera desde o princípio, nem todos os médicos e o seu palavreado podiam salvar o seu filho, que nasceu grande, bonito, mas morto, ou a sua esposa, que foi consumida por uma febre que a levou no dia seguinte.

Leopold chorou a esposa sinceramente, mas chorou também a perda dos sonhos que alimentara com aquele casamento. No ano que se seguira, à medida que os irmãos solteiros de George IV lutavam com unhas e dentes para arranjar esposas de forma a assegurar a sucessão, percebeu que poderia ainda haver uma oportunidade, se bem que escassa, para os Coburgos abrirem caminho até ao trono britânico. Sugerira ao cunhado Edward, duque de Kent, que tal como os irmãos andavam a correr a Europa à procura de uma princesa protestante adequada, que talvez valesse a pena ele ir prestar os seus respeitos à sua irmã, Victoire, que era viúva. Era bonita, fértil — dera dois filhos ao primeiro marido — e, ao contrário das jovens com cara de cavalo dos Brunswick ou Mecklenburg Strelitz, tinha alguma experiência em como agradar a um marido. Agarrando a sugestão de um salto, Edward abandonara madame St. Laurent, a sua amante dos últimos vinte e cinco anos, na Nova Escócia, para navegar até à Alemanha onde cortejara e conquistara Victoire em menos de uma semana.

Claro que a aliança estava longe de ser a ideal. O irmão mais velho de Edward, William, duque de Clarence, também casara, e os seus filhos teriam precedência na linha de sucessão. Mas, como Leopold escrevera à irmã, *Esta princesa Adelaide não tem a sua experiência com os homens, minha querida irmã, ou a sua evidente habilidade nesta área.* Victoire pagara a fé que ele tinha nela engravidando poucos meses após o casamento.

Viviam em casa de Victoire em Amorbach, uma vez que as dívidas do duque não lhe permitiam sustentar uma esposa em Londres, mas Leopold insistira com a irmã que regressasse a Inglaterra para o nascimento. *De outra forma não verão a criança como inglesa. Mas trate de trazer uma parteira consigo. Os médicos ingleses não passam de carniceiros.* Seguindo os conselhos do irmão, Victoire lançara-se na difícil viagem através da Europa estando grávida de sete meses, com o marido, as suas pratas, um papagaio e *frau* Siebold, a parteira. Alturas houve em que pareceu que o futuro herdeiro do trono de Inglaterra nasceria numa carruagem de aluguer algures na Normandia rural, mas a duquesa aguentara-se até o séquito real chegar a Inglaterra, onde dera à luz uma rapariga pequena, mas saudável.

Leopold estivera evidentemente presente no batizado na Capela de St. James, onde houvera uma desagradável disputa acerca do nome que a criança deveria receber. O pai quisera dar-lhe um nome real como Elizabeth ou Mary, com Charlotte por segundo nome, mas o rei, a quem não agradava a ideia de que a filha do seu irmão desprezado viesse um dia a ser rainha, vetara a ideia. Houvera por isso muita ruminação em torno da pia, com nomes a serem sugeridos pelos pais e rejeitados pelo petulante monarca. Por fim chegaram a um acordo e chamaram Alexandrina à bebé, como o padrinho, Alexandre, imperador da Rússia. Depois pôs-se a questão do segundo nome. Os olhos líquidos e malevolentes do rei fixaram-se na cunhada e ele disse, desdenhoso, «Usem um dos nomes da mãe.» Seguiu-se mais confusão, uma vez que o primeiro nome da duquesa, Marie-Louise soava demasiado católico, pelo que acabaram por se decidir por Victoire, que foi adaptado ao inglês Vitória. Ficou um nome que soava cómico, e que atrapalhou o arcebispo que presidia à cerimónia. Mais tarde, contudo, o duque de Kent andou de um lado para o outro na capela, com a bebé nos braços, entoando «Alexandrina Vitória, Alexandrina Vitória» e dizendo a quem quer que o escutasse «Sabe, acho que tem um som triunfante. Vitória é um nome adequado para a filha de um soldado, não acha?»

Claro que Leopold concordara, se bem que não pudesse deixar de pensar que ele lutara em Waterloo, ao passo que o duque de Kent passara os últimos vinte anos a comandar uma guarnição na Nova Escócia, sob a ameaça de nada mais perigoso do que invernos rigorosos. Ainda assim, Leopold ficara satisfeito por um nome do seu lado da família ter sido incluído.

Fora uma surpresa quando a sobrinha decidira adotar o nome de Vitória quando da sua subida ao trono. Repreendera-a por não o ter consultado: *Pensa que escolher um nome tão pouco familiar junto dos seus súbditos é uma decisão acertada, minha querida sobrinha?* Mas agora pensava que ela talvez tivesse feito bem. Fazia algum sentido escolher um nome que a distanciasse dos seus predecessores Hanover. Apesar de toda a sua estranheza, o nome Vitória soava ao início de uma nova e triunfante era.

Ainda assim, pensou Leopold, enquanto a sua carruagem começou a avançar ao longo do The Mall, a jovem rainha ainda não se tinha coberto de glória. O caso de Flora Hastings revelara uma chocante falta de sensatez e de decoro, seguido do desgraçado assunto de Peel sobre a composição da casa da rainha e, acima de tudo, o seu absurdo apego a Lorde Melbourne. Pessoalmente, Leopold não tinha qualquer ressentimento em relação a Melbourne, mas a sua influência sobre Vitória não era saudável. A sua sobrinha, claro, nunca aceitaria que tinha algo em comum com a mãe, mas havia que dizer que estavam as duas sob o fascínio de homens poderosos.

Do que Drina — do que *Vitória,* Leopold corrigiu-se mentalmente — precisava era de um marido que controlasse a sua impulsividade juvenil. Desde que a sua pobre cunhada Louise, a mulher do seu irmão, o duque Ernst, dera à luz um filho três meses após o nascimento de Vitória, que Leopold pensava que não haveria melhor casal do que o formado pela sua sobrinha e o seu sobrinho, o bebé Albert. À medida que Albert fora crescendo, provando ser um verdadeiro Coburgo com a sua seriedade, a sua diligência e a sua ambição, Leopold convencera-se cada vez mais da satisfação do seu plano.

Quando trouxera os sobrinhos de visita, três anos antes, fora uma infelicidade que Vitória não tivesse gostado de Albert, que fora assaltado pela timidez. Mas os jovens rapazes e raparigas cresciam tão depressa. Albert deixara para trás a sua inépcia adolescente, e apesar de não ter os dotes de conquistador do irmão mais velho, era certamente atraente.

Ao conhecer Albert, muitas pessoas haviam falado a Leopold da parecença entre o sobrinho e o tio, o que Leopold recebia sempre com um sorriso. Não havia nada que sugerisse que ele e Albert fossem mais do que tio e sobrinho. E, na realidade, até era bastante possível que a sua relação não fosse mais próxima do que isso.

A pobre Louise, a sua cunhada, tão infeliz com o seu irmão Ernst, o duque de Coburgo, fora muito amável com ele durante a sua horrível perda. Tinham-se confortado um ao outro o melhor que podiam e, quando Albert nascera, nove meses mais tarde, Leopold interessara-se bastante pelo seu futuro. Quando Louise, finalmente incapaz de suportar a vida dissoluta de Ernst, fugira com o seu escudeiro, Leopold não tivera ânimo de a censurar. Em público, é claro que deplorara o seu comportamento, mas também lhe escrevera *sub rosa* para prometer que manteria os dois sobrinhos debaixo de olho, filhos que ela sabia nunca mais tornar a ver. Ela não respondera à sua carta. Mas Leopold mantivera a sua palavra, garantindo que a educação de Albert era digna de um futuro ocupante do trono britânico.

Seis anos antes, quando se tornara claro, após o último aborto da rainha Adelaide, que não havia nada que impedisse Vitória de vir a ser a próxima rainha de Inglaterra, Leopold encorajara a troca de correspondência entre os dois jovens primos (assegurando-se de que recebia cópias da correspondência). Esta relação epistolar tivera os seus altos e baixos, mas como Leopold não perdia uma ocasião de lembrar a ambos os lados, era o início de uma grande aliança. O facto desapontante de a correspondência de Vitória se ter tornado ainda mais indiferente desde que subira ao trono era atribuído por ele à distração proporcionada por lorde Melbourne. Era tempo de os dois primos se encontrarem de novo. Não tinha a menor dúvida de que, uma vez ele tivesse a oportunidade de falar com Vitória pessoalmente, ela veria que a sua sugestão era o único caminho sensato.

Com o casamento dos dois, o triunfo dos Coburgos seria completo. Ele era agora rei da Bélgica, havia outro sobrinho casado com a rainha de Portugal, e não tinha dúvida de que, dentro de pouco tempo, a sua família ocuparia um lugar proeminente nas cortes da Europa, graças aos seus encantos pessoais, fertilidade provada e ambição imperturbável.

Leopold permitiu-se um ligeiro sorriso quando passou por Marble Arch. Antes de descer da carruagem, tirou um pequeno espelho que guardava sempre no bolso do colete e examinou o ângulo do seu chinó. Só depois de ter a certeza de que a cabeleira estava firme e bem no seu lugar, o rei dos belgas desceu da carruagem para saudar a sobrinha.

Mas Vitória, verificou com desagrado, não se encontrava à sua espera nos degraus. Em vez disso foi saudado pela baronesa Lehzen, que compensou a falta de cortesia da sua senhora com uma reverência satisfatoriamente profunda.

— Bem-vindo ao Palácio de Buckingham, Vossa Majestade.

— Estou encantado por a ver, Baronesa, mas confesso que esperava a minha sobrinha.

Lehzen baixou os olhos.

— A Rainha tem muitos assuntos oficiais que tratar esta manhã, mas espera que lhe façais companhia durante a tarde.

— Que assuntos podem ser mais importantes do que receber o tio, que atravessou a Europa com um incómodo considerável para a ver?

— Tenho a certeza, Alteza, de que se a Rainha tivesse sido avisada das vossas intenções há mais tempo, teria feito os devidos preparativos.

Leopold olhou para ela e sorriu.

— É um modelo de lealdade, Baronesa. Só lhe fica bem não deixar ver a leviandade da minha sobrinha.

A baronesa abanou a cabeça.

— A Rainha não deixa que nada se interponha no caminho do seu dever.

— Nem mesmo Lorde Melbourne?

Lehzen franziu os lábios.

— Se me quiser seguir, Alteza, levá-lo-ei aos seus aposentos.

Às três horas, Leopold desceu a escada atapetada a vermelho a caminho da sala do trono, onde lhe haviam dito que Vitória o receberia. Notou, aprovador, que o edifício estava em bom estado de conservação; as cornijas haviam sido douradas de fresco e os candelabros não tinham cera. Desde que percorrera os seus corredores imaginando que um dia habitaria ali que assumira um interesse de proprietário pelo palácio.

Enquanto era anunciado pelo camareiro, Leopold deitou uma vista de olhos à sua volta. A pequena figura de Vitória era evidente no meio da sala, rodeada das suas damas. De pé, um pouco para a direita, viu a irmã e a figura alta de Conroy.

Avançou para a sobrinha e com um sorriso radioso beijou-a em ambas as faces, o cumprimento de um monarca a outro. Depois recuou e permitiu-se olhá-la de alto a baixo.

— Que felicidade, Vitória, que tenha herdado a sua excelente postura do lado da família dos Coburgos. Não há como evitar os centímetros que lhe faltam, mas uma rainha pequena com uma postura desleixada seria uma tragédia nacional.

Vitória ofereceu-lhe um sorriso tenso.

— Bem-vindo ao Palácio de Buckingham, tio Leopold.

Leopold soltou um suspiro extravagante e limpou uma lágrima ou melhor, uma pretensa lágrima.

— Perdoe-me. Estar aqui faz-me pensar na minha pobre defunta Charlotte. Se ela estivesse viva, seria a minha casa.

Vitória esboçou um gesto breve, impaciente.

— Claro que me lembro, tio Leopold. No fim de contas, como poderia esquecer-me?

Manteve o olhar firme em Leopold, até a mãe quebrar o impasse apressando-se a beijar o irmão.

— Querido Leopold, estou tão feliz por o ver. — Pondo a cabeça junto ao ouvido dele, sussurrou em alemão: — Vai falar-lhe do Albert?

Vitória bateu com o pé no chão e perguntou, em inglês:

— Qual a necessidade de o tio Leopold me falar de Albert, Mamã? Teve algum acidente?

Leopold libertou-se do abraço da irmã. Sabia que para o seu plano ter alguma hipótese de sucesso era essencial não envolver a mãe de Vitória.

— Muito pelo contrário, o Albert terminou os seus estudos e é agora um admirável jovem cavalheiro. Não podia arranjar melhor marido. — Dirigiu à sobrinha um sorriso vitorioso, sorriso que esta não lhe devolveu.

— Então deve ter mudado desde a última vez que o vi. Não sorria, não dançava e adormecia às nove e meia.

— Quando o viu pela última vez, há três anos, penso que ainda brincava com bonecas. É possível as pessoas mudarem, Vitória. Sei que, na sua idade, parece impossível, mas é por isso que precisa de ter junto de si cabeças mais ajuizadas.

Vitória começou a avançar para a porta, com as suas damas formando uma falange de sedas atrás de si. Disse, por cima do ombro:

— Penso que estou a sair-me muito bem.

O sorriso de Leopold não vacilou.

— Claro que tem o excelente e devotado Lorde Melbourne. Mas ele não estará ao seu lado para sempre, minha querida sobrinha.

A duquesa anuiu, com os canudos louros a tremer.

— Todas as mulheres precisam de um marido, Drina. Até uma rainha.

Leopold seguiu Vitória enquanto ela avançava para a porta, forçando-a a abrandar.

— E se, o céu não o permita, fosse reunir-se ao Todo-Poderoso amanhã, o seu muito malvado tio Cumberland seria rei.

Vitória levantou o queixo, num gesto de desafio.

— Creio que no tempo da minha predecessora Elizabeth — uma rainha que nunca casou, já agora —, só a menção da morte de um monarca constituía um ato de traição.

Leopold sorriu. Pelas manchas vermelhas nas faces dela viu que devolvera a sua impertinência em não o ter recebido quando chegara, e fez uma ligeira vénia.

— Limito-me a referir os factos.

Vitória saiu de rompante, dizendo:

— Terá de me desculpar. Tenho assuntos de governo a tratar. Mas estou certa de que o tio e a Mamã terão imenso que conversar.

Leopold não pôde deixar de admirar a postura perfeita da pequena e impecável cabeça da sobrinha quando ela se afastou. Ela tinha, apercebeu-se com surpresa, uma dignidade que transformava a rapariga impetuosa e sem formação numa rainha credível. Teria de ser domada, claro, mas Leopold, que fizera do estudo da realeza o trabalho da sua vida, ficara impressionado.

O momento foi interrompido pela irmã, que não cabia em si de contente por ter uma nova audiência simpática para as suas queixas contra a filha. Disse, numa torrente de alemão e inglês:

— Viu como ela é impossível? Não dá ouvidos a ninguém que não o seu precioso Lorde M. Ignora-me por completo. Depois de tudo o que fiz por ela. Sabe, Leopold, às vezes penso que gostava de regressar a Amorbach e viver em paz e isolada, em vez de gastar todo o meu tempo a preocupar-me com uma rapariga que não tem o menor respeito pela família.

Leopold viu Conroy, de pé junto da janela, estremecer à menção de Amorbach. Tinha a certeza de que o controlador da irmã não tinha a menor intenção de passar o resto da sua carreira enfiado num fim do mundo alemão.

— Minha querida irmã, não deve alarmar-se. Agora que estou aqui, estou certo de que Vitória acabará por perceber onde está o seu dever.

— Não quando está sempre com Lorde Melbourne — declarou a irmã, abanando a cabeça. — Sabe que se recusou a deixar-me usar o título de rainha-mãe ou dar-me dinheiro suficiente para me poder vestir como mãe de uma rainha? É tudo obra daquele malvado Melbourne. Antes de ele se intrometer entre nós, fomos sempre tão próximas. Antes de ele aparecer, ela ouvia-me... e a *Sir* John.

Conroy anuiu às palavras da duquesa.

— A Rainha precisa de um marido que a guie, *Sir*. A Duquesa e eu fizemos tudo ao nosso alcance para a guiar, mas ela recusa-se a ser orientada. O casamento é a única forma de a domar.

— E o Albert é tão bom rapaz. Ele tratará de fazer com que Vitória perceba o que é devido à sua mãe.

Ocasiões havia, pensou Leopold, em que os aliados eram mais perigosos do que os inimigos. Ocorreu-lhe que talvez a única maneira de conseguir garantir que Vitória casasse com Albert seria fazer com que a duquesa e Conroy se opusessem a tal veemente-mente. Percebia que Conroy, que vira frustradas as suas expetativas de exercer o poder por intermédio de Vitória, ainda albergava a espe-rança de o fazer através do seu marido. Tais esperanças, claro, eram totalmente infundadas, uma vez que a única pessoa que influenciaria Albert, caso ele viesse a casar com Vitória, seria o próprio Leopold.

Guardou os seus pensamentos para si próprio, mas abanou a cabeça e respondeu:

— Estou aqui, claro, para conseguir o casamento, mas parece--me que devemos agir com cautela. Se, como diz, *Sir* John, Vitória não se deixa conduzir, então é melhor sugerir e persuadir do que ordenar. Suspeito que é assim que Lorde Melbourne consegue controlá-la. Penso que seria sensato fazermos o mesmo.

A duquesa pousou a mão no braço dele.

— Oh, estou tão feliz por aqui estar, Leopold. É sempre tão sensato.

Leopold reparou que Conroy franziu o sobrolho perante as palavras da duquesa.

— Se me permitem, Altezas. — Conroy inclinou-se numa vénia brusca e abandonou a sala.

Depois de ele sair, Leopold avaliou a irmã. Apesar de saber que era manipulada por Conroy, perguntou-se se ela veria as vantagens de um corte com ele se isso significasse o casamento de Vitória com Albert. Mas as mulheres, mesmo as Coburgos, nem sempre eram de confiar quando se tratava de agir em interesse próprio.

— Pergunto-me, querida irmã, se poria a hipótese de se separar de *Sir* John. Temo que Vitória nunca lhe dê o respeito que vos é devido enquanto ele permanecer a seu lado.

— O que está a querer dizer, Leopold? — O lábio inferior e bastante cheio da duquesa começou a tremer.

— Penso que a dado momento vai ter de escolher entre o seu... companheiro e a sua filha. Não pode ter os dois.

As lágrimas acorreram aos olhos da duquesa.

— Mas, Leopold, ele é tudo para mim. Não consigo viver sem ele.

Leopold suspirou.

— Então, minha querida, talvez devesse pensar em regressar a Coburgo.

A duquesa cobriu o rosto com as mãos e os ombros começaram a agitar-se.

— Ela é tão ingrata. E eu sinto-me tão só, uma pobre viúva duas vezes. *Sir* John é o meu único conforto; sem ele não terei nada. É a única pessoa que repara em mim.

Leopold passou-lhe um braço pelos ombros.

— Percebo como é duro estar sozinha, *Liebes*, e vejo como *Sir* John é tão atencioso. Pode gozar alguma felicidade em Coburgo com ele a seu lado. Se quiser ir, farei tudo o que estiver ao meu alcance para a ajudar.

A duquesa ergueu o olhar para ele, atónita.

— Acha que devo regressar a Coburgo com *Sir* John?

— Pode ser melhor do que ficar aqui a ser menosprezada por Vitória. Sugere este plano a Conroy?

Pelo ar da cara dela, Leopold soube que tinha acabado de semear a primeira semente de dúvida na mente da irmã.

— Não sei se *Sir* John quererá abandonar a Inglaterra. Tem tantos interesses aqui.

— Mas de certeza que nenhum interesse se comparará a garantir a sua felicidade, minha querida irmã. Não se ele lhe for tão dedicado como diz que é.

A duquesa abanou a cabeça.

— Não é algo de que tenhamos falado. Mas porque haverei de ir para o exílio? Ganhei o meu lugar aqui enquanto rainha-mãe.

— Claro que sim, minha querida. Mas se Vitória continuar a ser obstinada, vale a pena considerar a ideia. Talvez deva discuti-la com *Sir* John.

Leopold viu a irmã morder o lábio.

— Talvez — respondeu, mas os seus olhos não encontraram os do irmão.

— Minha querida irmã, falemos de coisas mais agradáveis. Julgo que vamos à ópera amanhã e consta-me que vai haver um baile de máscaras em Syon House.

A duquesa distraiu-se, como ele sabia que aconteceria, com esta conversa acerca de festas.

— É verdade. Os bailes de máscaras da Duquesa de Richmond são famosos. Eu vou de Columbina e *Sir* John de Arlequim. E o Leopold?

— Decidi aparecer como Imperador Augusto. Acho que a coroa de louros me fica muito bem.

*

Vitória não foi a única pessoa a não ficar encantada com a visita do rei dos Belgas. Quando Ernest, duque de Cumberland, leu a notícia da visita do rei Leopold na Circular da Corte, produziu um ruído que fez com a sua esposa levantasse os olhos, alarmada, temendo alguma apoplexia. A duquesa era uma princesa alemã uns anos mais nova do que o marido, que ainda assim já enviuvara duas vezes. Corria que a rapidez da morte dos primeiros dois maridos não estaria desligada de a terem escolhido como esposa, mas os rumores não haviam impedido o duque de casar com ela, vinte anos antes. Tinham tido um filho, que para desgosto de ambos começara a perder a visão aos dez anos e era agora totalmente cego.

A duquesa não conseguia evitar pensar que o filho, mesmo com as suas limitações, daria um monarca muito mais adequado do que a atual rainha. Fora, claro, a confidente do marido em todas as suas tentativas de se tornar regente, e acompanhara-o nas queixas diárias contra a injustiça de um sistema que permitia que uma rapariga pateta subisse ao trono à frente de um homem experiente. Mas, como nunca parava de lhe recordar, o duque continuava a ser o herdeiro presuntivo ao trono. Se alguma coisa acontecesse a Vitória — e as raparigas jovens, mesmo as irritantemente robustas como a rainha, podiam ser inesperadamente vulneráveis —, Ernest seria rei não só de Hanover, como também da Grã-Bretanha.

— Mas o que se passa, meu caro?

— Aquele charlatão do Leopold está no palácio. Rei dos Belgas, com franqueza. O que é a Bélgica gostava eu de saber... um país inventado que ainda há cinco minutos não existia. Lembro-me de quando ele não passava de um oficial de cavalaria sem um tostão no bolso, a fazer olhinhos a Charlotte de Gales.

— Então saiu-se bem.

O duque resfolegou.

— Casou bem, como todos esses Coburgos. Claro que é por isso que ele está cá.

Frederica fez um ar espantado.

— Leopold veio cá para arranjar um casamento entre Vitória e um dos rapazes Coburgo. Está determinado em manter o trono britânico na família.

A duquesa olhou para o marido, que andava de um lado para o outro na sala de estar, com a cicatriz branca contrastando com as faces vermelhas. Era solidária com a sua frustração, se bem que houvesse momentos em que pensava que se sentiria bastante feliz se pudesse ir para Hanover e viver os seus dias em paz como rei e rainha. Tendo passado a primeira parte da sua vida a tentar alterar as suas circunstâncias, verificava agora as virtudes de viver satisfeita com o que era possível. Era verdade que Hanover não tinha comparação com a Inglaterra em tamanho ou riqueza, mas no seu coração, Frederica sentia que era melhor ser rei algures do que viver em permanente expectativa. No entanto, nunca diria tal coisa ao marido. Procurou uma outra forma de canalizar a fúria dele.

— Bem, se Leopold vai propor um casamento, talvez também o senhor devesse arranjar um marido para Vitória.

O duque virou-se e encarou a mulher, depois fez um gesto com a cabeça na direção da sala de música, onde o filho tocava piano. Tocava muito bem de ouvido e só por escutá-lo, ninguém diria que era cego.

— Não está a referir-se? — perguntou, arqueando uma sobrancelha.

— Não, acho que o nosso pobre rapaz ficará bastante feliz por ser seu sucessor como Rei de Hanover. Estava a pensar no seu sobrinho.

— George Cambridge? — Para seu alívio, Frederica viu que o marido parara de andar de um lado para o outro e se detivera no meio da sala enquanto, com o dedo, percorria a cicatriz da cara, sinal certo de que estava concentrado.

— Sim. É um jovem bem-parecido se bem que não muito inteligente. Estou certa de que poderia... orientá-lo.

Cumberland parou e sorriu para a esposa.

— Que sorte tive em ter casado consigo, minha cara. Tem sempre tantas ideias. O meu irmão deve-me uma fortuna, mas se o filho casar com a rainha sou capaz de recuperar o meu dinheiro com juros. E seria excelente manter o trono na família real britânica.

— Com efeito. Devia ir visitar George e fazer-lhe ver a oportunidade que tem pela frente.

— Estou admirado por ele ainda não ter pensado nisso. Mas também, calculo que saia ao meu irmão Adolphus, que nunca foi muito brilhante.

— Na família, foi o senhor o abençoado com o cérebro, meu amor.

Cumberland pegou na mão da mulher.

— E em si encontrei o meu par.

CAPÍTULO TRÊS

— Porquê essa cara tão aborrecida, Lorde M? — Vitória incli-nou-se sobre a mesa na sua saleta privada, onde ela e Melbourne estavam ocupados a trabalhar nas caixas vermelhas. Quando Melbourne não lhe respondeu imediatamente, prosseguiu: — Estou tão feliz em vê-lo. Não pode imaginar como o meu tio Leopold anda a ser cansativo.

Melbourne levantou os olhos do papel que lia.

— Correndo o risco de ser impertinente acerca de um membro da vossa família, devo dizer-vos que me lembro dele como alguém fútil e egoísta.

Vitória riu.

— Não mudou nada. Agora usa peruca e planeia casar-me com o meu primo Albert.

— Não penso que o casamento entre primos direitos seja algo sensato, Majestade.

Vitória deitou-lhe um olhar aguçado.

— Se é isso que o preocupa, Lorde M, não tem razão para alarme. Já lhe disse que nunca resultará!

Melbourne fez uma pausa, depois levantou-se, dizendo:

— Se pareço preocupado, Majestade, não é devido ao vosso tio Leopold. Temo que tenha havido uma rebelião em Gales feita por um grupo, uma chusma, na verdade, que se autodenomina Cartistas.

Vitória juntou-se-lhe.

— Que nome curioso.

Melbourne suspirou.

— Assim chamados porque escreveram uma carta a exigir o sufrágio universal, eleições anuais, voto secreto, e até mesmo um salário para os membros do Parlamento. As ideias deles são impossíveis, claro, mas têm bastante apoio entre uma determinada classe.

Vitória pôs um ar intrigado.

— Mas as ideias deles são tão extremistas. Sempre me disse que os britânicos não são um povo revolucionário.

Melbourne abanou a cabeça.

— Como sabe, Majestade, este ano e no ano passado as colheitas foram más. Quando as pessoas têm fome, podem imaginar-se radicais.

Vitória abanou a cabeça.

— Estou a ver. Mas corremos perigo com esses... esses Cartistas?

Melbourne olhou pela janela. Dali via Marble Arch e toda a extensão ladeada de bandeirolas do The Mall. Para a esquerda ficavam as praças e os terraços rosa-pálido da Belgravia de Thomas Cubitt, que estava rapidamente a desafiar Mayfair como a zona mais elegante para se viver em Londres. Mas se virasse a cabeça para a direita e olhasse por cima das grades que rodeavam o palácio, via os telhados tortos dos pardieiros de Pimlico. Se abrisse a janela, imaginava que o cheiro da pobreza chegaria até ao próprio palácio. Claro que a rainha estava a salvo aqui, rodeada como estava sempre pela Guarda Real, mas era salutar, no entanto, lembrar o quão perto se encontravam, até mesmo ali, das forças perturbadoras.

Quando se virou para Vitória assegurou-se de que a expressão do seu rosto transmitia confiança.

— Oh, não, Majestade, os desordeiros de Newport estavam armados apenas com forquilhas e foices. A guarnição de lá despachou-os sem dificuldade. Os chefes dos amotinados foram trazidos para cá para serem julgados por traição. Se fizermos deles um exemplo agora, isso deterá os outros no futuro.

Viu o olhar de Vitória.

— Não tem razão para se preocupar. Esse é o meu trabalho. A vossa segurança é a única coisa que perturba a minha paz de espírito.

Deveria ter olhado para ela de uma forma talvez demasiado intensa, porque Vitória corou e disse, com animação:

— Vem à ópera esta noite? La Persiani vai cantar a *Lucia di Lammermoor*. Sei que prefere Mozart, mas não penso que consiga suportar uma noite sozinha com o tio Leopold. — Sorriu.

Melbourne declinou.

— Não penso que a minha presença seja necessária. Esquece que o Grão-Duque também estará presente. Penso recordar-me que apreciou bastante a sua companhia no Baile da Coroação.

Vitória olhou para as mãos.

— O Grão-Duque é um excelente bailarino e pode ser uma companhia agradável, mas — levantou os olhos azul-claros para os dele — não o substitui, Lorde M.

Melbourne viu o apelo nos olhos dela e interrogou-se se ela teria consciência do quão sedutora estava a ser. Era tão jovem e tão inocente comparada com as mulheres de que sempre se rodeara, mas havia no seu olhar uma franqueza que se tornava perturbadora. Tinha de estar constantemente a recordar-se de que ela não tinha a menor consciência do que estava a fazer.

Curvou-se e ofereceu-lhe o seu sorriso mais mundano.

— Lisonjeia-me, Majestade, e como todos os homens sou sensível à lisonja.

— Talvez deva experimentar isso com o meu tio Leopold!

— Devia ter dito, todos os homens exceto o vosso tio Leopold!

O som do riso argênteo, deliciado de Vitória retiniu nos ouvidos de Melbourne ao longo do resto do dia.

*

Vitória prestou uma atenção especial à sua *toilette* para a ópera nessa noite. Depois de uma extensa conversa com Skerrett, decidiram armar o seu cabelo numa espécie de coroa de tranças no alto da cabeça, um estilo que lhe alongava o pescoço como se nascesse da linha do decote profundo do seu vestido.

— Acho que esta noite quero usar o colar de diamantes da Rainha Charlotte.

— Sim, Majestade, vou já buscá-lo. — Jenkins saiu, fazendo tilintar o molho de chaves que trazia à cintura, e regressou com a caixa de cabedal de um verde desbotado, que pôs à frente de Vitória. Quando a abriu, ambas as mulheres sustiveram a respiração perante o brilho dos diamantes à luz das velas.

— Sim, definitivamente vou usar isto — disse Vitória e passou o colar a Jenkins para que lho prendesse à volta do pescoço.

Skerrett, que entrava no quarto trazendo as flores para o cabelo de Vitória, soltou um guinchinho de assombro quando viu o colar.

— Parece que tem o pescoço em fogo, Majestade.

Vitória mirou-se no espelho, satisfeita. O colar parecia, de facto, ter a sua própria fornalha interna. Quando Skerrett prendeu a tiara condizente à coroa armada pelo cabelo, Vitória ficou feliz com a sua aparência.

Ficara satisfeita quando Melbourne lhe dissera que o Grão--Duque Alexandre, que fizera a sua *Grand Tour* pela Europa, decidira deslocar-se a Inglaterra antes de regressar a São Petersburgo. Era um excelente dançarino e um conversador encantador. Mas o seu reaparecimento agora fora fruto de um acaso feliz; ele seria útil como escudo contra o tio Leopold. Esta noite, por exemplo, convidara o Grão-Duque a juntar-se-lhe no camarote real, sabendo que, não tendo a Bélgica uma aliança formal com a Rússia, isso impossibilitaria que o tio Leopold se lhes juntasse.

O tio Leopold não ficara feliz quando ela o informara de que, por razões diplomáticas, teria de partilhar o camarote real com o grão-duque.

— Mas pode sentar-se junto da Mamã, tio Leopold. Sei que têm muito que falar.

Ele protestara alegando que favorecer assim o Grão-Duque poderia ser mal interpretado, mas Vitória adiantara-se-lhe:

— Oh, não se preocupe com isso. Lorde M também lá estará. Ele garantirá que não haja nenhum incidente diplomático.

Leopold franzira os lábios, mas não dissera mais nada.

*

A orquestra do Teatro da Rainha tocou *Deus salve a Rainha* e, a seguir, o hino nacional russo quando Vitória entrou no camarote real seguida do grão-duque. Quando o hino russo chegou ao fim, a rainha e o Grão-Duque sentaram-se. Nenhum dos dois, houve quem reparasse, olhou por cima do ombro para verificar se as cadeiras estavam na posição correta. Régios desde o nascimento, partiram do princípio que estariam.

O Teatro da Rainha, que fora o Teatro do Rei até Vitória subir ao trono, estava cheio. A versão de Donizetti de *A Noiva de Lammermoor*, de *Sir* Walter Scott, era já um sucesso, mas esta noite o público estava interessado no espetáculo tanto fora como em cima do palco.

Havia o camarote real, onde a rainha estava sentada ao lado do Grão-Duque da Rússia, cujas insígnias cravejadas de diamantes cintilavam tanto quanto o colar de Vitória. Por trás das duas personagens reais encontravam-se o primeiro-ministro e *lady* Portman, condenados pelo protocolo a manterem-se de pé o tempo todo.

Do lado oposto ao grupo real estava o camarote onde se encontrava o rei dos Belgas e a irmã, a duquesa de Kent. Ouvira-se uma aclamação quando ocuparam os seus lugares, uma aclamação que foi reclamada como tributo devido tanto por irmão como por irmã. Mas *sir* John Conroy, que estava de pé mesmo atrás da duquesa, não ficou com a menor dúvida de a quem se dirigia.

Não houve aclamações para o duque de Cumberland quando entrou no seu camarote acompanhado da esposa e do sobrinho, George de Cambridge. O príncipe tinha olhos bolbosos azul-claros e o queixo indefinido dos Hanover. Envergava o uniforme como se preferisse estar na messe do seu regimento e não na ópera.

Quando a abertura terminou e La Persiani entrou em cena para cantar a sua primeira ária, havia tantos binóculos de ópera virados para o camarote real quantos para a diva.

O duque de Cumberland ficara encantado por verificar que Leopold não se encontrava no camarote real, mas menos feliz ao ver o Grão-Duque sentado ao lado da sobrinha. Um dia ele seria czar da Rússia, pelo que não era um pretendente sério à mão de Vitória, mas era exótico de uma forma que Cumberland temia que o seu sobrinho George não fosse.

— A Rainha está a ficar horrivelmente próxima do russo, George. Acho que devia ir até lá apresentar os seus cumprimentos, antes de ela se sentar no colo dele.

George soltou um suspiro magnífico.

— Desde que não tenha que ficar para o segundo ato. Já ouvi cantar melhor na messe.

Talvez a única pessoa a olhar para o palco com a atenção que o desempenho de La Persiani merecia fosse a própria rainha. Enquanto Lucia cantava o seu eterno amor por Edgardo, as lágrimas encheram os olhos de Vitória e uma escorreu pela sua facezinha branca.

O grão-duque, que estivera a observar o perfil de Vitória com atenção, puxou de um lenço de proporções imperiais e ofereceu-lho. Com um sorriso, ela aceitou-o.

— Obrigada. Sinto-me bastante emocionada.

O Grão-Duque inclinou-se para ela e disse, em voz baixa:

— Não temos muitas oportunidades de chorar, vós e eu.

Vitória assentiu.

— Tem razão, claro. Calculo que seja por isso que gosto tanto de ópera.

— Tendes uma alma russa.

— Ou inglesa.

Nesse momento a música cresceu enquanto Lucia chegou ao fim da ária e tombou no chão do palco, desmaiada. A sua atuação perdeu-se para o público, que estava a observar o herdeiro do trono da Rússia a sorrir para a sua rainha.

No intervalo, o príncipe George apresentou-se no camarote real. Vitória olhou para ele, surpreendida.

— Não sabia que gostava de ópera, George.

O rosto leitoso de George corou enquanto ele se esforçava por responder. Por fim, disse:

— Temo que seja um interesse recente, prima Vitória.

Ela sorriu.

— Então, insisto que me acompanhe da próxima vez que vier.

Vitória virou-se para o grão-duque.

— Posso apresentar-lhe o meu primo, o príncipe George de Cambridge?

George fez ao russo uma vénia adequada se bem que não completa. O Grão-Duque abanou a cabeça e disse:

— Tive a honra de passar revista ao regimento do príncipe. Uns uniformes magníficos.

O tom deixava sugerir que os uniformes tinham sido a única coisa magnífica. À medida que o insulto implícito foi abrindo caminho na mente de George, a sua cor foi ficando mais viva. Ele quis dizer que, pelo menos, os seus homens eram uma unidade guerreira disciplinada, não um bando de cossacos bêbedos, mas em vez disso viu-se forçado a deitar um olhar furibundo ao impertinente russo.

*

— A Lucia não é maravilhosa? — perguntou Vitória ao primo. — A cena da loucura deu-lhe vontade de chorar?

George sentiu um grande alívio por poder responder com sinceridade.

— Com toda a certeza.

Ficou ali mais uns minutos, sentindo durante o tempo todo os olhos de Cumberland em cima de si, mas quando a música recomeçou, apresentou os seus respeitos e saiu.

*

Leopold assistira a toda esta cena pelos seus binóculos de ópera. Compreendera de imediato qual a intenção de Cumberland ao trazer o príncipe George. Mesmo sabendo que George era claramente inferior a Albert tanto em aspeto como em intelecto, ainda assim ficou aliviado por ver que Vitória não revelou qualquer entusiasmo com o seu aparecimento. Parecia muito mais preferir a companhia do grão-duque, mas Leopold ficou feliz por poder considerar a presença dele como um namorico inofensivo. O casamento de dois soberanos era uma impossibilidade prática e diplomática. A última vez que tal fora tentado, entre Mary Tudor e Filipe II de Espanha, não foi bem-sucedido para nenhum dos lados.

Após a saída de George, a atenção de Leopold dirigiu-se para o palco onde ocorria um bailado bastante agradável. Mas a apreciação das bem torneadas coxas das bailarinas por parte de Leopold foi interrompida pela duquesa, que observava a filha pelos seus próprios binóculos de ópera.

— Olhe para a Drina. Creio que está a namoriscar com o Grão-Duque. É muito impróprio.

— Minha querida Marie-Louise, não fique alarmada. O Grão--Duque não pode ser mais do que uma diversão inofensiva. Até mesmo Vitória não é tão insensata a ponto de pensar que pode existir entre eles mais qualquer coisa do que um interesse temporário.

A duquesa suspirou.

— Espero que tenha razão, meu irmão. Mas ela é capaz de todas as tolices. — Conroy produziu um ruído de anuência.

Leopold desviou o olhar do palco para o camarote real. O rosto de Vitória entrou no seu campo de visão, muito aumentado, e para sua surpresa e alarme, viu que no seu rosto havia uma expressão que se parecia muito com a doçura que se esperaria de uma mulher apaixonada. Mas para quem estaria ela a olhar? Quando Leopold desviou os binóculos para seguir o olhar dela, perante os seus olhos surgiu o atraente rosto de Lorde Melbourne. Melbourne, reparou Leopold, devolvia o olhar de Vitória com igual afeto.

Leopold baixou os binóculos. A irmã tinha razão; Vitória era mesmo capaz de todas as tolices. Seria possível que pensasse que Melbourne poderia ser mais do que um primeiro-ministro? Não, era impossível — nem mesmo Vitória podia estar tão iludida. Mas sabia o que vira e isso deixara-o profundamente perturbado. Decidiu não mencionar o assunto à irmã. A única coisa que impeliria Vitória a fazer algo irrevogavelmente insensato seria uma intervenção da mãe. Não, tinha de ser ele a falar com Vitória. E tendo decidido enveredar por este rumo, Leopold voltou a dedicar a sua atenção ao palco, onde, para sua desilusão, as bailarinas haviam sido substituídas por um coro de entroncados escoceses a cantar em italiano.

O séquito da rainha foi, claro, o primeiro a abandonar o teatro. O Grão-Duque acompanhou a rainha pelas escadas até a saída de

Haymarket, onde a carruagem a esperava. Quando saiu, ficou agradada por ouvir alguns aplausos das pessoas que se haviam reunido no exterior.

O Grão-Duque virou-se para ela e sorriu.

— O vosso povo ama-vos, Vitória.

— Penso que gostam de ver a sua Rainha. Estou certa de que sois saudado com o mesmo entusiasmo na Rússia.

— Talvez. Mas o vosso povo é livre de se alegrar como quer, enquanto o meu não. Os vivas dos servos não são iguais aos dos cidadãos.

Vitória reparou que os olhos do Grão-Duque se turvavam quando se dobrou sobre a sua mão para lha beijar.

— Boa noite, Alexandre. — Sentiu-se constrangida por usar o primeiro nome dele, mas ele chamara-lhe Vitória.

O Grão-Duque bateu os calcanhares, despedindo-se.

Quando subia para a carruagem, ela escutou um ruído e sentiu *Dash* aos saltos para lhe beijar as mãos.

— Oh, meu queridinho *Dashy*, que surpresa agradável!

Pegou no cão e apertou-o junto a si. A encantadora cabeça loura de lorde Alfred Paget, o seu escudeiro, surgiu à janela da carruagem.

— Espero que não se ofenda, Majestade. Mas ele estava a ganir por vós no palácio, pelo que tomei a liberdade de o trazer comigo quando vim buscar-vos.

— Que atencioso da vossa parte, Lorde Alfred. Não consigo imaginar um companheiro mais delicioso para a viagem de regresso. O *Dash* adora saber o que se passou na ópera, não é, *Dashy?* — E o cãozinho retorceu-se encantado, enquanto ela lhe coçava a barriga.

— Espero que não se oponha a ter um passageiro humano, Vitória. — Ela levantou os olhos e, para seu aborrecimento, viu o tio Leopold. Sem esperar pela resposta dela, o rei dos Belgas empurrou lorde Alfred, afastando-o, e sentou-se à frente dela.

Vitória encolheu-se no seu lado da carruagem, com *Dash* bem preso nos braços. Estava cansada, e a última coisa que desejava era um encontro a sós forçado com o tio. Mas não havia nada que pudesse fazer, a menos que pedisse aos soldados que o retirassem dali, o que provocaria um incidente diplomático. A ideia fê-la sorrir e puxou a orelha de *Dash*, sussurrando-lhe ao ouvido:

— Nem imagina como a sua Mãe está encantada em vê-la, *Dashy*.

Leopold tirou um fósforo do bolso e acendeu a vela ao lado do seu assento. Iluminou o seu rosto de baixo, conferindo-lhe um aspeto quase demoníaco.

— Minha querida sobrinha. Como sabeis, sempre tentei ser um pai para vós.

Vitória brincou com as orelhas do cão.

— É bem verdade que sempre me escreveu mais do que o suficiente. Não escreveu, *Dash?*

Leopold suspirou.

— Por favor, fale comigo e não com o seu cão de colo. Tenho uma coisa importante para lhe dizer.

Vitória levou o focinho do cão junto do seu rosto.

— E nós estamos a escutar.

Leopold ignorou a impertinência.

— Dizeis que não quereis casar com Albert, mas pergunto se tencionais casar com outra pessoa?

Vitória olhou-o e disse, friamente:

— De momento, não tenho planos de casar com ninguém.

Leopold levou a mão à cabeça para verificar a posição do chinó.

— Não imaginais, espero, que o vosso Lorde M possa vir a ser algo mais do que o vosso primeiro-ministro?

Dash ganiu quando Vitória lhe puxou a orelha de fúria.

— Não vou dar a essa pergunta a honra de uma resposta.

— Então, de um soberano para outro, aconselhar-vos-ia a ser prudente — disse Leopold.

Vitória retorquiu, com a voz repassada de irritação:

— E de um soberano para outro, devo aconselhá-lo a não interferir.

— Talvez sejais demasiado jovem para compreender como a vossa situação é perigosa. O país encontra-se num estado volátil. Estou muito preocupado com as agitações em Gales. Todos os movimentos revolucionários começam assim, com o descontentamento popular.

— Lorde Melbourne diz que não tenho nada a temer dos Cartistas. Ele diz que este ano as colheitas foram más e que quando o povo tem fome, imagina-se radical.

— Lorde Melbourne não é infalível, Vitória. Temo que mesmo a Coroa Inglesa seja vulnerável.

Vitória fez um ruído, um misto de rosnadela e gargalhada. Mas Leopold prosseguiu, imperturbável, tirando alguns fósforos do bolso e acendendo um à frente do rosto dela, revelando a sua cara zangada.

— Pensais que a vossa monarquia resplandece, Vitória, mas tudo o que é preciso é uma pequena corrente de ar vinda da direção errada. Casai com Albert e começai uma família de que os vossos súbditos possam orgulhar-se. Caso contrário... — Leopold apagou o fósforo com um sopro.

Vitória apertou *Dash* ainda com mais força e não disse nada durante o resto da misericordiosamente curta jornada.

CAPÍTULO QUATRO

Os tios de Vitória não eram os únicos a interessar-se vivamente pelo seu estado marital. Nas salas de estar de uma ponta à outra do país, existia o sentimento de que uma rainha em idade casadoira e bem-parecida devia querer um marido. No clube Brooks, o bastião dos valores liberais, havia grandes conversas acerca do dever da rainha de providenciar um herdeiro para o trono mais de acordo com os tempos do que o duque de Cumberland. Do outro lado da rua, no White's, a praça-forte conservadora, pairava um sentimento igualmente forte de que a rainha deveria casar, uma vez que era a única forma de refrear a perniciosa influência de lorde Melbourne.

Mas enquanto havia um entendimento generalizado de que a rainha devia casar, não havia acordo quanto a quem seria o marido ideal. Na sala dos criados, no Palácio de Buckingham, havia muita especulação acerca do assunto. Na realidade, Penge, o camareiro da rainha, tinha ido ao ponto de organizar um processo de apostas quanto aos prováveis candidatos e vencedores. Ele apostara seis pence no príncipe George. Tendo servido por pouco tempo na casa da princesa Charlotte quando fora casada com o príncipe Leopold, não tinha o menor desejo de trabalhar para outro príncipe Coburgo. Os Coburgos eram, na sua intransigente opinião, «o pior tipo de estrangeiros».

Quando fora instado pela senhora Jenkins quanto à natureza das suas objeções, mencionara que o rei dos Belgas não só se queixara da humidade dos lençóis na sua cama como também não fora capaz de acompanhar o nível de emolumentos devido ao pessoal do palácio. «Os Coburgos são agarrados ao dinheiro, uns labregos comedores de salsichas que não têm lugar no trono de Inglaterra. Precisamos de um noivo inglês.»

A senhora Jenkins, que vira o cuidado com que a rainha se vestira na noite da ópera, sentia-se inclinada a apoiar a candidatura do grão-duque.

— Um homem tão atraente, que casal encantador fariam.

Penge declarara que a união entre a rainha e o herdeiro do trono russo era uma impossibilidade diplomática, mas estava disponível para receber o dinheiro dela, caso fosse suficientemente palerma para o apostar. A senhora Jenkins, que gostava de acreditar que o amor tudo conquista, persistiu no apoio ao seu candidato.

O cozinheiro-chefe, o senhor Francatelli, que não tinha o menor afeto pelo senhor Penge, decidiu apoiar o príncipe Albert de Saxe--Coburgo-Gotha; e Brodie, o criado do vestíbulo, declarou que se tivesse seis pence os apostaria no lorde Alfred Paget, porque ele estava sempre a rir com a rainha. Penge e a senhora Jenkins arquearam as sobrancelhas perante a escolha de Brodie, mas nenhum dos dois se sentiu na obrigação de esclarecer que lorde Alfred não pertencia à categoria dos que casavam. A menina Skerrett, a segunda criada de quarto, declarou que não tinha seis pence para apostar nas perspetivas matrimoniais da rainha, mas que lhe parecia que o único homem que interessava à rainha era lorde Melbourne. E neste aspeto, a jovem criada estava de perfeito acordo com Leopold, rei dos belgas.

Na manhã a seguir ao seu encontro com Leopold, a própria Vitória só sabia que se sentia imensamente aliviada por estar no parque, na sua habitual cavalgada com Melbourne ao seu lado. Não obstante amar a ópera e considerar o Grão-Duque uma agradável companhia, sentia-se muito mais à vontade cavalgando em Rotten Row com o seu primeiro-ministro. Fora encontrar-se com ele no sítio habitual atrás de Apsley House, a morada do duque de Wellington, no canto do parque. Mas Melbourne, extraordinariamente, não estava lá e deixara-a à espera uns bons cinco minutos.

Quando chegou, vinha coberto de pó e cheio de desculpas.

— Peço perdão, Majestade. Recebi uma mensagem quando vinha a sair e tive de agir de imediato.

Vitória sorriu-lhe.

— Devia ser importante. Acho que nunca o tinha visto tão desalinhado antes.

Melbourne olhou para a sua roupa empoeirada e disse, pesaroso:

— Não quis deixar-vos à espera.

Olhou para ela, preocupado.

— Não sei se é aconselhável que vá abrir os asilos amanhã, Majestade. É um espaço aberto e creio que haverá uma multidão. Penso que não será nada seguro.

Vitória virou-se para ele, surpreendida.

— Mas tenho de ir. Estes asilos são dedicados à memória do meu pai. Seria falta de respeito não estar presente. E quanto a estar em segurança, bem, está sempre a dizer-me que uma rainha tem de ser vista para que acreditem nela.

Melbourne abanou a cabeça.

— Em geral, creio ser essa a verdade, mas acabei de saber que os amotinados de Newport foram condenados à morte e temo que possa haver repercussões.

Vitória encarou o seu primeiro-ministro.

— Parece-me um castigo muito duro. É mesmo necessário executá-los? Creio que não feriram ninguém. Na realidade, creio que as únicas mortes ocorreram entre os próprios Cartistas.

— É melhor que morram agora uns poucos, Majestade, do que termos uma insurreição armada mais tarde.

— Crê que podemos chegar a tanto? — indagou Vitória.

— Sim, Majestade, creio.

— Estou a ver. Ainda assim, comparecerei à cerimónia.

— Muito bem, Majestade.

Cavalgaram em silêncio durante alguns minutos. Por fim, Vitória não conseguiu suportar aquilo mais tempo.

— O que achou da *Lucia*? Nunca falei consigo acerca disso.

Melbourne encolheu os ombros.

— Não era Mozart, Majestade. — Depois, virando a cabeça para ela, perguntou: — E a senhora? Gostou da noite? Pareceu muito bem acompanhada.

Vitória sorriu, feliz por se terem desviado dos Cartistas de Newport.

— O Grão-Duque é divertido, diria. É refrescante falar com alguém que compreende os problemas da minha posição. Mas ele é demasiado estrangeiro para ser inteiramente confiável, acho.

— E o príncipe George de Cambridge? Também me pareceu muito atencioso.

Vitória fez uma careta.

— Nunca gostámos um do outro em crianças. Ele estava sempre a dizer que as raparigas não tinham nada que ser rainhas.

— E o que lhe respondia? — perguntou Melbourne.

— Dizia que quando fosse rainha o mandaria para a Torre como todos os traidores!

Melbourne riu-se.

— Com toda a razão! E o que pensa dele agora que é adulto?

— Bem, não é nem tão baixo nem tão gordo como foi em tempos, mas não me parece que as suas opiniões quanto à capacidade de as mulheres ocuparem o trono tenham sofrido grandes mudanças.

— Oh? — Melbourne puxou as rédeas e virou a cabeça do cavalo de forma a ficar de frente para Vitória. — Isso é uma infelicidade, já que creio que ele gostaria de ser um candidato à vossa mão.

— George pensa que gostaria de ser meu marido? — Vitória olhou para ele, atónita.

Melbourne anuiu.

— Assim me parece, Majestade. E, claro, um casamento inglês seria muito popular no país.

Vitória levantou o seu olhar azul e encarou-o.

— Um casamento inglês?

— Cairia muito bem, Majestade.

Vitória deitou-lhe um sorriso radioso.

— Então terei isso em linha de conta, Lorde M.

O pai de Vitória, o falecido duque de Kent, distinguira-se, mesmo entre os famosamente pródigos filhos de George III, pela sua extravagância. Passara a maior parte da sua vida adulta no estrangeiro, no Canadá, em parte devido à sua carreira militar, mas mais especialmente porque queria escapar aos seus muitos credores.

Ao subir ao trono, Vitória ficara espantada ao saber que tantas das dívidas do seu pai se mantinham por pagar. Uma vez que, após a morte do duque, o Parlamento concedera à duquesa uma soma para esse efeito, Vitória sentiu-se duplamente mortificada. Declarara que pagaria de imediato todas as dívidas do pai, mesmo que tal implicasse que ela e a mãe tivessem de abdicar de novos chapéus. Melbourne rira-se e declarara que não lhe parecia que tal sacrifício fosse necessário, e observara que ela era muito frugal por comparação aos seus predecessores no trono.

Após ter saldado as dívidas, Vitória pensara que era tempo de fazer algo mais positivo para honrar a memória do pai. Acreditava, sem grandes provas que o apoiassem, que o seu progenitor fora um homem caridoso nos seus impulsos, e desejava fazer algo que concretizasse essa generosidade. A mãe não ajudara em nada, sugerindo que a coisa que mais agradaria ao pai seria ver a viúva devidamente estabelecida.

— Ele sempre gostou de me ver muito elegante, Vitória. Estava sempre a comprar-me roupas bonitas. — Vitória retorquira que pensava que devia haver um tributo à generosidade do pai mais permanente do que uma nova sombrinha.

Claro que consultara lorde M, que a aconselhara a fazer algo filantrópico.

— Existem estátuas dos vossos tios espalhadas por toda a cidade de Londres, e apesar de decorarem o perfil da cidade, têm pouca utilidade prática. — Vitória escutara, como sempre fazia a tudo o que lorde Melbourne dizia, com atenção, e começara a procurar um projeto adequado.

Harriet Sutherland, cuja família levava a filantropia muito a sério, levara-a a criar o projeto de construir asilos para auxiliar os pobres na paróquia de Camberwell.

— Há ali gente velha, Majestade, que vive em condições de grande pobreza, tendo trabalhado com diligência a vida toda. E pensar que é possível viver tão miseravelmente a pouco mais de um quilómetro do palácio.

Visitando incógnita a paróquia com a duquesa, Vitória ficara horrorizada com as condições que ali encontrara. Apesar de não se atrever a sair da carruagem com medo de ser reconhecida, viu crianças vestidas de farrapos a mendigar nas ruas e uma mulher idosa, com um vestido negro poeirento que em tempos fora de boa qualidade, sentada no chão com uma pequena trouxa ao lado e um papagaio numa gaiola.

Pedira ao lacaio que fosse indagar qual era a história da mulher e descobrira que ela fora criada de uma dama e que perdera o seu lugar devido à idade. Sem filhos ou pensão, a mulher não tinha forma de se sustentar a si e ao seu papagaio. Vitória ficara como-vida com o papagaio, com a plumagem suja, mas os olhos amarelos a brilhar. Ficara bastante indignada com os antigos patrões da velha senhora. Como era possível que a tivessem atirado para a rua assim? Harriet dissera-lhe que era bastante comum.

— Nem toda a gente que tem criados foi educada para perceber que existe uma obrigação de ambas as partes.

Vitória quisera resolver a situação da mulher de imediato, e como nunca trazia dinheiro consigo vira-se forçada a pedir a Harriet que lhe emprestasse algum. Harriet sugerira que talvez fosse melhor que alguém a levasse ao palácio onde poderiam dar-lhe uma refeição e algumas orientações para o futuro.

A difícil situação da senhora Hadlow, a criada da dama (sendo o «senhora» honorífico) convencera Vitória a construir asilos onde os pobres respeitáveis pudessem viver os seus últimos dias em paz. Contribuíra com a maior parte dos fundos necessários ao projeto, na convicção de que se chamariam os Asilos do Duque de Kent. A senhora Hadlow e o seu papagaio contavam-se entre os primeiros habitantes.

Os edifícios construídos eram muito agradáveis, pensou Vitória, quando a sua carruagem se aproximou do pequeno largo. Os prédios baixos, com dois andares, com as suas portas da frente vermelhas e os jardins da frente muito bem arranjados pareciam o epítome do conforto elegante, um esplêndido contraste com a sordidez que testemunhara antes. Dos telhados e vedações pendiam bandeirolas e decorações e uma banda de metais começou a tocar o hino nacional quando o lacaio de Vitória puxou os degraus da carruagem.

No centro do largo estava um plinto com uma dedicatória à memória do seu pai coberto com um pano de veludo. Vitória devia fazer um pequeno discurso antes de descerrar o plinto e declarar abertos os asilos. Não quisera que a cerimónia fosse uma ocasião pomposa, mas a visita do tio significava que se vira forçada a convidá-lo e Melbourne sugerira que, para tornar a cerimónia mais divertida, convidasse também o grão-duque. Achara a sugestão excelente, mas ficara menos encantada quando soubera que o duque de Cumberland ficara mortalmente ofendido por não ter sido convidado. Não tinha a menor intenção de o incluir, mas Melbourne dissera-lhe que excluí-lo causaria um escândalo desnecessário e que estava certo de que ela não quereria fazer nada que prejudicasse o honrar da memória do pai. Portanto, Vitória, ciente do que acontecera da última vez que ignorara um conselho do seu primeiro-ministro, cedera e convidara os Cumberland bem como o resto da família do pai.

Foi com alguma trepidação que saiu da carruagem. Sentadas nas bancadas em redor estavam todas as pessoas que lhe causavam ansiedade: a mãe, Conroy, os Cumberland, que haviam trazido o príncipe George, e *sir* Robert Peel. De uma forma que não previra, o que começara por ser um tributo ao pai transformara-se, não sabia como, num teste à sua autoridade. Este sentimento de alarme foi exacerbado pela presença de uma fileira de soldados do seu regimento pessoal, separando o grupo régio da multidão reunida na rua. Vitória sentiu-se como se estivesse a ser examinada de todos os ângulos. Olhou à sua volta. Havia apenas um rosto, apercebeu--se, que desejava ver, mas dele nem sinal. Forçou-se a sorrir ao encarregado dos asilos, que estava a ser-lhe apresentado por Harriet Sutherland.

Foi então que o sentiu mesmo atrás de si e uma quente vaga de alívio percorreu-lhe o corpo.

— Perdoe-me, Majestade, por não estar presente quando chegou, mas as multidões são tão cerradas que a minha carruagem mal conseguia abrir caminho por entre elas.

Vitória virou-se e sorriu.

— Perdoo-lhe, Lorde M. Mas pode dizer-me porque há tantos soldados? Sei que o meu pai era militar, mas penso que destrói o carácter pacífico da ocasião.

Melbourne olhou para ela.

— Como mencionei antes, temo que haja perturbações vindas dos Cartistas, Majestade.

Vitória lançou um olhar à multidão e abanou a cabeça.

— Mas os Cartistas usam chapéus de senhora, Lorde M? Porque estão aqui muitos hoje.

Foi a vez de Melbourne sorrir.

— Para dizer a verdade, Majestade, alguns Cartistas pensam que as mulheres devem ter direito de voto.

Vitória riu.

— Agora está a meter-se comigo.

— Não, Majestade, garanto-lhe que falo a sério.

Com um gesto, Vitória indicou um grupo de crianças que agitavam bandeiras.

— E também darão votos às crianças?

— Não, Majestade, penso que nem mesmo os Cartistas iriam tão longe.

A rainha seguiu Melbourne até ao estrado ao lado do plinto. Houve uma pequena escaramuça quando o Grão-Duque e o príncipe George competiram pela posição mais próxima dela. George, que começara a mostrar desagrado pelo príncipe russo não só porque o entendia como possível rival pelo afeto de Vitória, mas também porque o uniforme do Grão-Duque era tão mais magnífico do que o seu, disse, com o que ele imaginou ser uma sobranceria gelada.

— Que afortunados somos, senhor, que o vosso pai possa dispensar-vos para estardes presente na abertura de um asilo.

O grão-duque, que não via George como rival em campo nenhum, respondeu:

— O meu pai e eu somos grandes admiradores das instituições britânicas, da vossa rainha em particular.

George deslocou-se para se pôr à frente dele, mas descobriu que o russo lhe bloqueava o caminho. Ficaram ali, desconfortavelmente perto, nenhum deles preparado para ceder e deixar espaço ao outro.

Observando este ligeiro contratempo, Melbourne permitiu-se um meio sorriso, após o que lançou uma olhadela a Vitória para ver se ela reparara na rivalidade entre os seus dois admiradores. Mas ela olhava para o plinto e mordia o lábio, sinal, sabia, de que estava nervosa. Disse, em voz baixa:

— Devo começar, Lorde M?

— Se sente que está pronta, Majestade.

Ela avançou um pouco mais na direção do estrado, e ele reparou que a mão que segurava o papel onde escrevera o seu discurso tremia. Numa voz aguda e ligeiramente vacilante, começou:

— Não conheci o meu pai, mas sei que, acima de tudo, acreditava na caridade cristã.

Melbourne ouviu o duque de Cumberland resmungar para a mulher:

— A única caridade que o meu irmão praticava era manter a amante que largou quando casou. E mesmo isso não durou muito tempo.

Melbourne virou-se para ver se a duquesa de Kent teria escutado a observação, mas felizmente ela encontrava-se ladeada pelo irmão e por sir John Conroy e demasiado absorvida pela companhia dos dois para prestar atenção ao cunhado. A rainha encontrava-se demasiado longe para ouvir o que quer que fosse que o tio dissesse.

— Pelo que tenho o maior prazer em dedicar estas casas à sua memória.

Ao som dos aplausos do estrado e da multidão, a pequena figura da rainha caminhou até junto do plinto para destapar a placa em memória do pai. O Grão-Duque e o príncipe George deslocaram-se ao mesmo tempo, ambos, segundo parecia, com intenção de ajudar a rainha. Ficaram ali, um de cada lado do plinto, de olhar fulgurante um para o outro, com o russo a fingir que o príncipe inglês não existia.

Quando Vitória viu a situação, a única coisa que pôde fazer foi sorrir.

— Muito obrigada aos dois, mas penso que consigo fazer isto sozinha.

Olhou-os o tempo suficiente para que ambos recuassem um pouco, após o que puxou o fio que afastou o pano de veludo. Para seu alívio saiu sem problemas, revelando uma placa com o inconfundível perfil Hanover do duque de Kent.

Virou-se e encarou a multidão.

— E agora é meu grande prazer declarar estas casas, destinadas ao abrigo dos pobres e idosos desta paróquia, abertas.

Houve outra revoada de aplausos da multidão e alguns gritos de «Deus salve a Rainha», mas também um ruído mais estridente, mais áspero. A rainha ouviu-o e estava a virar-se para Melbourne quando uma pedra aterrou com grande estrondo no plinto, falhando Vitória por muito pouco. A seguir, o ruído da multidão ganhou corpo, transformando-se num canto de «Justiça para os Cartistas de Newport! Justiça para os Cartistas de Newport!»

Vitória sentiu a mão de Melbourne no seu braço, puxando-a para trás dele e, por um instante, naquele abraço, ela encostou a face contra o tecido áspero do casaco dele e passou os braços pela sua cintura. Não obstante o barulho e a confusão, o pungente bafo de pânico em seu redor, não obstante a lã áspera contra a sua pele, Vitória sentiu-se como se tivesse sido envolvida na mais fina caxemira, completamente protegida do caos que a rodeava. Era este, pensou, o sentimento de segurança.

Foi então que ressoou um tiro por cima da multidão e Vitória foi arrancada ao seu devaneio. Disse com urgência:

— Lorde M, não os deixe disparar. Lembre-se dos chapéus.

Melbourne virou-se para ela, com os olhos verdes brilhantes e duros, mas ao ver a sua face, a expressão dele suavizou-se.

— Não se preocupe, Majestade, não vou permitir que ninguém se magoe. Mas a senhora tem de regressar de imediato ao palácio.

— Não quero deixá-lo. É a única pessoa que...

As suas palavras perderam-se noutra rajada de tiros. Melbourne olhou por cima da cabeça da rainha e viu o príncipe George a avançar em direção à multidão, empunhando a espada qual cavaleiro errante e o Grão-Duque com um ar igualmente marcial à sua direita. Nenhum deles servia para o que tinha em mente, pelo que foi com um suspiro de alívio que avistou a clara, imperturbável face de lorde Alfred Paget. Chamou-o, insistente.

— Lorde Alfred, creio que a Rainha está de saída. Pode acompanhá-la a ela e à Duquesa de regresso ao Palácio?

Lorde Alfred, com uma habilidade forjada pela sua experiência mais no campo das receções diplomáticas do que no fumo das batalhas, conseguiu conduzir a relutante Vitória, pela mera força da sugestão, em direção à carruagem, ao mesmo tempo que recolhia a duquesa, informando-a com um simples arquear de sobrancelha de que, num tal momento de insurreição, o seu lugar era ao lado da filha.

Vitória permitiu sem protestar que a pusessem na carruagem, mas quando se encostou ao vidro e viu Melbourne falar com o oficial que comandava as tropas, com um rosto tomado de preocupação, sentiu a dor de o abandonar de uma forma tão vívida, que as lágrimas lhe assomaram aos olhos.

Vendo isto, a mãe levou a mão ao rosto da filha.

— Não tenha medo, *Liebes*. Nenhum mal vos acontecerá. Prometo.

Mas Vitória desviou a cara, olhando pela janela, para ter uma última visão dele. Encontrava-se no meio da multidão, com o oficial no comando. Desejou que se virasse e quando ele ergueu a cabeça, pareceu-lhe que olhava diretamente para ela. Foi então que a carruagem deu um solavanco em frente pelo meio da multidão e ele desapareceu da sua vista. Vitória deixou-se cair para trás, contra o assento de cabedal estofado e fechou os olhos.

Melbourne viu a carruagem afastar-se e pensou ter visto de relance o rostinho pálido da rainha à janela. Sentindo um grande assomo de alívio por ela ter partido, tornou a virar-se para o capitão e disse, ainda com mais convicção do que antes:

— Tem de dispersar a multidão de forma pacífica. Garanta que os seus homens só disparam para o ar. Não quero ninguém ferido. Fiz-me compreender, capitão?

O capitão anuiu, relutante. Pensou que lorde Melbourne não era soldado; se fosse, saberia que quantas mais pessoas fossem feridas agora, menos provável era que uma situação semelhante viesse a ocorrer mais tarde.

Melbourne procurava Emma Portman, para garantir que ela ficaria junto da rainha durante todo o resto do dia, quando ouviu uma voz mesmo atrás de si:

— Lorde Melbourne, posso dar-lhe uma palavra? — Melbourne reconheceu o inglês entrecortado do rei dos belgas. Esforçou-se por controlar a sua irritação.

— Pode esperar, Alteza? Neste momento, estou um tanto preocupado. — Fez um gesto, indicando a confusão à frente dos dois. O príncipe George e o grão-duque estavam de pé, de espadas desembainhadas, e não era claro se pretendiam enfrentar a multidão ou lutar um contra o outro.

Leopold abanou a cabeça.

— Temo que não.

Melbourne suspirou e encarou Leopold com uma resignação cansada.

— Então, senhor, estou ao vosso dispor.

Com um gesto, Leopold indicou-lhe que o seguisse até um ponto atrás do plinto onde não seriam escutados, por improvável que tal parecesse no meio daquela confusão. Mas o rei, pensou Melbourne, não perdia uma oportunidade de se fazer valer.

O rei inclinou-se para a frente de forma a que a sua boca ficasse muito próxima da orelha de Melbourne.

— Desejo falar-lhe da minha sobrinha.

Melbourne recuou um passo, enfrentando o outro homem.

— Realmente?

Leopold ofereceu-lhe um sorriso que sugeria serem ambos homens do mundo.

— Tem de concordar, penso, que quanto mais cedo ela casar, melhor. Até agora, o reinado dela tem sido conturbado. Um marido, filhos, iriam acalmar a sua leviandade.

Melbourne fez uma pausa e disse depois:

— Não vejo qualquer urgência no casamento da Rainha. O mais importante, penso, é que ela faça uma escolha ajuizada.

Olhou para os dois príncipes. Leopold seguiu o olhar dele.

— Não posso estar mais de acordo. E não pode haver escolha melhor do que o seu primo Albert. É um jovem adulto sério e eu dediquei grande interesse à sua educação. — Virou-se para encarar Melbourne. — E claro, tem a idade adequada.

O rosto de Melbourne não se moveu.

— Creio que a Rainha não o apreciou quando se encontraram da última vez.

Leopold sorriu perante a tolice da sobrinha.

— Era demasiado jovem para ter opinião. Vitória mudará de parecer, mas só, penso, se perceber que um tal casamento é do seu melhor interesse. — Numa voz mais baixa: — Creio, Vossa Senhoria, que podíeis convencê-la de tal.

O outro homem esboçou um sorriso sem alegria.

— Não sou mágico, Alteza. A Rainha tem a tendência de só ouvir o que realmente já pensa.

Leopold inclinou a cabeça para um lado e retorquiu, astuto:

— Vá lá. Lorde Melbourne, está a ser demasiado modesto. Já vi a forma como a minha sobrinha olha para vós. — Pestanejou lentamente como que sugerindo os modos namoradeiros da Rainha coquete.

Melbourne disse, num tom tão átono quanto conseguiu:

— Penso, senhor, que exagera a minha influência.

— Se o diz, Lorde Melbourne. Mas estou certo de que se pensar bem, um homem da sua — fez uma pausa — experiência, compreenderá o que há a fazer.

Outra rajada de tiros poupou a Melbourne o ter de responder. Dirigiu ao rei um aceno de cabeça mínimo.

— Peço-lhe que me desculpe, Alteza. — E afastou-se na direção da multidão que avançava.

Leopold viu-o afastar-se. Alcançara o seu objetivo. Melbourne sabia agora que a sua relação com Vitória estava sob escrutínio.

CAPÍTULO CINCO

Na manhã seguinte, como era habitual, Vitória aguardou por Melbourne na sua sala de estar, com a pilha de caixas vermelhas à sua frente. Vestira-se com cuidado para a reunião, tendo escolhido o vestido de musselina com ramagens novo e arranjado o cabelo em ondas em volta das orelhas da maneira que lorde M lhe dissera uma vez achar encantadora. Os acontecimentos do dia anterior haviam sido desconcertantes, tão enigmáticos, na realidade, que ela fora deitar-se sem jantar. Mas a meio da noite acordara e, inquieta, saíra da cama.

Era noite de lua cheia e os jardins do palácio estavam banhados por aquela luz prateada. Viu um animal, talvez um coelho, a atravessar o relvado a correr em direção ao lago. Aqui, no palácio, por vezes era difícil lembrar-se de que se encontrava mesmo no centro de Londres. E, contudo, os asilos estavam a menos de três quilómetros do local onde se achava agora. Fora um alívio saber que ninguém se ferira nessa tarde; ficara contente por saber que Melbourne lhe dera ouvidos.

Esperara saber notícias dele nessa noite, mas para sua surpresa, ele não aparecera após o jantar, nem sequer enviara qualquer mensagem. Em certa medida, ficara aliviada uma vez que precisava de tempo para examinar os seus sentimentos; ainda sentia a aspereza da lã a roçar-lhe na cara. Aquele contacto, por rápido e acidental que tivesse sido, tocara-a de uma forma que não conseguia explicar. Era como se tivesse descoberto algo de que não sabia andar à procura.

Andou pelo quarto e a lua brilhava tanto que não precisou de vela. Viu a caixa que continha o telescópio que Melbourne lhe oferecera no seu aniversário. Abriu a caixa e tirou o instrumento, esticando-o até ao seu máximo comprimento. Ajoelhando-se no assento da janela, levou-o ao olho e tentou encontrar a Lua. Por fim, a lente mostrou a paisagem lunar e ela observou com espanto as sombras que revelava.

Não fora de todo o presente que esperara que lorde M lhe oferecesse pelo seu aniversário, mas agora pensava entender o seu significado. Ele estava a sugerir-lhe que tentasse ver as coisas de outra maneira, para olhar a sua vida e os problemas de uma outra perspetiva. Claro, que na altura ele queria que ela aceitasse que ele já não podia continuar a ser o seu primeiro-ministro, mas acabara por perceber que o seu lugar era ao lado dela. Agora, enquanto olhava pela lente do telescópio, pensou que talvez fosse altura de olhar para Melbourne de um ângulo diferente.

Ele era seu amigo, seu conselheiro e seu confidente, mas, perguntou-se, poderia vir a ser algo mais? O seu corpo soubera-o de imediato — aquele contacto inesperado fora eletrizante — mas a sua mente tinha de reconhecer esta nova perspetiva. Se ia realmente casar, poderia haver marido mais adequado ou mais desejável do que o homem que já lhe preenchia os pensamentos? Seria uma escolha nada ortodoxa, sabia, que provocaria alguns protestos. O tio Leopold não aprovaria, mas de certeza que seria melhor casar com um homem que amava do que entrar num calculado casamento de conveniência.

Havia a Lei do Casamento Real, que impedia que um membro da família real casasse sem o consentimento do soberano, mas ela era a soberana. Sabia, claro, que haveria objeções da parte dos tios e talvez também daqueles idiotas liberais, mas, no fim de tudo, quem poderia impedi-la?

Seria difícil, pensou, fazendo girar a peça de latão na mão, comunicar-lhe a sua decisão. Pensou se ele poderia talvez adivinhar, uma vez que era sempre tão perspicaz, mas mesmo que o fizesse, qualquer — e aqui apertou o telescópio com toda a força — qualquer proposta teria de partir dela. Teria sempre de ser o soberano a fazer o pedido.

Suspirou e tentou imaginar o que diria. A única forma seria pôr-se muito perto dele para poder sentir o seu calor, mas não ter de o encarar olhos nos olhos. Não acreditava que fosse capaz de dizer o que tinha a dizer sob o escrutínio daquele olhar verde. Mas tinha de o fazer, sem mais delongas. Recordou a citação que lorde M costumava usar quando queria fazer qualquer coisa: «Há ondas nos assuntos dos homens, que, ao apanhar a maré alta...»

Ela iria apanhar a maré alta.

*

Quando a porta da sua saleta se abriu, logo após o relógio bater as nove, ela ergueu o olhar, sorrindo, mas em vez do seu primeiro-ministro, viu Emma Portman que parecia invulgarmente atrapalhada.

— Emma? Estava à espera de Lorde M.

— Eu sei, Majestade, e é por isso que vim dizer-lhe que ele foi para Brockett Hall.

— Brocket Hall? E por que razão iria para lá agora?

Emma baixou os olhos.

— Não tenho a certeza, Majestade. Talvez tenha sentido que precisava do ar do campo.

— Mas ele diz-me sempre que sente que não há nada mais revigorante do que um passeio por St. James.

Emma fez um sorriso que não lhe chegou aos olhos.

— Temo que até mesmo Lorde Melbourne possa ser pouco coerente, Majestade.

Vitória levantou-se de repente, derrubando a pilha de caixas, que caíram no chão. Emma começou a apanhá-las, mas Vitória estendeu uma mão para a deter.

— Esqueça isso. Tem a sua carruagem aqui, Emma?

Emma anuiu devagar, com a apreensão espalhada na cara.

— Gostaria de lha pedir emprestada, se mo permitir. Ou melhor, gostaria que fizéssemos uma excursão juntas.

Emma olhou para a rainha e fez uma pergunta para a qual já sabia a resposta.

— E onde iremos, Majestade?

— A Brocket Hall. Tenho algo da maior importância a dizer a Lorde M.

Emma Portman inspirou profundamente.

— É uma viagem considerável, Majestade. Talvez seja melhor enviar um mensageiro. Estou certa de que William regressará de imediato à cidade.

Mas Vitória, que andava de um lado para o outro, disse:

— Não, não pode esperar. Há ondas, Emma, nos assuntos dos homens, que, ao apanhar a maré alta nos conduzem à fortuna.[16]

— Não vou discutir com Shakespeare, Majestade.

— Ótimo. Mas temos de ir imediatamente. E incógnitas, claro.

— Claro — concordou Emma Portman, a sua voz a ecoar a da sua soberana, deixando cair o final. Se Vitória notou a sua falta de entusiasmo, não deu sinal disso, e ia já pelo corredor fora no seu passo miúdo e leve.

*

A viagem até Brocket Hall, que ficava no condado de Hertfordshire, levou um pouco menos de duas horas. Vitória insistiu em irem diretamente para lá, sem parar. Ia sentada na borda do seu assento da carruagem, brincando com o véu e ensaiando mentalmente o discurso que faria a lorde Melbourne. Foi olhando repetidas vezes para Emma, comentando o tempo ou a paisagem, mas era evidente que a sua cabeça estava demasiado cheia dos seus próprios pensamentos para permitir uma conversa vulgar.

Por fim, e para grande alívio de Emma, a carruagem virou para o caminho bordejado de ulmeiros que conduzia a Brocket Hall, uma mansão neoclássica com uma fachada de pedra de Portland.

— Ali, Majestade, se espreitar pelo meu lado da carruagem, terá uma primeira visão da casa. Creio que foi construída durante o reinado do vosso tetravô, George II, e é considerada um dos melhores exemplos do período.

Vitória olhou pela janela, mas não era a casa o que viera ver.

_____

[16] Esta frase é uma citação da peça *Júlio César*, de Shakespeare, ato 4, cena iii, vv.218-219. (*NT*)

— Conheceu a mulher de Lorde M, Emma?

— Caro? Claro. Ela é, era, uma espécie de prima.

— Como é que ela era? Era muito bonita?

— Bonita? Não, não diria isso. Mas era invulgarmente animada. Se estava numa sala, era impossível olhar para outra pessoa qualquer.

— Estou a ver. Mas era uma pessoa imoral, não era?

Emma sorriu.

— Por causa da confusão com Lorde Byron? Eu não lhe chamaria imoral. Acho que foi descuidada, mas penso que ele a fascinou e ela não teve força para lhe resistir.

— Fala como se achasse que ela não teve culpa!

— Sinto pena dela, Majestade. Se a tivesse visto depois da *mésalliance* ter terminado, entenderia. Foi como se o fogo que havia nela se tivesse apagado. Ele era um homem terrível, muito atraente absolutamente desapiedado. Pôs a pobre Caro de lado como se ela fosse lixo.

— Mas ela quebrou os votos do casamento, Emma. Como pode sentir pena de uma mulher que faz uma coisa dessas?

Emma olhou para o rostinho de Vitória e viu as manchas de cor nas suas faces, os olhos azuis brilhantes e a boca ansiosa.

— Não será a primeira mulher casada a fazê-lo, Majestade, nem a última.

— Bem, eu penso que o comportamento dela foi chocante. Nunca percebi a razão por que Lorde Melbourne a recebeu de volta depois de ela o ter tratado de forma tão vergonhosa.

— Nunca senti mais admiração por ele, Majestade. A mãe, os amigos, o partido, todos tentaram convencê-lo a divorciar-se dela, mas ele nem quis ouvir falar disso. Declarou que não ia abandoná-la num momento difícil. E cuidou dela durante o resto da sua vida, mesmo quando, lamento dizê-lo, ela estava, a maior parte do tempo, sem tino.

Vitória abanou a cabeça.

— Ela não o merecia.

Emma abanou a cabeça, por sua vez.

— No início ela era amorosa e depois... bem, penso que William se sentiu responsável.

A carruagem começou a abrandar, à medida que se aproximava da casa.

Emma olhou para a rainha.

— Se me permite, eu saio primeiro, Majestade. Conheço o mordomo e posso pedir-lhe que seja discreto.

Vitória baixou o espesso véu negro sobre o rosto.

— Pensa que alguém me reconhece com isto?

Emma esforçou-se por não sorrir.

Hedges, o mordomo, vinha a descer os degraus enquanto o cocheiro abria a porta, com a cara enrugada de preocupação. Quando viu Emma, fez uma vénia profunda.

— Lamento, minha senhora, mas o meu senhor não me disse que vinha.

— Está tudo bem, Hedges, ele não sabia.

O rosto de Hedges ficou completamente contorcido de preocupação.

— Hesito em dizer isto, vossa Senhoria, mas sendo como é uma antiga e fiel amiga da família, tenho de dizer-lhe que temo não vá encontrar o meu senhor no melhor dos humores. Chegou ontem à noite, sem aviso, e muito fora do que é normal nele.

— Muito obrigada, Hedges, vou preparar-me para o pior. — Baixou a voz.

— Trouxe comigo uma visita, uma visita muito *importante*, para ver Lorde Melbourne. — O mordomo ficou atónito, mas quando viu a pequena silhueta velada dentro da carruagem, um brilho de entendimento começou a percorrer as suas feições enrugadas.

— Estou a ver, vossa Senhoria.

— Ela está aqui incógnita, entende?

Hedges anuiu.

— Perfeitamente, vossa Senhoria.

— Excelente. Agora é melhor ir avisar o seu senhor de que tem visitas.

— Ele está no parque, vossa Senhoria. Creio que foi até à mata junto do lago, o local a que ele chama as rochas. — Acompanhou isto com um arquear de sobrancelhas, como se não pudesse responder pelo local.

Emma anuiu.

— Muito obrigada, Hedges. Acho que vamos ao encontro dele a pé.

Incapaz de esperar mais tempo, Vitória desceu da carruagem.

— Está tudo bem? Ele está cá, não está?

Emma deu-lhe o braço e caminhou um pouco pelo carreiro com ela, até ficarem fora do alcance do ouvido.

— Sim, Majestade, está. O mordomo diz que ele está ali. — Apontou para a mata do outro lado do lago, atravessado por uma ponte de pedra cinzenta.

Vitória seguiu o olhar dela.

— Então vou ter com ele.

— Deixa-me ir à sua frente dizer-lhe que está aqui? Pode não estar preparado para si.

Vitória riu-se.

— Oh, Emma! Lorde M e eu não fazemos cerimónia um com o outro. Ora, ele vem muitas vezes ao palácio sem ser anunciado. Porque haveria de ser diferente desta vez?

— Como deseje, Majestade.

Vitória começou a andar pelo caminho de gravilha que conduzia até à ponte, mas quando Emma se preparou para a seguir, virou-se para trás e disse-lhe:

— Penso, Emma, que vai preferir ficar sentada dentro de casa. — Quando pareceu que a mulher mais velha se preparava para protestar, Vitória continuou, com alguma firmeza: — Creio que consigo lá chegar sozinha.

— Se tem a certeza, Majestade.

— Absoluta.

Emma ficou a ver a figurinha com o volumoso véu negro caminhar em passo vivo pela colina abaixo e atravessar a ponte para a outra margem. Quando se virou, Hedges estava a seu lado. Olharam um para o outro, reconhecendo a cena à sua frente e então, *lady* Portman recompôs-se.

— Sinto que estou cheia de sede depois da viagem. Pede que me tragam um chá?

— Com certeza, vossa senhoria.

Vitória viu-o primeiro, avistando o verde-escuro do casaco dele contra a pedra cinzenta do banco. Ele tinha o rosto desviado do dela, e olhava para um maciço de árvores cujos ramos franjados de verde estavam salpicados das formas negras das gralhas. Estava sentado, absolutamente imóvel, com a cabeça apoiada na pedra, até as gralhas, sentindo a aproximação da rainha, começarem a voar em círculos, alarmadas, com os gritos a ecoar sobre a água do lago. Melbourne pôs-se de pé, devagar, com os ombros a trair a relutância em ser perturbado. Mas assim que viu a inconfundível figura que caminhava na sua direção, a sua postura alterou-se, passando a alerta e cautelosa.

Aguardou até ela chegar mais perto antes de dar a entender que a vira, agitando a mão. Não disse nada até Vitória se encontrar de pé à sua frente e erguer o véu, após o que disse:

— Sois vós, Majestade, não tinha a certeza.

Vitória olhou para ele.

— O mordomo disse que se tratava de um dos seus locais favoritos.

Melbourne virou-se e indicou as árvores atrás de si, onde as aves gritavam em protesto perante a presença da intrusa.

— Venho por causa das gralhas, Majestade. São animais sociáveis. A um grupo assim chamamos Parlamento. Mas são muitíssimo mais civilizadas do que os seus equivalentes humanos.

Deixaram-se ficar a ouvir os gritos estridentes dos animais. Vitória mordeu o lábio e disse:

— Peço desculpa de o perturbar, Lorde M, mas tinha de falar consigo.

Melbourne fez-lhe uma pequena reverência.

— Brocket Hall fica honrada com a vossa presença, Majestade.

— Vim com Emma Portman. Incógnita, claro.

Os lábios de Melbourne tremeram.

— Claro, Majestade. Mas a vossa presença não pode ser completamente disfarçada.

Vitória ergueu a mão para prender o véu que se agitava atrás dela com o vento. As gralhas responderam ao seu gesto com uma rajada de grasnidos.

— Sabe, Lorde M. Ontem... ontem eu percebi uma coisa.

O olhar de Melbourne não se desviou da cara dela. Aguardou que ela prosseguisse e, quando ela hesitou, perguntou baixinho:

— Sim, Majestade?

Vitória falou depressa, como se tivesse de ver-se livre das palavras antes que lhe abrissem um buraco na boca.

— Penso que talvez agora esteja a falar mais como mulher e não como rainha.

Tornou a hesitar, mas Melbourne continuou a fitá-la até ela se sentir preparada para prosseguir.

— No início, pensei que o senhor fosse o pai que nunca tive, mas agora sinto — ergueu o olhar —, agora *sei*, que é o único companheiro que alguma vez poderei desejar.

No momento em que disse isto, um raio de sol rompeu as nuvens por cima deles e incidiu diretamente no rosto de Melbourne, e ele virou a cara por um instante. E então, quando o sol voltou a ficar coberto pelas nuvens, encarou Vitória e tomou-lhe uma das mãos na sua. Mesmo através da luva de pelica branca, ela sentiu o toque da mão dele como se fosse uma brasa incandescente a arder-lhe na palma da mão.

Com a outra mão, mas sem nunca desviar o olhar de Vitória, fez um gesto indicando as gralhas nas suas costas.

— Sabia, Majestade, que as gralhas acasalam para toda a vida? Todos os anos se cortejam uma à outra enquanto constroem o ninho, renovando aquelas pequenas gentilezas que fazem um casamento cintilar. Podíamos aprender tanto com elas.

Vitória escutou as palavras dele, mas só conseguia sentir a mão que segurava a sua com força. Melbourne hesitou, enquanto olhava para o rosto virado para o seu, mas prosseguiu:

— Se eu tivesse observado as gralhas com mais atenção, talvez a minha esposa se tivesse sentido mais acompanhada.

Vitória retorquiu, indignada:

— Ela nunca devia tê-lo deixado! *Eu* nunca faria tal coisa.

Melbourne engoliu em seco e respondeu, com grande seriedade:

— Não, acredito que, quando der o seu coração, o fará sem hesitar. — E depois, num tom mais baixo: — Mas não pode dar-mo a mim.

290

Vitória quase se riu. Será que ele não entendia o que ela fora ali dizer-lhe?

— Penso, Lorde M, que já o tem. — Levantou a cara até tão perto da dele quanto a diferença de alturas o permitia. Mesmo sabendo que ele nunca se aproveitaria de uma rainha, com certeza que se ela deixasse claro que não se importaria de todo que ele a beijasse, ele talvez pudesse ultrapassar os seus escrúpulos. Fechou os olhos, à espera. Mas em vez dele se dobrar para a frente, ela sentiu-o largar a sua mão.

Quando reabriu os olhos viu, entre o nariz e a boca dele, rugas em que ainda não tinha reparado. Ele disse, determinado:

— Não, minha cara, deve guardá-lo intacto para outra pessoa.

Voltou a olhar para as gralhas como se estas tivessem alguma mensagem para si e depois, voltando-se, disse, com uma clareza horrível:

— Não tenho utilidade para isso, sabe. — Tentou sorrir. — Tal como as gralhas, eu acasalo para a vida.

Vitória precisou de um momento para compreender o que ele acabara de dizer, um momento para apreender que tudo o que pensara, esperara, não ia acontecer. Enganara-se; ele não gostava dela, mas da recordação da mulher que o traíra.

Sabia que tinha de partir antes de as lágrimas surgirem. Com o tom de voz mais digno que conseguiu arranjar, disse:

— Estou a ver. Então, lamento tê-lo perturbado, Lorde Melbourne. — Puxou o véu de novo para a cara e caminhou, depois correu para longe dele tão depressa quanto conseguiu, com os gritos das gralhas a abafar o som das suas lágrimas.

Da sala de estar de Brocket Hall, Emma Portman viu a pequena silhueta da rainha tornar a cruzar a ponte. Pela forma como ziguezagueava em diagonal pelo carreiro como se não visse bem o caminho à sua frente, ficou claro aos olhos de Emma que a rainha vinha a chorar.

Tocou a campainha e pediu a Hedges que mandasse vir a carruagem pois partiriam de imediato. Hedges anuiu, mas antes de desaparecer comentou, com uma tristeza que expressava um grande afeto.

— O meu senhor não tem tido a felicidade que merece, Vossa Senhoria.

— Não. Mas tem servido bem o seu país, penso.

O mordomo curvou a sua cabeça grisalha e foi chamar a carruagem. Emma Portman aguardou a sua rainha.

Vitória subiu a colina e entrou na carruagem. Não levantou o véu. Viu Emma entrar na carruagem ao seu lado, mas não foi capaz de encontrar palavras. O que poderia dizer? Que o único homem que alguma vez amara, amaria, a rejeitara porque preferia a memória da sua esposa morta — uma mulher que o tratara vergonhosamente.

Vitória sentiu que acabara de perder aquele instante de claridade que sentira quando se encostara a Melbourne nos asilos. Afinal, não estivera nada em segurança; ele não se preocupava nada com ela, só com a malvada Caroline — que o humilhara, enquanto ela, Vitória, não fizera outra coisa se não mostrar-lhe amor e afeto. Pensar no quanto odiava Caroline e no monstro que devia ter sido fê-la sentir-se um pouco melhor. Era mais fácil culpar a mulher morta do que o marido que se mantinha fiel à sua memória. Quão depressa tudo passara da esperança ao desespero! Pensou em como lhe sorrira quando ela levantara o véu e no arrepio de pura alegria que sentira quando ele lhe pegara na mão, não enquanto seu primeiro-ministro, mas enquanto apaixonado. Pensara que a sua cara se iria rasgar tão aberto fora o seu sorriso, mas então ele começara a falar de gralhas e, não obstante ainda lhe segurar a mão como um apaixonado, as suas palavras haviam-na afastado. A sua única hipótese de felicidade desaparecida para sempre. Não sabia como iria suportar aquilo. O único consolo era que, com exceção deles os dois, mais ninguém no mundo saberia o que se passara entre eles.

Dentro de um minuto, recuperada a sua compostura, diria qualquer coisa a Emma que deixasse claro que viera até aqui consultar Melbourne quanto a um assunto de Estado. Mas aquilo fê-la pensar nas caixas vermelhas e nas horas felizes que tinham passado juntos, todas as manhãs, a tratar dos papéis dela, as piadas que tinha feito a propósito de deões de província, o dia em que recebera uma zebra de presente do Emir de Mascate. Tinham sido dias muito felizes, mas agora haviam terminado. Pensou se alguma vez conseguiria tornar a encarar Melbourne. Como poderia voltar a falar-lhe como de costume? Estava tudo arruinado. As lágrimas começaram a rolar-lhe pela cara abaixo e sentiu um olhar de relance de Emma. Vitória desviou a cara. Não queria que Emma a visse chorar. Fechou os olhos, tentando fingir que nada disto estava a acontecer e que ela era ainda a rapariga que fora, na viagem para Brocket Hall.

Um objeto de metal macio foi colocado na sua mão:

— Posso sugerir-lhe um golinho de *brandy*, Majestade? Considero muito eficaz quando se sofre de... enjoo durante as viagens.

Vitória levou a garrafinha aos lábios e sentiu o líquido ardente queimar a garganta. Tossiu devido ao choque, mas quando a queimadura inicial começou a desfazer-se num calor mais geral, tornou a levá-lo à boca.

— Trago sempre algum comigo quando viajo, não se dê o caso de ser preciso — mentiu Emma. Hedges enfiara-lhe o frasco na mão, quando estavam prestes a partir.

À medida que Vitória sentia o calor percorrer o seu corpo, a tristeza inicial começou a recuar e a ser substituída por uma avassaladora sensação de fadiga. Um instante mais tarde estava a dormir, com a cabeça caída sobre o ombro de Emma.

Para alívio de Emma, Vitória dormiu durante todo o caminho de regresso ao palácio. Quando a carruagem passou por Marble Arch, Emma viu Lehzen, de pé, à porta, com a face contraída de preocupação. Quando a carruagem parou, Vitória despertou, sobressaltada. Foi com um aperto de coração que Emma viu o rosto da jovem rainha contrair-se ao recordar o que lhe acontecera. Fez sinal a Lehzen para que viesse dar uma ajuda. Antes de Vitória ter oportunidade de dizer o que quer que fosse, Emma adiantou-se-lhe:

— A Rainha está extremamente fatigada desta viagem. Tem de ir diretamente para a cama. Talvez com um copo de ponche.

Ao descer da carruagem, Vitória quase se lançou nos braços de Lehzen. Emma viu o rosto da governanta, notou a compreensão, mas também o ligeiro brilho de triunfo.

CAPÍTULO SEIS

Leopold tratara de arranjar maneira de se manter informado de tudo o que se passava no palácio, pelo que a notícia da excursão de Vitória a Brocket Hall lhe chegou antes da hora de jantar pelo seu camareiro, que a arrancara a Brodie o criado do vestíbulo. Foi por isso que Leopold não ficou surpreendido, antes se sentiu bastante aliviado, quando a sobrinha não apareceu nessa noite. Era agradável desfrutar de uma refeição em que podia terminar cada prato em paz e sentiu que a decisão de Vitória de permanecer no quarto sugeria que a sua missão, fosse ela qual tivesse sido, não fora bem-sucedida.

Na manhã seguinte, deparou-se com a irmã a passear nos jardins. Parecia preocupada.

— Sabe onde Vitória foi ontem? Ninguém me diz e sei que ela está no quarto e se recusa a ver quem quer que seja.

Leopold olhou para a irmã. Decidiu não lhe falar de Brocket Hall. Se a visita não fora coroada de êxito para Vitória, então sem dúvida que a duquesa diria qualquer coisa desastrada e ele não queria que o abismo entre mãe e filha se tornasse ainda mais profundo.

— Porque não vamos visitá-la juntos? Dificilmente se recusará a receber-nos aos dois. Penso que é importante que lhe falemos de Albert. É tempo de ele vir até Inglaterra, penso.

— O querido Albert, tão bom rapaz. Lembra-me sempre de si na mesma idade.

Leopold sorriu.

— Sim, penso que Albert cresceu muito bem. É um verdadeiro Coburgo.

Foram encontrar Vitória deitada na espreguiçadeira na sua sala de estar, agarrando *Dash* como se fora uma botija de água quente. Lehzen tentou impedi-los de entrar, mas a duquesa empurrou-a e passou com Leopold nos seus calcanhares.

— Onde foi ontem, Drina? Ninguém me diz onde esteve. Fiquei tão preocupada, pensei que lhe tinha acontecido alguma coisa.

Vitória não olhou para eles. Quando falou, a sua voz saiu monótona e sem expressão.

— Não interessa, Mamã.

Leopold contornou a espreguiçadeira para a encarar. Viu os seus olhos inchados e disse, suavemente:

— Onde quer que tenha ido, não parece que vos tenha deixado feliz.

Vitória desviou o rosto. Leopold prosseguiu, no mesmo tom:

— Talvez seja boa altura para falar na visita dos seus primos Coburgo.

Vitória não proferiu uma única palavra, mas *Dash* soltou um ganido, como se estivesse a ser apertado com demasiada força.

— Não? Nesse caso, penso que vou tratar dos meus preparativos para o baile da Duquesa de Richmond. Estou bastante feliz com o meu fato. Por favor, não me perguntem o que vou levar; quero que seja uma deliciosa surpresa.

Dash, que por esta altura já associava Leopold a um tratamento cruel e invulgar às mãos da sua dona, começou a ladrar ao rei dos belgas, e Leopold decidiu enveredar pela fuga. Tinha uma carta a escrever que precisava de enviar de imediato.

A duquesa deu a volta e veio ajoelhar-se à frente de Vitória, pondo a mão na face manchada de lágrimas.

— Minha querida Drina, porque está tão melancólica? Penso que é por estar sozinha. Por favor, convide Albert para uma visita, ele vai ser um companheiro tão bom para si.

O lábio inferior de Vitória começou a tremer, mas mordendo-o com força, ela agarrou numa almofada e atirou-a para o fundo da sala, onde derrubou uma pequena harpa no canto da sala, fazendo-a tombar no chão com um estrondo de cordas a zunir.

Vitória olhou para a mãe com um ar selvagem:

— Não quero um estúpido de um rapaz como o Albert, Mamã! Ou outra pessoa qualquer. — Pôs-se de pé e dirigiu-se para o quarto, batendo com a porta atrás de si.

A mãe hesitou, considerando se havia de bater à porta e entrar, mas viu Lehzen a observá-la e decidiu que não queria humilhar-se à frente da governanta.

— A Drina está fora de si hoje, Baronesa. Seria tão mais feliz se tivesse um marido, acho, e filhos a quem amar.

Lehzen responde:

— Estou certa de que tem razão, Alteza, mas com certeza de que se recordará de que não tenho experiência em tais assuntos.

Depois de a duquesa sair, Lehzen bateu ao de leve na porta do quarto:

— Já pode sair, Majestade; foram-se todos embora.

Da trás da porta não veio qualquer resposta. Só quando *Dash* regressou depois de ter ido em perseguição de Leopold e começou a ganir e a arranhar a porta para entrar é que esta se abriu, mas só o cão pôde entrar.

Não obstante, Lehzen manteve-se de pé junto da porta. Parecia a única ação ao seu alcance para proteger a sua senhora. Tal sentimento confirmou-se quando, uns minutos mais tarde, viu Conroy a avançar pelo corredor, na sua direção.

Quando a viu, dirigiu-lhe o sorriso mais opaco.

— Ah, Baronesa, está de guarda? Para o caso de a sua pupila desaparecer de novo? Ouvi dizer que foi a Brocket Hall sem companhia, mas claro que a senhora já o sabia.

Lehzen não foi suficientemente rápida a disfarçar a sua surpresa por verificar que Conroy estava tão bem informado. Vitória não lhe dissera que fora a Brocket Hall, mas ela tinha as suas suspeitas. Ficou surpreendida por Conroy saber. Só pôde presumir que subornara um dos criados.

— Já não sou a precetora da rainha, *Sir* John.

Conroy assentiu.

— Nem a sua confidente, segundo parece. Não passamos de brinquedos nas mãos de príncipes, Baronesa... a ser rejeitados quando lhes aprouver.

Houve uma nota de algo que se aproximava da melancolia que fez com que Lehzen se virasse e o encarasse.

— Não tem que se preocupar, *Sir* John. Não penso que a Duquesa vá rejeitá-lo.

Sir John abanou a cabeça.

— Tinha tantas esperanças de trazer algum rigor à nossa monarquia. Mas, em vez disso, foi permitido à «Rainha Vitória» — a voz dele ressumava desdém — desbaratar a boa vontade do povo numa série de episódios sórdidos. E ir atrás de Melbourne daqui até Brocket Hall é mais uma gafe constrangedora.

A baronesa virou-se para Conroy.

— Não tem o direito de se referir à Rainha dessa forma!

— Mas porque não? Tal como a senhora, eu tenho cuidado dela desde que era uma rapariguinha. Quero que seja uma grande rainha, não um embaraço para o país. — Olhou para a porta e suspirou.

— Agora, a única esperança é que case com um homem que consiga controlá-la. — E com isto Conroy afastou-se, sem aguardar pela resposta de Lehzen.

Conroy ficara seriamente perturbado com a notícia de que a rainha fora até Brocket Hall. Só podia tentar adivinhar a razão que levara a rainha a pôr de lado o protocolo e decoro para visitar incógnita o primeiro-ministro, na sua casa de campo. Apesar de ter observado com desagrado o crescente entusiasmo dela por Melbourne, nunca lhe ocorrera que pudesse considerá-lo como um potencial marido. De certeza que nem mesmo uma rainha de dezanove anos podia ser tão pateta ao ponto de imaginar que podia casar com um homem que andava pelos cinquenta e, ainda por cima, era um reconhecido *roué*[17]? Para já não referir que era seu primeiro-ministro e súbdito.

Não poderia haver marido mais inadequado na Europa, um facto óbvio aos olhos de toda a gente, exceto talvez aos da própria rainha. Vitória precisava de casar com um príncipe como Albert de Saxe Coburgo-Gotha. O príncipe era um homem jovem, sério,

---

[17] Um devasso, um homem que se entrega com demasiada facilidade aos prazeres da libertinagem. Em francês, no original. (*NT*)

que escutaria os conselhos da tia, a duquesa e, pensava ele, do conselheiro da tia. Graças a Melbourne, era demasiado tarde para influenciar diretamente Vitória, mas Conroy via uma réstia de esperança na forma complacente do príncipe Albert.

Contudo, primeiro era preciso convencê-la a casar com ele. Era o objetivo da vinda de Leopold ali, claro, mas até agora tudo o que aparentemente conseguira fora atirar Vitória para os braços de Melbourne.

Conroy imaginou como teria sido a resposta do primeiro--ministro à visita da rainha. Homens haveria que não teriam hesitado em tirar partido da situação, mas por muito que detestasse Melbourne, Conroy não acreditava que ele se contasse entre eles. Não havia nada de que Conroy tivesse gostado mais do que de poder olhar com desprezo para Melbourne, mas o comportamento dele durante a Crise do Quarto mostrara que, no extremo, ele poria sempre o interesse do país à frente das suas preferências pessoais.

Ainda assim, se Vitória o tivesse pedido em casamento e ele tivesse recusado, estaria agora numa posição bastante desconfortável. Na realidade, a única coisa que poderia aliviar o embaraço seria a queda do Governo Conservador ou, mais provavelmente, o casamento da rainha. Conroy sorriu para si próprio. Se Melbourne decidisse que era do interesse da rainha casar, então o casamento tornava-se bastante provável.

A questão punha-se noutros termos: qual dos múltiplos candidatos à mão da rainha teria o favor de Melbourne? Não apoiaria o Grão-Duque russo, uma vez que o casamento entre dois soberanos reinantes não era algo que estivesse de acordo com a sua sensibilidade política. Nem sempre seria do interesse da Rússia e da Grã-Bretanha serem aliadas e dificilmente poderiam ser outra coisa se os seus soberanos fossem marido e mulher. Era provável que Melbourne apoiasse um casamento inglês, mas as hipóteses limitavam-se aos seus primos direitos: o filho cego de Cumberland e o príncipe George de Cambridge. A cegueira significava que o filho de Cumberland não era adequado, uma opinião claramente partilhada pelo próprio pai, cujo apoio ao príncipe George não passara despercebido aos olhos de Conroy. Mas George era um rapaz tão desinteressante e, ainda por cima, fora ouvido a queixar-se nos clubes, dizendo que não queria casar com a anã real. Conroy perguntou-se se Melbourne teria ouvido estes rumores e se seria sensato avisá-lo da inadequação de George enquanto noivo.

Dadas as relações menos que cordiais entre ele e Melbourne, Conroy decidiu ver o que acontecia no baile dessa noite. George iria comparecer e se houvesse algum sinal de que Vitória mostrava alguma inclinação por ele, então Conroy interviria. Mas duvidava que fosse necessário. Vitória era uma rapariga palerma, mas não tão palerma que não visse que o príncipe George era um idiota de primeira apanha.

Pela primeira vez desde que Melbourne regressara como primeiro-ministro, Conroy começou a sentir alguma esperança. Melbourne acabaria por ver as vantagens de a rainha casar com Albert, e uma vez o casamento celebrado, então ele, Conroy, estaria numa posição única para guiar o noivo através das dificuldades da sua posição. Claro que Leopold tinha uma grande influência sobre o príncipe Albert, mas acabaria por ter de regressar à Bélgica. Havia tanto para fazer e talvez ainda pudesse haver uma forma de ser ele a fazê-lo.

Foi encontrar a duquesa nos seus aposentos a experimentar o fato para o baile. Estava vestida de uma das personagens da *Commedia dell'arte*, com um dominó negro, um tricórnio e uma máscara dourada que lhe cobria a maior parte do rosto. Quando o viu, baixou a máscara e sorriu, encantada.

— O que pensa do meu fato?

— Acho-o esplêndido com exceção da máscara. É uma pena cobrir um rosto tão encantador como o vosso.

A duquesa soltou um risinho feliz.

— Está a ser tonto, *Sir* John. Ninguém quer olhar para mim.

— Peço desculpa, mas quanto a isso, está enganada. Pela minha parte, eu gosto muito de olhar para si.

A duquesa esticou o pescoço de prazer ao ouvir o elogio, tal como um gato.

— Está a ser absurdo, *Sir* John, mas não posso negar que é agradável que reparem em nós.

— Como seria possível não o fazer?

A duquesa inclinou a cabeça.

— A minha filha mal dá pela minha existência.

Conroy pegou-lhe na mão e olhou-a, olhos nos olhos.

— Tudo isso mudará quando Vitória casar com Albert. Ele fá-la-á compreender quão afortunada é por ter uma mãe assim.

— Mas ela diz que nunca casará com Albert ou com quem quer que seja.

— As raparigas jovens dizem muitas vezes coisas impensadas.

— Talvez. Mas ela tem uma tal *tendresse* pelo seu Lorde Melbourne, que penso que lhe será difícil sentir afeição por outra pessoa.

— As jovens são conhecidas por mudar de opinião, Alteza.

— Espero que sim.

— Eu também. O meu maior desejo é ver-vos ocupar o lugar que vos cabe como rainha-mãe.

A duquesa suspirou.

— Oh, *Sir* John, o que faria eu sem si?

*

Skerrett pegou na longa cabeleira vermelha e colocou-a na cabeça de Vitória.

— O que acha, Majestade?

Vitória levantou o olhar e mirou-se no espelho. O cabelo ruivo não lhe assentava nada bem, mas o que importava agora? Havia muito que decidira ir ao baile da duquesa de Richmond vestida de rainha Elizabeth, mas agora, pensou, havia uma presciência melancólica na sua escolha. Parecia que ela também seria uma rainha virgem. Incapaz de encontrar um homem de quem gostasse o suficiente para casar, e que também retribuísse o seu afeto.

— Penso que está muito adequada.

Não queria mesmo nada ir ao baile. Tinha estado a escrever um bilhete para a duquesa dizendo que não se sentia bem, quando Lehzen lhe viera dizer que o Grão-Duque iria, fazendo-a pensar que esquivar-se poderia causar um incidente diplomático. Além disso, o Grão-Duque era um excelente dançarino. Não tão bom como Melbourne, claro, mas ele não voltaria a dançar com ela.

Skerrett prendeu a cabeleira no sítio, depois levantou o vestido com as pesadas anquinhas, tão rígido que se aguentaria de pé por si só. Vitória entrou para dentro do vestido e a criada começou a apertar os colchetes nas costas. Uma vez pronta, Vitória ficou surpreendida com o peso do vestido. Percebeu que havia algo de militar no corpo rígido, incrustado de joias e no cair da saia. Parecia mais uma armadura do que um vestido de baile e o pensamento confortou-a.

Skerrett entregou-lhe um comprido colar de pérolas com um pendente de rubis, que bateu contra o corpo do vestido com um ruído de sabre. Por um breve momento, Vitória pensou como seria esplêndido empunhar uma arma: saber que podia resolver as coisas não com palavras, mas com atos. Recordou o discurso de Elizabeth em Tilbury, aquele em que disse ter o corpo de uma frágil mulher, mas o coração e a cabeça de um rei. Imaginou-se a dizer essas mesmas palavras montada num palafrém branco, à frente das suas tropas.

A porta abriu-se e entrou um lacaio trazendo um ramalhete de orquídeas numa salva de prata.

— Com os cumprimentos de Lorde Melbourne, Majestade.

Vitória olhou para as flores brancas, incrédula. Lorde M enviava-lhe flores depois do que se passara entre eles?

— Quer que lhas prenda, Majestade?

Vitória abanou a cabeça.

— Não. Não me parece que vá usar flores esta noite. Não combinam com o meu fato.

— Nesse caso, Majestade, vou a correr buscar a coroa.

Vitória ficou ali, de pé, sozinha à frente do espelho. Tinha agora de encarar a possibilidade de lorde Melbourne estar presente essa noite. Partira do princípio de que ele se manteria afastado, mas as flores sugeriam o oposto. Como poderia encará-lo? Mas talvez fosse melhor vê-lo no meio de muita gente, onde não teriam de falar um com o outro, do que enfrentá-lo pela primeira vez a sós, a trabalhar nas caixas vermelhas.

No seu toucador encontrava-se a miniatura de Elizabeth que Lehzen lhe oferecera. Vitória pegou-lhe e apertou a boca, desenhando a mesma linha do que a mulher no retrato. Estava tão concentrada na sua imitação que não reparou em Emma Portman, que se aproximava por trás de si.

— Que esplêndida, Majestade.

Vitória virou-se. Emma, vestida de Diana, Deusa da Caça, trazia um arco e um arcaz com setas de ponta dourada.

— Achas mesmo?

— Sim, Majestade. Se bem que talvez um pouco rígida.

Vitória relaxou a face.

— Estava a tentar ficar parecida com este retrato. Ela não parece muito feliz.

— Penso que o pintor não captou a verdadeira expressão dela. Tudo indica que era muito inteligente.

Emma viu as flores em cima da mesa.

— Que flores tão bonitas. Oh, uma orquídea. De onde vieram?

Vitória não olhou para ela quando respondeu:

— De Brocket Hall.

Emma arquejou.

— Mas eu pensava que o William tinha fechado as estufas depois da Caro... Deve tê-las reaberto para vós.

Vitória virou-se, encarou Emma e disse, devagar:

— Não penso que ele faça o que quer que seja por mim.

Emma abanou a cabeça.

— Sabe como é difícil cultivar uma orquídea? Está a avaliá-lo mal, Majestade.

— Lorde Melbourne só se preocupa com a memória da mulher.

Seguiu-se uma pausa e depois Emma perguntou, docemente:

— Foi o que ele vos disse, Majestade?

Vitória anuiu. Não confiava em si mesma o suficiente para falar.

Emma hesitou; sabia que seria melhor política deixar a rainha acreditar na ficção de Melbourne, mas quando viu a desolação no rosto da outra mulher, não foi capaz de se conter.

— Então é nisso que ele quer que acredite. Mas estas flores, Majestade, bem... penso que não são um sinal de indiferença. — Suspirou.

Vitória virou-se e Emma deslizou para fora do quarto.

As orquídeas brilhavam à luz das velas. Vitória pegou no rama-lhete e observou as estranhas e exóticas flores. Emma dissera que ele as cultivara de propósito para si. Descobriu o alfinete do lado de baixo e prendeu as flores ao corpo do vestido.

Skerrett entrou, trazendo uma cópia da coroa de Elizabeth.

— Está pronta, Majestade? A carruagem aguarda-a.

Vitória pegou na pequena coroa e pô-la por cima da cabeleira.

— A Rainha Elizabeth está pronta.

*

Esperava-se que o baile em Syon House fosse o mais esplendo-roso da temporada. A pedra cor de mel da casa estava iluminada por fiadas de lanternas chinesas que também pontuavam os jardins que se estendiam até ao Tamisa. Pelo jardim passeavam centuriões romanos acompanhados de deusas clássicas, Madame de Pompadour com Luís XIV, bobos da corte com escravas circassianas, cavaleiros medievais com Titania, a Rainha das Fadas. Estavam representados todos os tipos de monarquias — francesa, romana, egípcia — exceto, claro, a inglesa; uma vez que se esperava a presença da rainha, seria um crime de *lèse-Majesté* vir vestido de um dos seus antepassados.

Vestida de Circe, a feiticeira que seduzira Ulisses, a duquesa de Richmond encontrava-se no alto da escadaria monumental que dava para o salão de baile, a receber os seus convidados. O duque seu marido envergava a farda dos guardas da Torre; não tinha que-rido mascarar-se de todo, mas a mulher insistira e, pelo menos, o seu fato era inglês.

Leopold viera de imperador Augusto, um fato que pensava refle-tir bastante bem o seu estatuto. Todo o seu desejo era que a coroa de louros ainda fizesse parte do traje moderno, uma vez que combi-nava tão bem com o seu perfil. O seu prazer foi momentaneamente obscurecido ao ver que o duque de Cumberland também viera vestido como o primeiro imperador romano; mas o seu primeiro instante de aborrecimento depressa se transformou em satisfação quando verificou o quanto melhor as suas pernas ficavam de toga.

As de Cumberland eram umas coisas magricelas, e se um homem tinha de mostrar as pernas na idade deles, era essencial exibir uma coxa bem torneada. Atrás de Cumberland vinha a esposa, vestida de *lady* Macbeth, punhal incluído, e o príncipe George, de cavaleiro da Távola Redonda.

Ao olhar à sua volta à procura da irmã, Leopold avistou-a no outro lado da sala, com Conroy. Ambos vestidos de personagens da *Commedia dell'arte*, e com máscaras, a dela dourada, a dele, negra. Leopold suspirou. Era insensato da parte da irmã exibir a sua lealdade para com Conroy de uma forma tão pública, mas, infortunadamente, tanto mãe como filha eram demasiado inclinadas a, como diziam os ingleses, ter o coração nas mãos.

Os convidados vagueavam pelo salão de baile, espalhando-se pelo jardim mais abaixo, pelas janelas de portada. A orquestra tocava em fundo, mas a dança não podia começar enquanto a rainha não chegasse para abrir o baile. Um grande número de ninfas e pastores esperava ardentemente que ela não se demorasse.

Houve um frémito de excitação à chegada do grão-duque. Ele e os seus companheiros vinham vestidos de cossacos, com camisas brancas abertas junto ao pescoço e calças volumosas enfiadas dentro de botas vermelhas, altas. Em torno da cintura usavam faixas muito bordadas, de onde espreitavam os cabos de prata das suas adagas. Na cabeça traziam *Shapkas*, ou gorros de astracã. À medida que o bando de cossacos ziguezagueava pelo salão, espalhou-se uma excitação entre as ninfas e um sentimento de jogo desleal entre os bobos e os arlequins. A máscara era aceitável no pressuposto de que toda a gente ficaria levemente ridícula, ao passo que o fato dos russos só lhes aumentava o fascínio inato. O príncipe George de Cumberland que, enquanto *sir* Lancelot sentia que escolhera um fato minimamente aceitável para um oficial da Guarda, lamentava agora a sua cota de malha e o desconfortável peitoral, lançando olhares de inveja às botas vermelhas dos cossacos. Quando o Grão-Duque e a sua corte passaram por ele, esboçou uma reverência minimamente decente, mas percebeu que a malha de metal se prendera aos pelos do pescoço e passou um desconfortável bocado a esforçar-se por erguer a cabeça. Cumberland, mesmo atrás dele, deu-lhe uma palmada entre as omoplatas que foi muitíssimo dolorosa e rosnou-lhe ao ouvido:

— Aqui tens uma grande oportunidade de seres simpático com a tua prima. Nos meus dias de juventude, percebi que as jovens damas se tornavam sempre mais recetivas quando dançavam. *Carpe diem*, George. *Carpe diem*. Tens de ser o mais atencioso possível.

George tentou afastar da cabeça a imagem do jovem Cumberland a ser atencioso para as jovens damas e murmurou:

— Vou colar-me a ela como o raio de uma lapa, tio, mas tudo depende dela. O que posso fazer, ela é a rainha e tem de liderar as operações. Não posso atirar-me a ela como a uma mulher normal. — Ao dizer isto, o seu olhar ficou-se numa ninfa com aspeto núbil, que pensou estar a sorrir-lhe do outro lado da pista de dança.

Cumberland retorquiu, áspero:

— Disparate! Um coração fraco nunca conquistou mulher nenhuma, rapaz. Ela é uma rapariga de dezanove anos e tu, *Sir* Galahad.

George olhou para o tio, que irritantemente tinha sobre si a vantagem da altura, e respondeu:

— *Sir* Lancelot, para falar verdade.

Cumberland encolheu os ombros.

— Não quero saber quem és desde que lhe faças olhinhos a ela e não àquela ninfa ranhosa!

O champanhe e o vinho corriam livremente, o que apenas exacerbava o sentimento de expectativa: onde estava a rainha? Corria o boato de que se sentira indisposta; a criada de uma dama ouvira-o do cocheiro de *lady* Portman, e a tensão no ar, especialmente entre as ninfas, era palpável.

Mas depois o salão caiu em silêncio e ouviu-se o relógio bater as onze. Vitória, vestida de Gloriana, surgiu à entrada, com Emma Portman e Lehzen, que se vestira de virgem do Reno, atrás de si. A duquesa saudou-a com uma reverência profunda e o seu diáfano fato de Circe revelou uma escandalosa quantidade de coxa. O duque quase deixou cair o bastão com a surpresa: há anos que não via tanto da perna da esposa.

— Bem-vinda a Syon House, Majestade — saudou-a a duquesa, demasiado extasiada com a presença da realeza no seu baile para tomar consciência de que as suas pernas estavam expostas aos olhos dos convidados. Vitória, que reparara, teve pena dela.

— Sinto-me muito feliz por estar aqui. E, Duquesa, que fato encantador. Posso tocar no tecido... é seda? — Inclinando-se para a frente, compôs com destreza as pregas da saia de forma a cobrir as pernas da duquesa.

— Mandei-a tecer em Veneza, Majestade.

— Tem um cair lindo.

A duquesa sorriu, encantada, e teve esperança de que a sua arquirrival, *lady* Tavistock, tivesse assistido à troca de palavras; estava ansiosa por poder contar a conversa, mais tarde. Emma Portman sorriu a Lehzen. Era reconfortante verificar que a pupila de ambas era capaz de se comportar de forma tão cheia de tato, uma qualidade que, na opinião de Emma, nunca podia ser demasiado sobrevalorizada.

Ainda Vitória não tinha posto um pé na escada que dava para o salão de baile e já Leopold estava a seu lado. Sendo, na sua opinião, o único monarca reinante presente, já que o Grão-Duque era um mero herdeiro ao trono, quis afirmar o seu direito a conduzi-la ao baile antes de Cumberland, que, enquanto rei de Hanover, poderia pensar ter o mesmo privilégio. Chegou mesmo na hora, deitando ao tio paterno da rainha um breve olhar de triunfo, ao mesmo tempo que estendia a mão a Vitória para a conduzir à zona onde se dançava.

— Está com um ar esplêndido, Vitória. Creio que representa uma das suas régias predecessoras.

— Elizabeth Tudor, a Rainha Virgem.

Leopold pestanejou ligeiramente à ênfase de Vitória, mas ela manteve o olhar azul gelado pregado na cara dele.

— Penso que tenho muito a aprender com Elizabeth. Ela não permitiu que ninguém a controlasse.

— A sério? Mas penso que a prefiro enquanto Rainha Vitória, minha querida.

Continuaram a dançar em silêncio e foi então que Leopold notou as flores presas ao corpo do vestido de Vitória.

— Que flores tão exóticas. Nunca vi uma flor dessas.

— Chamam-se orquídeas, tio. Vêm do Oriente e é extremamente difícil cultivá-las.

Leopold olhou para as flores e depois para o rosto da sobrinha, escutando qualquer coisa que o preocupou.

— Mas de onde vieram as vossas orquídeas, Vitória? Não me parece que tenham vindo do Oriente.

— Não, estas orquídeas crescem nas estufas de Brocket Hall. — Vitória olhou à sua volta, desviando-se do ombro do tio, como se estivesse à procura de alguém.

Leopold não disse nada; sabia quem a sobrinha procurava, mas consolou-se com a ideia de que a carta que, nessa manhã, enviara para Coburgo dentro de pouco tempo resolveria a situação.

Quando a música terminou, Leopold conduziu Vitória para fora da pista de dança onde foi de imediato abordada pelo Grão--Duque pela esquerda e pelo príncipe George pela direita. George, que pensava que Lancelot teria gostado de beber champanhe, estava um pouco instável, mas ainda assim conseguiu chegar ao pé da rainha em primeiro lugar.

— Prima Vitória, ou deverei dizer, prima Elizabeth! Posso reivindicar esta dança? — Tentou fazer o que pensou ser uma vénia profunda e cavaleiresca.

Mas antes de Vitória poder dar-lhe uma resposta, o Grão-Duque estava já a seu lado, beijando-lhe a mão estendida.

— Pode um cossaco dançar com a Rainha?

Vitória olhou para os seus dois pretendentes. Não tinha o menor desejo de dançar com qualquer um dos dois, mas o Grão-Duque era definitivamente o menor de dois males. No seu melhor, George era um desastrado e ela pensou que os seus pés não sobreviveriam à armadura.

Fingiu consultar o seu *carnet*, após o que sorriu aos dois homens.

— Pelo que sei, os cossacos são perigosos quando contrariados, pelo que dançarei convosco primeiro e depois convosco, *Sir* Galahad.

George pôs um ar amuado.

— Na realidade, é *Sir* Lancelot.

Vitória já não o ouviu pois foi arrastada para a dança pelo grão-
-duque, que era ainda melhor dançarino do que ela recordava.
Ele estava a conduzi-la numa pirueta complicada quando, pelo canto
do olho, viu a silhueta cuja chegada esperava, num misto de excitação
e temor. Melbourne viera vestido de cortesão isabelino, o conde de
Leicester, de gibão e calções. Ele sabia que ela iria vestida de Gloriana
pelo que a sua escolha de fato lhe deixou o coração apertado. Cam-
baleou ligeiramente e o Grão-Duque estendeu a mão para a apoiar.

— Talvez os meus modos de cossaco sejam demasiado rudes
para vós.

— De todo. A culpa foi minha. Estava distraída.

O Grão-Duque sorriu, mostrando os dentes alvos.

— Distraída? Quando dança com um cossaco? Espero que tenha
sido pelo seu *Sir* Galahad; dar-me-ia o maior prazer poder usar aqui
esta amiga para vingar a minha honra. — Deu uma palmadinha
na adaga que trazia no cinto.

Vitória riu com um prazer exagerado, sabendo que Melbourne
estaria a ver.

— Por muito prazer que me desse vê-lo desafiar o meu primo
George, devo recordar-lhe que, neste país, os duelos são ilegais.

— O que é lamentável. Penso que o seu primo só teria a ganhar
com um encontro com um cossaco.

— Estou certa de que sim.

Foi então que o Grão-Duque se dobrou e disse, numa voz meiga:

— Se não é o vosso primo que afasta a vossa atenção de mim,
então tem de ser outra pessoa qualquer. Não vejo aqui mais ninguém que possa ser um candidato adequado à vossa mão. — Vendo
a expressão do rosto de Vitória, acrescentou: — Mas talvez seja um
candidato inadequado.

Vitória corou, atrapalhada.

— Lamento embaraçá-la. Mas não podemos amar quem deseja-
mos, vós e eu. Ou, pelo menos, podemos amar, mas não casar.

— Não penso que alguma vez me case.

— Não? Talvez tenhais razão. É melhor reinar sozinha do que
reinar sem amor. — O Grão-Duque olhou para ela e suspirou.

— Mas vós, penso, tendes escolha, ao passo que eu não.

Vitória viu a sombra que lhe atravessou o rosto.

— De certeza que ninguém pode forçar-vos a nada, não é?

— Não conhece o meu pai, o seu estimado padrinho. Tem ideias muito claras quanto ao casamento. Os meus desejos não têm o menor interesse para ele. — Deitou a Vitória um olhar destinado a transmitir a mensagem de que ela poderia ter sido um dos desejos dele.

Vitória sorriu e ia dizer qualquer coisa quando a música parou. A conversa privada tornou-se impossível uma vez que o príncipe George, incitado à ação pelo tio, avançou para reclamar o seu prémio.

— Creio que é a minha dança?

Vitória deitou um olhar rápido para o sítio onde Melbourne conversava com Emma Portman. Satisfeita por ele estar a olhar para ela, aceitou a mão que George lhe estendia com um sorriso resplandecente.

Emma viu a manobra da rainha e disse a Melbourne:

— Espero que a Rainha tenha guardado uma dança para o Conde de Leicester. Eram muito dedicados um ao outro, segundo creio.

Melbourne olhou-a de lado.

— Como de costume está muito bem informada, Emma. Mas não penso que a Rainha tenha tempo para dançar com um velho.

— Oh, penso que ela pode conceder-lhe uma dança, por amor do Conde de Leicester.

— Quem sabe. — Melbourne olhou para o sítio onde Vitória dançava com George enquanto exibia um sorriso resplandecente.

— Que bonitas flores ela usa, William. Devem ser de um admirador.

— Sim, Emma. Imagino que sim.

No final da dança com George, Vitória tinha os pés magoados. Ele pisara-a em todas as voltas e, uma vez que tinha os pés fechados na armadura, parecia não ter consciência do facto. A conversa era igualmente desajeitada.

— Que baile esplêndido, não é? — perguntou Vitória, pensando que devia dizer qualquer coisa.

George franziu a testa e pisou-lhe o pé outra vez.

— Sim. Toleravelmente bom, imagino, mas se quereis ver algo realmente esplêndido, devíeis ir a um dos bailes do nosso regimento. São qualquer coisa.

— A sério?

— Sim. De facto, seria invulgarmente bom se viésseis ao próximo. O meu regimento ficaria nas nuvens se pudesse dançar com a Rainha.

— Não posso prometer dançar com todos — respondeu Vitória, piscando os olhos, quando ele a pisou outra vez.

— Oh, não teríeis de dançar com os oficiais menos graduados. Não estariam a contar com isso.

Vitória arqueou uma sobrancelha.

— A sério? — tornou a perguntar.

George não escutou a nota de aviso na voz dela e continuou alegremente a descrever os esplendores do seu regimento e como ela seria uma grande mais-valia no estatuto dele entre os oficiais seus camaradas.

Quando a música terminou, para seu horror, Vitória percebeu que George se preparava para a conduzir na dança seguinte.

— Tendes de me perdoar, George, mas acho que vou sentar-me durante esta.

— Então, permiti-me que vos acompanhe.

— Não, a sério. Não quando há aqui tantas ninfas a querer dançar com *Sir* Galahad.

— Na realidade, Vitória, sou *Sir* Lancelot.

Vitória sorriu e dirigiu-se à sala de descanso. Lehzen pôs-se de imediato a seu lado.

— Sente-se bem, Majestade?

— A não ser os meus pés, que podem nunca vir a recuperar da dança com o príncipe George.

Na sala de descanso, olhou-se ao espelho e ajustou a cabeleira. As suas faces tinham ganhado cor com a dança. Observou o raminho de flores no peito; as pétalas das orquídeas pareciam fresas e intocadas. Interrogou-se se falaria com Melbourne nessa noite. Decidiu que se ele se aproximasse, ela não o ignoraria, mas não tomaria qualquer iniciativa. Não olharia para ele, muito menos lhe sorriria. As coisas não podiam voltar a ser o que haviam sido.

Quando vinha a sair da sala de descanso, com Lehzen caminhando atrás de si, viu Cumberland e George, de pé, de costas para ela.

— Porque é que não estás com ela, George? Todos os momentos são preciosos. Não queres ser o homem mais poderoso do país? — Cumberland estava a apontar o dedo a George, mas George, que obviamente passara o intervalo desde a última dança juntos a refrescar-se com *um copo de vinho*, oscilou ligeiramente e respondeu:

— É inútil, tio. Mesmo que eu fosse marido de Vitória, nunca seria o senhor da casa. Não quero passar o resto da minha vida a dançar às ordens de uma anã.

Lehzen, que também escutava esta conversa, soltou uma exclamação de indignação que fez com que os dois homens se virassem, e Vitória teve a satisfação de ver os seus rostos tornarem-se pedra quando se aperceberam da presença dela. Ela avançou e passou por eles sem os olhar, e ao deixá-los para trás, ouviu Cumberland exclamar, furibundo:

— *Sir* Lancelot, com franqueza!

Vitória viu lorde Alfred Paget no outro extremo do salão de baile a avançar na direção dela, mas antes dele a alcançar, escutou a voz por que tinha estado à espera.

— Dá-me a honra, Majestade?

— Temo ter prometido esta dança a Lorde Alfred.

— Espero que haja algures no vosso *carnet* um espaço para mim.

Vitória fingiu consultá-lo. Alfred viu de imediato que estava *de trop* e fez uma pequena reverência a Vitória.

— Se me dá licença, Majestade, por esta dança. Creio que a nossa anfitriã necessita do meu auxílio. Espero que Lorde Melbourne possa tomar o meu lugar.

Melbourne olhou para Vitória e ela, por medo de não conseguir dizer nada, limitou-se a anuir.

Dançaram em silêncio durante um ou dois minutos. Melbourne sentia Vitória tremer por baixo da pesada carapaça do vestido. Por fim, falou:

— Vi que não tendes falta de pares de dança, Majestade. Vi-vos dançar com o príncipe George. Espero que tenha sido devidamente atencioso.

— Penso que ele quer dançar com a Rainha, mas não necessariamente comigo — declarou Vitória. — Ouvi-o dizer ao tio Cumberland que não queria passar o resto da vida a dançar às ordens de uma anã.

— Então é ainda mais estúpido do que eu pensei que fosse — retorquiu Melbourne, zangado. Olhou para Vitória mais de perto. — Não podeis ser insultada por um homem de uma inteligência tão limitada.

— Talvez ele estivesse apenas a dizer a verdade tal como a vê.

Melbourne abanou a cabeça.

— É idiota e não deveis prestar-lhe atenção, Majestade.

— Pensa que ele é idiota porque escolheu não ser meu marido? — perguntou Vitória, erguendo para Melbourne um olhar carregado de desafio.

Melbourne não respondeu, mas depois, quando a dança os fez afastarem-se, viu as flores presas ao vestido dela. Sob este olhar, Vitória corou.

— São muito bonitas. As flores.

A mão de Melbourne deslizou um pouco mais pela cintura dela.

— Então, são dignas de vós.

Vitória escutou algo na voz dele que a fez desviar o rosto, perturbada.

— Não sabia se dançaria convosco esta noite.

Melbourne olhou para ela, intensamente.

— Espero que a Rainha Elizabeth não abandone o seu Leicester.

Vitória arqueou uma sobrancelha.

— Leicester era companheiro dela?

Melbourne fixou os olhos dela.

— Era. No início, ele tinha uma esposa, mas depois ela morreu.

Vitória não desviou o olhar, apesar de considerar a conversa quase insuportável. O que quereria ele dizer?

— Mas nem mesmo quando ficou livre, eles casaram? — perguntou.

Melbourne fez uma pausa enquanto dobravam o canto da pista de dança e então, num tom de voz mais baixo, disse:

— Penso que ele e a rainha sabiam que não estavam em posição de casar. Por muito forte que fosse o afeto que nutriam um pelo outro.

Vitória ergueu o olhar para os melancólicos olhos verdes dele.

— E o afeto que nutriam um pelo outro era muito forte? — perguntou docemente.

Melbourne respondeu, quase num sussurro:

— Sim, penso que era.

Vitória sentiu o coração inundar-se de alívio. Ele estava a dizer-lhe que, afinal gostava dela, mas depois suspirou porque também lhe dizia que nunca poderiam casar. Não tornaria a baixar a guarda. Levantou o queixo.

— Elizabeth foi uma grande rainha. Tenciono aprender com o seu exemplo.

Melbourne assentiu, satisfeito por ela o ter compreendido.

— Teve um reinado longo e glorioso, Majestade. Sem interferências.

A música terminou e Melbourne soltou Vitória, fazendo uma vénia.

— E agora tenho de vos deixar... Conde Leicester — disse Vitória. — Prometi ao Grão-Duque que ele podia acompanhar-me à ceia.

Melbourne sorriu:

— Não posso pôr-me no caminho de um cossaco.

Após a ceia, Vitória dançou uma polca com lorde Alfred, que tinha um pé tão leve quanto era possível e uma conversa fácil. Abandonaram a zona de dança a rir e sem fôlego e antes de perceber o que fazia, Vitória deu consigo em frente a uma figura alta, vestida de negro dos pés à cabeça, à exceção da máscara branca. Afastada a máscara da cara, viu que era Conroy.

Ele esticou a boca num sorriso e com um floreado cortesão, estendeu a mão e perguntou:

— Posso pedir-vos que me concedeis a próxima dança, Majestade?

Vitória hesitou, mas depois pousou os dedos enluvados nos dele.

Não era uma valsa, o que deixou Vitória grata, mas um minuete, o que significava que não tinham de manter uma proximidade permanente. Quando estavam um à frente do outro à cabeça do grupo, Conroy disse:

— Sinto-me honrado por dançardes comigo, Majestade.

Quando passaram um pelo outro na diagonal, Vitória respondeu:

— Achei que gostaria de perceber o que a minha mãe vê em si, *Sir* John.

Conroy respondeu, inexpressivo:

— Penso que ela aprecia a minha companhia. Há muito que enviuvou e, claro, sendo vossa mãe, não está em posição de tornar a casar.

Vitória cruzou para o outro lado do grupo.

— Entendo.

Quando se juntaram para percorrer a fila de dançarinos, Conroy prosseguiu:

— Mas para vós é diferente. O país precisa de um herdeiro para o trono e vós de um marido para controlar o vosso comportamento.

Estavam os dois a olhar em frente e, sem virar a cabeça, Vitória perguntou:

— A sério, *Sir* John, e quem recomendaria para me manter controlada?

Curvaram-se para passar por baixo dos braços estendidos do par à frente deles e, quando se endireitavam, Conroy respondeu:

— A vossa mãe pensa que seríeis feliz com o vosso primo Albert.

— E *Sir* John, o que pensa? — perguntou enquanto se virava e afastava dele.

Quando ela regressou, Conroy respondeu:

— Penso que é um jovem sério, que compreende os deveres de um monarca moderno. Não será desviado pelo sentimento ou a insensatez. E estou certo de que ele compreenderá o valor da experiência.

Vitória, que tinha estado a tentar perceber os motivos para Conroy recomendar o casamento com Albert, começou a discernir o plano dele.

— Estou a ver. E imagino que pense que ele vá necessitar de um conselheiro.

Conroy esboçou um sorriso, enquanto se aproximava dela para formarem um arco.

— Quem sabe, Majestade? Bem vistas as coisas, eu tenho alguma experiência nestes assuntos.

Vitória baixou os braços e disse num tom baixo, mas muito claro:

— De momento, não faço a menor intenção de me casar, Sir John. Mas se fizesse, nunca seria com alguém que escolhesse tê-lo por conselheiro. Pode ter a minha mãe na mão, mas nunca, nunca me terá a mim.

Para surpresa dela, Conroy sorriu.

— Como bem sabe, Majestade, passei os últimos dezanove anos ao serviço da vossa mãe, mas talvez tenha agora chegado a altura de regressar à Irlanda. Tenho lá uma propriedade que tem sido bastante negligenciada.

— Parece-me um plano excelente, Sir John. — Virou-lhe as costas e afastou-se, deixando-o no meio do salão.

Mas Conroy não ia deixar-se vencer com tanta facilidade.

— Para o fazer, precisaria de algumas garantias. Seria tudo bastante mais confortável se eu regressasse à terra onde nasci engalanado com algum reconhecimento pelo serviço fiel que prestei à Coroa.

Vitória olhou para ele com desagrado.

— E o tipo de gala que refere implicaria um título, Sir John?

— Um baronato, penso, refletiria o trabalho que fiz em prol da vossa mãe e de vós. Mas claro, um tal título teria de vir acompanhado de um estipêndio que me permitisse manter-me de forma a não desonrar o meu estatuto.

Vitória assentiu. Não obstante sentir-se desconfortável em conceder o que quer que fosse a Conroy a ideia de nunca mais ter de o ver valia qualquer número de pariatos irlandeses. Ora, se ela soubesse que o preço dele era tão baixo, tê-lo-ia sugerido no dia em que se tornara rainha.

— Estou certa de que poderemos chegar a um acordo, isto se puder garantir-me que o seu afastamento será... permanente.

Foi a vez de Conroy assentir, mas tinha ainda algo a dizer:

— Sabe, Majestade, creio que a minha partida representará um duro golpe para a Duquesa. Penso que sem mim, ela ficará sozinha. Talvez se lhe dedicardes a atenção que merece...

Vitória levantou a mão em sinal de que já ouvira o bastante.

— Sei como cuidar da minha mãe, *Sir* John. — Virou-lhe as costas de novo e dirigiu-se à sala onde serviam a ceia, fazendo dispersar ninfas e pastores à medida que avançava.

A duquesa, que observara a cena do outro extremo do salão de baile, avançou na direção de Conroy.

— Estava a dançar com a Drina! Não podia acreditar no que os meus olhos viam, mas agora ela foi-se e deixou-o aqui. O que se passa, querido *Sir* John? Ela aborreceu-o? Não sabe o muito que está a fazer por ela.

Conroy olhou para o rosto ansioso da duquesa e escutou na voz dela o desejo de o apaziguar. A sua partida seria muito dura para ela, sabia. E haveria tempos em que, pensou, sentiria saudades dela, daquela forma que tinha de olhar para ele e agitar as mãos. Sim, sentiria a falta da dedicação, mas até mesmo a sensação de ser adorado não podia compensar uma vida sem poder. Conroy preferia voltar para casa, para a Irlanda, nobre e rico, e tornar-se um homem importante ali, do que manter-se aqui a ver as oportunidades que deveriam ter sido suas deitadas ao vento por aquela miúda ignorante. Sabia agora que, ali, as coisas nunca seriam melhores para ele. Até mesmo se casasse com Albert, ela impedi-lo-ia de exercer o tipo de influência que traria grandes benefícios à monarquia. Era demasiado teimosa para mudar de ideias.

Não, regressaria à Irlanda e tornar-se-ia um homem influente num local onde essas coisas ainda eram importantes. Avaliou se deveria informar a duquesa da sua decisão, mas ao olhar para os seus olhos azuis muito claros e sentindo o levíssimo toque da mão dela no seu braço, pensou que talvez devesse esperar. Era melhor ter a certeza de que Vitória cumpriria as suas promessas antes de desencadear uma cena dolorosa. Sim, esperaria. Este baile era tão esplêndido que parecia uma palermice não o gozar; não haveria muitas ocasiões parecidas em Ballymeena.

— Nada com que se tenha de preocupar, Duquesa. A Rainha e eu tivemos uma conversa muito útil. Penso que limpou o ar entre nós. E agora, eu gostaria de perguntar à mulher mais atraente da sala se me daria a grande honra de dançar comigo. — Estendeu a mão à duquesa, que a recebeu com um sorriso que fez até mesmo a enferrujada dobradiça do coração de Conroy ranger.

Leopold, que observara interessado a conversa entre Conroy e Vitória, sentiu-se desapontado com a expressão de submissão estampada no rosto da irmã enquanto era conduzida pela sala por Conroy. Era tempo de Conroy ir derramar os seus encantos para outro lado. O seu olhar demorou-se com mais alegria na sobrinha que dançava com lorde Alfred Paget. Do que Leopold vira de lorde Alfed, não pensava que a sobrinha corresse qualquer risco de sucumbir aos encantos deste parceiro de dança em particular. Mas onde estaria Melbourne? Leopold avistou-o encostado a uma coluna, vestido de cortesão isabelino, um fato que, reparou Leopold com algum despeito, lhe revelava vantajosamente as pernas. Devagar, para que Melbourne não se apercebesse do seu desígnio e decidisse afastar-se, Leopold descreveu um circuito pelo salão até dar consigo nas costas do primeiro-ministro.

— Boa noite, Lorde Melbourne

Melbourne virou-se e tentou sem o conseguir por completo esconder o seu desprazer por ter sido abordado pelo rei dos belgas.

— Majestade.

Leopold aproximou-se um pouco mais e disse:

— Creio saber que a minha sobrinha fez uma inesperada visita a Brocket Hall.

Melbourne virou-se para ele.

— Estais muito bem informado, Alteza.

Leopold sorriu.

— Observei que pareceu deixá-la bastante desanimada. Talvez tenha havido algo no clima que não lhe fez muito bem.

Melbourne deixou o olhar passear sobre os outros dançarinos e, numa voz sem expressão:

— Não o saberia dizer, Alteza.

— Quero que saiba, Lorde Melbourne, que esta manhã escrevi aos meus sobrinhos Albert e Ernst. Estarão aqui dentro de uma semana.

Isto fez com que Melbourne se virasse, por fim arrancado à sua neutralidade aborrecida.

— Sem a permissão da Rainha?

Leopold encolheu os ombros.

— São primos dela. Não penso que precisem de um convite oficial. E, na minha opinião, quanto mais cedo vierem, melhor. — Levou a mão à cabeça para ajustar a coroa de louros. — Porque, como de certeza sabe, Lorde Melbourne, a cabeça de uma rapariga jovem pode mudar com grande facilidade.

CAPÍTULO SETE

Na manhã seguinte, Vitória acordou com um sentimento que não foi capaz de identificar. Por regra, após um baile, ela deixava--se ficar na cama até a hora do almoço, mas hoje quase saltou da cama. Havia tanto a fazer. Enquanto caminhava pelo quarto com *Dash* colado aos seus calcanhares, tomou consciência de que a nuvem que pairava sobre a sua cabeça desde a visita a Brocket Hall desaparecera. Os acontecimentos da noite anterior haviam-lhe dado um novo sentimento de esperança. A conversa com Lorde M acerca de Elizabeth e o conde de Leicester fizera-a sentir que havia algum espaço para ela no coração dele, dissesse ele o que dissesse acerca da falecida esposa. Talvez não pudessem casar; e, reconheceu Vitória para si própria pela primeira vez, talvez não fosse exatamente o que desejava. Um casamento seria demasiado difícil em termos políticos e, de uma forma que ela não conseguia explicar a si própria, demasiado constrangedor. Era suficiente, pensou, saber que ele gostava dela da mesma forma que ela gostava dele.

Ele dissera que seria seu «companheiro», tal como Leicester o fora para Elizabeth. Tratara-se de uma solução que servira a única grande Rainha de Inglaterra até ao momento, e Vitória não via razão para fazer as coisas de forma diferente. Leopold e a mãe estavam sempre a dizer que ela tinha de casar, mas parecia-lhe não ter de fazer nada do género. Seria uma outra Elizabeth, que apenas responderia perante si própria. Olhou para o espelho ao mesmo tempo que dizia isto e ficou satisfeita com o rosto que ali viu. Determinação era o sentimento com que acordara; hoje faria o que queria. O seu primeiro ato seria livrar-se de Conroy. O que quer que tivesse de dar-lhe para se ver livre dele valeria a pena se tal significasse que nunca mais teria de se lembrar da infelicidade dos primeiros anos da sua vida no Palácio de Kensington. E uma vez feito isto, diria a Leopold que não fazia a menor intenção de se casar, com Albert ou com quem quer que fosse, e sugerir-lhe-ia que era mais do que tempo de ele regressar à Bélgica. Vitória sorriu a si mesma no espelho.

Tocou a campainha e, um minuto mais tarde, as suas camareiras entraram. Skerrett, a mais jovem, parecia um pouco afogueada.

— Peço desculpa, Majestade, por não termos chegado aqui mais cedo. Para ser honesta, não pensámos que se levantasse tão cedo depois de uma noite tão comprida.

— Não faz mal. Acho que hoje vou usar o verde às riscas.

— Sim, Majestade. — Skerrett foi buscar o vestido enquanto Jenkins trouxe o necessário para ela se lavar.

Quando Jenkins pousou a bacia à sua frente, Vitória reparou que a camareira tinha os olhos vermelhos. Parecia ter estado a chorar. Jenkins começou a despejar a água quente sobre as mãos dentro da bacia, mas, de repente, o ar encheu-se do crepitar de armas de fogo e Jenkins deixou cair o jarro, ao mesmo tempo que soltou um grito.

Vitória, um tanto alarmada pelo barulho e agora bastante molhada, aproximou-se da janela para ver o que acontecera e viu um guarda a ser repreendido pelo seu oficial superior, no pátio do palácio.

— Oh, não passa de um soldado que deixou cair a arma por engano. Nada com que nos preocupemos. — Virou-se e viu Jenkins acocorada no chão, a soluçar, com a cabeça entre as mãos, e Skerrett com os braços à volta dela, tentando consolá-la. Vitória olhou para ela, espantada; Jenkins não era de todo o tipo de mulher que ela esperasse ver a ter um ataque de histeria ao som de armas.

— Senhora Jenkins, parece-me que não se encontra bem. Tem a minha permissão para se retirar.

Skerrett persuadiu a ainda soluçante Jenkins a sair do quarto e regressou poucos minutos mais tarde. Respondendo ao olhar inquiridor de Vitória, disse:

— Tem de a desculpar, Majestade. Está transtornada por causa da execução dos Cartistas de Newport, Majestade. Dizem que vão ter a morte dos traidores. A senhora Jenkins é daquela zona e creio que está muito sensível ao caso.

Vitória olhou para a rapariga à sua frente.

— Há muita gente a pensar como a senhora Jenkins? Acerca dos Cartistas de Newport?

Skerrett pôs os olhos no chão e hesitou antes de responder. Depois ergueu a cabeça e disse:

— O castigo para a traição, Majestade, é ser enforcado pelo pescoço até se estar quase morto e depois ser esquartejado ainda vivo. Não é que a senhora Jenkins apoie os Cartistas, Majestade, mas ela acha que o que quer que tenham feito, não merecem morrer assim. — Skerrett retorcia as mãos, mas continuou, titubeante. — Perdoe-me, Majestade, mas estou de acordo com ela. E penso não ser a única a sentir isto.

Vitória fez-lhe um gesto com a mão.

— Não faz mal, Skerrett, pedi-te a tua opinião e tu deste-ma. E tens razão, é uma forma horrível de morrer.

*

De pé na sua sala de estar, aguardando por Melbourne, Vitória pensava na conversa com Skerrett. No Castelo de Windsor havia uma imagem de um herege a ser esventrado durante o reinado de Mary — ou seria de Elizabeth? — que costumava ver nas raras visitas que fazia ao tio, o rei William, quando era menina. Passara por ela muitas vezes sem realmente a ver até ao dia em que lhe ocorrera que a fileira de coisas claras e granulosas não eram salsichas, como distraidamente supusera, antes os intestinos do pobre mártir. Lembrava-se de ter pensado como era bom viver numa época menos bárbara.

Agora, segundo parecia, a sua assunção estava errada. Aqueles homens de Newport, que até o próprio lorde Melbourne afirmara terem sido impelidos mais pela fome do que pela perfídia, iam ter o seu fim desta maneira particularmente horrível. Sentiu algo a arder-lhe nos olhos e um soluço tomou conta dela. Não estava certo que alguém devesse morrer de forma tão horrível. E toda a emoção que andara a acumular-se dentro dela ao longo dos últimos dias girou num turbilhão e fixou-se na sorte dos galeses que enfrentavam a sua horrorosa morte. Sentiu-se a perder os sentidos e viu-se obrigada a agarrar-se ao peitoril da janela para se apoiar.

Recordou o que Flora Hastings lhe dissera naquela terrível noite, em que estava moribunda:

«Para ser rainha tem de ser mais do que uma rapariguinha com uma coroa. Os seus súbditos não são as suas bonecas.» Na altura, Vitória esforçara-se por apagar aquelas palavras da sua memória, mas agora pareciam ganhar um novo significado. Os seus súbditos eram da sua responsabilidade; não podia aceitar as suas saudações e não escutar os seus gritos de dor. Tinha de fazer algo.

Foi neste estado que Melbourne a encontrou, uns minutos mais tarde: branca e a tremer. Apercebeu-se disso de imediato e correu para ela, esquecendo-se, na sua ansiedade, de fazer a vénia.

— O que se passa, Majestade? Está indisposta?

Vitória abanou a cabeça e depois disse, com esforço:

— Quando serão executados os Cartistas de Newport?

Melbourne tentou esconder a sua surpresa; podia imaginar muitas razões para as lágrimas de Vitória, mas o destino dos Cartistas não era uma delas.

— Na próxima sexta-feira, Majestade.

Vitória respirou profundamente.

— E vão ser enforcados, retirados da forca e esquartejados?

— É o castigo para traição, Majestade. — Mas vendo a cara dela, Melbourne acrescentou; — Mas creio que há bispos a organizar uma petição por clemência.

Vitória levantou a cabeça, num movimento rápido, determinado.

— Então quero assiná-la! — Deu um passo na direção dele. — Um castigo assim não é civilizado.

Melbourne disse baixinho:

— Temo que não compreenda a gravidade do crime, Majestade.

— Compreendo, sim — retorquiu ela. Com a cor a regressar-lhe às faces de uma forma que Melbourne não pôde deixar de admirar. — Mas considero que o senhor não compreende a severidade do castigo. Tais procedimentos podem ter sido necessários no reinado de Elizabeth... — interrompeu-se e recompôs-se, assumindo a sua atitude mais régia —, mas eu gostaria que o meu reinado fosse um tempo de misericórdia.

Melbourne pensou que havia nela algo de magnífico, nunca vira Vitória tão apaixonada acerca de nada que não se relacionasse diretamente com a sua pessoa. Estava enganada, claro; aqueles Cartistas tinham de ser tratados com a maior e mais pública severidade para impedir todas as outras pessoas esfomeadas que acreditavam poder encher as barrigas com grandes ideais e slogans esplêndidos, mas não podia deixar de admirar o entusiasmo dela. Por isso, sorriu levemente ao dizer:

— Então, deve saber, Majestade, que, enquanto soberana, pode comutar as sentenças.

Ela hesitou antes de responder e Melbourne percebeu que precisava de algumas explicações.

— Perdoe, Majestade, se não me faço entender. A Coroa tem o direito de comutar uma sentença, de a tornar menos severa. Portanto, pode decidir que, em vez de serem executados como traidores estes homens sejam transportados para uma colónia penal na Austrália, o que alguns podem considerar ser um castigo menos severo. — Não conseguiu resistir a dizer aquela picardia final, mas Vitória não sorriu.

Em vez disso, declarou com grande firmeza:

— Então, quero exercer o meu direito. Quero que as suas sentenças sejam comutadas — Vitória fez rolar esta palavra nova e agradável dentro da boca — de execução para deportação.

— Tem a certeza, Majestade? — perguntou Melbourne num protesto simbólico, uma vez que já sabia a resposta.

— Absoluta. — E pela primeira vez desde que a reunião começara, Vitória sorriu.

Melbourne fez um gesto indicando as caixas.

— Vamos tratar daquilo, Majestade?

Vitória abanou perentoriamente a cabeça.

— Não. Penso que aqueles homens que estão na prisão devem conhecer o seu destino o mais cedo possível. Estar encerrado numa cela a imaginar aquela morte horrorosa — estremeceu —, não consigo imaginar nada pior.

— A vossa compaixão só fala a vosso favor, Majestade, apesar de eu não conseguir deixar de pensar que estes homens merecem o seu tormento. Mas se deseja que execute os vossos desejos de imediato, tratarei disso já. — Fez um aceno de cabeça formal para indicar que agia cumprindo ordens e não por por vontade própria.

— Antes de sair, há uma outra coisa que gostaria que fizesse por mim. *Sir* John Conroy pediu-me que lhe concedesse um título irlandês com uma pensão, e eu estou inclinada a conceder-lho.

— A sério, Majestade?

— Sim. Ele pensa que é chegada a altura de se retirar para a sua propriedade na Irlanda.

Melbourne olhou para ela com surpresa e respeito. Teria engendrado uma forma de se ver livre de Conroy?

— Penso que um título irlandês com uma pensão de, digamos, 1000 libras por ano, seria uma recompensa adequada por todos os anos de serviço que *Sir* John prestou à Coroa — respondeu Melbourne.

Vitória anuiu.

— Exatamente o que penso, apesar de pensar ser mais seguro serem 2000 libras. Não quero que fique sem dinheiro e sinta a necessidade de regressar à Corte.

— Não, de facto. Isso nunca deverá acontecer.

Vitória inclinou-se para a frente e sorriu.

— Quero que o «transporte» de *Sir* John seja permanente.

Depois de Melbourne partir, Vitória chamou *Dash* e saiu para o jardim. Ia a descer os degraus quando Lehzen a apanhou e lhe estendeu um xaile.

— Hoje está frio, Majestade; não deve sair sem isto. Se esperar um momento, vou buscar o meu chapéu e acompanho-a.

— Não, obrigada, Lehzen, esta manhã prefiro passear sozinha. Quero falar com a minha mãe.

Lehzem assentiu, relutante.

— Como desejar, Majestade. Creio ter visto a Duquesa a passar com *Sir* John a caminho do lago há cerca de dez minutos.

Vitória sorriu.

— Muito obrigada, Lehzen — e pegou no xaile. — Anda, *Dash*! — Percorreu o caminho em direção ao lago a correr, com o cão colado aos calcanhares.

Viu a mãe e Conroy de pé, junto do pavilhão, do outro lado do lago. Tinham as cabeças juntas e a face da duquesa inclinava-se para Conroy como um girassol para o sol. A visão do aviltamento da mãe levou a determinação de Vitória a um pico e ela quase marchou pelo caminho até onde eles se encontravam, aproximando-se por trás, pelo que eles não a viram chegar.

— Bom dia, Mamã. — A duquesa e *sir* John afastaram-se de imediato, assustados pela súbita aparição.

Vitória saudou Conroy com um ínfimo gesto de cabeça.

— Que ventura encontrá-lo aqui com a Mamã, *Sir* John.

A duquesa olhava para a filha com uma atenção espantada.

— Está com muito bom ar, Vitória.

— Sim, Mamã, sinto-me bem. — Fez uma pausa e prosseguiu: — Fico feliz por vos encontrar juntos porque queria dizer-lhe pessoalmente, *Sir* John, que acedi ao seu pedido.

A duquesa moveu a cabeça, com uma lentidão agonizante, de Vitória para Conroy.

— Que pedido?

No canto de um olho de Conroy, um músculo começou a tremer, mas antes de ele poder responder, Vitória disse, com indisfarçada alegria:

— Ele não lhe contou, Mamã? Vou conceder a *Sir* John um título irlandês e uma pensão de 2000 libras anuais, para que possa retirar-se confortavelmente para a sua propriedade na Irlanda.

A duquesa ficou muito quieta, com os canudos louros imóveis. Por fim disse, olhando a direito para Conroy:

— Vai deixar-me por... — hesitou, e depois, com um grito que fez Vitória estremecer — por algum dinheiro?

Conroy não respondeu e pregou os olhos no chão. Vitória virou-se para ele.

— Não mudou de ideias, pois não, *Sir* John?

Conroy manteve-se imóvel antes de abanar a cabeça, lentamente, como se fosse feita de pedra.

— Excelente. Fico contente por estar tudo resolvido.

Vitória estava prestes a afastar-se quando viu o rosto desfigurado da mãe e parou.

— Decidi aumentar o seu rendimento, Mamã. É tempo de ter novas roupas. Devia vestir-se de acordo com o seu estatuto de rainha-mãe.

A duquesa não revelou o menor sinal de a ter ouvido; ainda tinha os olhos fixos em Conroy como se determinada a fixar na memória cada pormenor do seu rosto. Vitória, ainda ligeiramente espantada com a sua própria ousadia, começou a afastar-se:

— Anda, *Dash*.

Uma vez a rainha e o cão de estimação fora de vista, Conroy falou, com os olhos ainda pregados no chão.

— Tem de compreender que não tive escolha. Aqui não há nada para mim.

A duquesa explodiu da sua imobilidade gelada:

— Nada? Ao fim de dezanove anos, chama-me nada?

Conroy levantou a cabeça e tentou compor um sorriso na cara.

— Sabe bem que se eu me for, ela será mais amável consigo.

A duquesa abanou a cabeça, incrédula, gritando:

— Sabe quantas vezes a Drina me pediu que o dispensasse? Teria sido tão fácil! Mas eu nunca quis. Disse-lhe que não passava sem si. Mas o senhor consegue ir-se sem mais, como se eu não existisse.

Conroy tentou agarrar a mão da duquesa, mas ela puxou-a para longe dele, em fúria. Era ainda mais doloroso do que ele imaginara. Tinha pensado poder dar-lhe a notícia à sua maneira, mas Vitória, segundo parecia, estava determinada a tornar tudo tão brutal quanto possível. Havia lágrimas nos olhos da duquesa e ele viu as rugas que a infelicidade cavara em torno dos olhos e da boca dela. Por um instante, viu a mulher idosa que seria dentro de não muito tempo.

— Creia, não tenho o menor desejo de a abandonar. Mas a sua filha não se deixa controlar, Alteza, e eu tenho de usar os meus talentos noutro sítio.

Num gesto que sabia ser a única resposta correta à dor dela e à sua traição, lenta e dolorosamente, deixou-se cair de joelhos aos pés dela. Pegando na mão gelada dela entre as suas, levou-a aos lábios e disse, num gemido rouco:

— Por favor, perdoe-me!

Pondo-se de pé, afastou-se dela, contornou o lago e regressou ao palácio. Não olhou para trás, mas sentiu o olhar da duquesa nas suas costas a cada passo que deu.

CAPÍTULO OITO

O Grão-Duque esperava Vitória junto de Roehampton Gate, em Richmond Park. Tinha enviado uma mensagem pela manhã perguntando se poderiam ir cavalgar juntos algures onde pudessem realmente galopar. «A vossa Rotten Row é a pista perfeita para admirar as senhoras nos seus trajes elegantes, mas hoje não estou interessado em moda.»

Depois do encontro com a sua mãe e Conroy, Vitória sabia exatamente o que o russo queria dizer. Também ela queria galopar com tal velocidade que o mundo ficasse para trás e nada mais importasse que não a estreita faixa de terra à frente da cabeça do seu cavalo. Por isso sugeriu Richmond Park, com as suas árvores seculares e manadas de veados, onde poderiam deixar os cavalos correr sem receio de embaterem numa carruagem ou de abalroarem uma ama com a sua carga preciosa.

Quando o cavalariço a ajudou a montar *Monarch*, ela notou que o rosto do Grão-Duque estava fechado, a sua boca mais dura do que alguma vez a tinha visto. Claramente, não estava com disposição para conversar, pelo que, tomando as rédeas, apenas disse:

— Uma vez à volta do parque?

O Grão-Duque assentiu e Vitória enterrou os calcanhares nos flancos de *Monarch*. Encantado por se sentir solto, o cavalo disparou, com o Grão-Duque no seu encalce. Galoparam ao redor do parque, dispersando os veados e levando os faisões a refugiar-se nos bosques, aos gritos, baixando-se ao passar sob os ramos dos grandes carvalhos e soltando gritos de alegria enquanto desciam a colina que levava aos dois lagos que dividiam o parque.

Rindo e sem fôlego, refrearam os cavalos ao mesmo tempo. O Grão-Duque saltou da sua montada num movimento ágil e antes que o cavalariço a pudesse ajudar a desmontar, já ele punha Vitória no chão. Ela notou que a rigidez do seu rosto tinha desaparecido.

— Obrigado por me trazer aqui, Vitória. Eu estava mesmo a precisar de cavalgar assim.

Vitória sorriu.

— A minha antepassada, Elizabeth, costumava caçar veados neste parque.

— A rainha que nunca casou.

— Mas cujo reinado foi longo e glorioso.

— Acredito. Uma grande rainha é superior a qualquer homem. — O rosto dele iluminou-se num sorriso. Depois virou-se para o seu estribeiro, que se mantinha a uma distância respeitosa, e estalou os dedos. O homem trouxe um pequeno pacote que colocou na mão estendida do grão-duque.

— Tenho algo para si, Vitória. Um pequeno símbolo da nossa amizade.

Era uma caixa de rapé esmaltada a azul e decorada a ouro. Na tampa, as letras V e A em diamantes, entrelaçadas num gracioso monograma, quase simétrico nos seus picos e curvas.

Vitória susteve a respiração.

— É tão bonita. E este monograma? — Olhou-o.

O Grão-Duque assentiu.

— V e A, para Vitória e Alexander. Talvez não seja correto, mas espero que me perdoe. — Colocou-lhe a pequena caixa na mão e, com a sua, fechou-lhe os dedos sobre ela.

— V e A. As letras encaixam muito bem, não é verdade?

O Grão-Duque anuiu de novo e então, soltando-lhe a mão, disse:

— O Czar, meu pai, ordenou-me que regresasse a São Petersburgo.

— Está doente? — perguntou Vitória.

O Grão-Duque abanou a cabeça.

— Está de perfeita saúde, mas imagina que vai morrer a qualquer momento, pelo que decidiu que devo casar-me. — Olhou para Vitória e suspirou.

— O meu pai escolheu uma princesa dinamarquesa. Não me lembro do nome. Diz que ela gosta muito de arenques. — Encolheu os ombros e esboçou um meio sorriso.

Vitória comoveu-se com o suspiro dele. Embora ambos soubessem que qualquer aliança entre os dois só poderia ser diplomática, ele agia agora como um amante desapontado. E embora soubesse que quase de certeza não passava de fingimento, ela gostou dele pela presunção.

Inclinou a cabeça para um lado e sorriu.

— Tenho a certeza de que será encantadora. Apaixonada por arenques, talvez, mas encantadora.

O Grão-Duque tomou-lhe a mão e olhou-a nos olhos, enquanto ela repetia as palavras que ele lhe dissera no baile.

— Não podemos casar como queremos, vós e eu. — E desta vez foi ela quem suspirou. Ouviu uma gralha grasnando tristemente atrás de si e lembrou-se de Melbourne, segurando a sua mão em Brocket Hall.

Por entre as suas longas pestanas, Alexander lançou-lhe um olhar melancólico. Pensava, é claro, que ela estava a pensar nele.

— Se tudo fosse diferente...

Inclinou-se para ela, claramente à espera de um beijo de despedida, mas Vitória evitou-o e limitou-se a dizer alegremente:

— Tenho a certeza de que será muito feliz com a comedora de arenques.

Alexander abriu os braços.

— Farei o meu dever, caso-me com ela, teremos muitos filhos e, um dia, serei eu a escolher as suas noivas.

Vitória riu-se.

— Espero que faça escolhas sensatas.

— Talvez tenha uma filha que venha a governar a Rússia ao lado do meu filho.

— Esquece-se de que decidi não casar.

O Grão-Duque abanou a cabeça.

— Não, não esqueci. Mas não acredito que uma mulher como vós deva viver sem marido. Tenho pena de que não seja um marido russo. — Levou a mão de Vitória aos lábios e beijou-a.

*

A duquesa não desceu para jantar nessa noite. E quando Vitória enviou Lehzen para saber como estava de saúde, a baronesa foi mandada embora sem qualquer mensagem. Vitória sentiu um nó a formar-se no estômago. Sabia perfeitamente que deveria ter sido ela mesma a ir aos aposentos da mãe, mas faltara-lhe a coragem. Por muito que Vitória detestasse Conroy, sabia o quanto ele significava para a mãe. Embora não pudesse aprovar tal apego, desde aquele dia em Brocket Hall que pensava talvez poder entender a força daquele sentimento.

Na manhã seguinte, pediu a Skerrett que lhe mostrasse as rendas que tinha. Skerrett trouxe com ela um armário de gavetas que, à medida que foram sendo abertas, encheram o ar com o aroma do cedro. Vitória apreciou as delicadas golas e os véus de gaze até chegar a um xaile tão delicadamente bordado que, ao mexer-lhe, cintilava como geada. Ouviu Skerrett reter a respiração.

— É lindo, não é?

— É a coisa mais linda que alguma vez vi, Majestade.

Vitória guardou o xaile debaixo do braço e, antes que fraquejasse na sua decisão, dirigiu-se à ala norte.

Encontrou a mãe sentada num sofá, a olhar para o nada. Estava vestida de preto, como sempre, mas os seus cachos louros pendiam sem graça e negligenciados. Vendo a desolação da mãe, sentiu o nó no seu estômago apertar-se.

Quando se sentou no sofá ao lado da mãe, a duquesa não deu sinal de notar a sua presença, antes manteve aquele terrível olhar vidrado. Vitória duvidou se teria feito bem em vir, mas, por muito que desejasse ir-se embora, sabia que tinha de fazer algo para resolver a situação.

Inclinando-se, colocou o xaile nas mãos inertes da mãe. A duquesa não se moveu. Vitória abriu o xaile e espalhou-o sobre o colo da mãe.

— É para si, Mamã. Esta renda foi feita num convento em Bruges. Veja como é delicada. — Segurou o xaile em frente do rosto gelado da mãe e sacudiu-o ligeiramente, fazendo-o agitar-se como uma teia de aranha na brisa.

Passou-se um minuto, que para Vitória pareceu uma hora, e por fim a mãe virou a cabeça. Fixando a filha com aquele olhar vazio, falou em voz baixa e desprovida de qualquer emoção.

— Mandou-o embora, Drina.

Vitória abandonou o xaile no colo da mãe.

— Não, Mamã — disse suavemente —, ele quis ir-se embora. — Segurou a mão da mãe e continuou: — Mas sei que sente a sua falta e, acredite, Mamã, eu compreendo.

Olhou para a mão da mãe e viu a aliança de ouro presa no nó inchado do anelar.

— Como pode entender? É apenas uma criança. Como pode saber o que sente uma mulher? — A voz da duquesa quebrou na palavra mulher e o seu olhar vazio, seco até então, encheu-se de lágrimas.

Vitória sentiu desatar-se o nó no seu estômago e as palavras sairam-lhe da boca antes que as pudesse pensar.

— Não, Mamã. Está enganada. Eu sei o quão difícil é perder alguém a quem queremos bem.

A mãe ouviu o tom de desespero na voz da filha e conseguiu ver além da sua própria tristeza. Ao olhar para os pálidos olhos azuis da filha, iguais aos seus, compreendeu. Retendo as lágrimas, colocou a mão no rosto afogueado de Vitória e acariciou-o com infinito carinho.

— Nenhum homem desistiria de si, Drina, a não ser que soubesse ser esse o seu dever.

Perante este inesperado gesto de simpatia, a firmeza de Vitória finalmente quebrou, e ela caiu nos braços da mãe, numa tempestade de soluços.

— Oh, Mamã... creio que nunca irei ser feliz.

A duquesa abraçou o corpo agitado da filha e apertou-a com força.

— Ainda é jovem, *Liebes*. Vai encontrar a quem entregar o seu coração, juro-lhe.

Quando o soluçar de Vitória começou a dar lugar a pequenos soluços, a duquesa levantou o queixo da filha para que a olhasse.

— Ambas perdemos algo, Drina. Mas... — e agora os seus olhos estavam repletos de amor — hoje também encontrei algo. —

Vitória olhou-a numa perplexidade lacrimosa. — Encontrei o seu *Schockoladenseite*. O seu lado de chocolate. E pensava tê-lo perdido para sempre.

Vitória ouviu o pedido de perdão na voz da mãe e deitou a cabeça no colo da duquesa. Enquanto a mão da mãe lhe acariciava os cabelos, fechou os olhos e aspirou o cheiro a lavanda.

Leopold, que viera aos aposentos da duquesa para lhe dizer que Albert e Ernst já vinham a caminho de Inglaterra, chegando à porta deparou-se com este cenário pelo que se afastou em bicos de pés. Sabia, claro, que Conroy tinha sido banido e estava satisfeito com isso, mas temia que um desentendimento permanente entre mãe e filha pudesse pôr em causa as hipóteses de Albert com Vitória. A imagem da sobrinha de cabeça deitada no colo da mãe, qual *Pietà* moderna, era muito encorajadora, mesmo muito encorajadora. Se Vitória podia reconciliar-se com a mãe, decerto Albert não seria rejeitado como pretendente apenas por ser um Coburgo.

Quanto à duquesa, ela continuaria a sentir a falta de Conroy. Mas se, em contrapartida, recuperasse o afeto da filha, talvez fosse um preço que valesse a pena pagar, pensou. E, com o tempo, talvez entendesse que Conroy apenas se mantivera a seu lado pela promessa de poder. Assim que percebera que nunca passaria de um mero administrador da casa da duquesa de Kent, tinha desistido dela. Era uma infelicidade que a duquesa pudesse não voltar a encontrar um outro homem que a distraísse. Mas a rainha-mãe, tal como a mulher de César, deve ser irrepreensível. Pensou na sua própria amante, escondida numa casinha em St. John's Wood. E pensou também em como tudo era mais fácil de resolver quando se é homem. Quando atravessava o longo corredor de volta aos seus próprios aposentos, avistou o seu reflexo no espelho e sentiu-se satisfeito por ver que a sua peruca estava precisamente no ângulo correto.

CAPÍTULO NOVE

No cais de Ostende, dois jovens tremiam, sob o gélido vento de novembro. Eram ambos altos e louros e havia uma semelhança familiar nas suas testas largas e lábios delicados. Mas enquanto um tinha as costas largas e os movimentos arrogantes de um soldado, o outro, embora ligeiramente mais alto, não tinha nada da descontração livre do irmão. Movia-se cautelosamente como se calculasse o esforço que teria que fazer em cada passo. Olhou apreensivamente o mar e virou-se para o irmão, dizendo com um sotaque carregado:

— Parece que o mar está demasiado agitado para que possamos viajar hoje.

O irmão deu-lhe uma palmadinha nas costas.

— Que disparate, Albert. Os navios-correio para Inglaterra navegam em condições muito piores do que estas. — Olhou com mais atenção para o rosto do irmão. — Vai sentir-se melhor quando lá estiver. Como é aquela citação do Shakespeare que está sempre a repetir, «Há ondas nos assuntos dos homens, que, ao apanhar a maré alta...»

«Levam à fortuna.» — Albert terminou a citação, tal como o irmão sabia que faria. — Mas, Ernst, não sei se este é o destino certo para mim. A Vitória não é séria. Só quer saber de danças e gelados. Duvido que sejamos compatíveis.

Ernst sorriu.

— Portanto, ela é uma rapariga jovem que gosta de se divertir. Creio que isso é bom. As fúteis são sempre as mais divertidas. Além disso, a Vitória é encantadora, pequenina e... — Com as mãos desenhou uma figura curvilínea no ar.

Albert olhou para ele.

— Talvez devesse casar-se com ela.

— Não creio que o tio Leopold gostasse da ideia. — Ernst franziu os lábios numa razoável imitação do rei dos belgas.

— O destino de Albert é casar-se com Vitória.

— Mas imagine que ela não creia que o seu destino seja casar-se comigo. Não pareceu interessada em mim da última vez que nos vimos.

Ernst olhou o irmão de cima a baixo, como se estivesse a apreciá-lo, notando os seus olhos azuis, o seu nobre perfil, as longas pernas a terminar nas botas com a faixa de topo vermelha.

— Mudou muito nos últimos três anos, Albert. Nem repara, mas as raparigas de Coburgo já começaram a olhá-lo de uma forma tal que, se eu não soubesse que é o homem mais sério da Cristandade, ficaria muito invejoso. Ela pode ser rainha, mas é também uma jovem mulher, e creio que ficará bem feliz quando o vir.

— Mas eu não quero ser exibido para sua aprovação como uma figura de cera, Ernst!

— Oh, não seja tão sensível. Quer passar o resto da sua vida em Coburgo a ver-me portar-me mal? Ou quer ser rei de Inglaterra?

Albert abanou a cabeça.

— Mesmo que me case com ela, serei apenas o marido da rainha de Inglaterra.

Ernst encolheu os ombros.

— Bem, se lá chegar com essa cara, não casa com ninguém. Lembre-se, Albert, as mulheres gostam de ser seduzidas, não que lhes deem lições. Quando a vir deve sorrir e fazer-lhe alguns pequenos elogios. Terá muito tempo para lhe falar das glórias da arquitetura italiana e das maravilhas do sistema de esgotos da Babilónia quando estiverem de lua de mel.

Albert voltou a abanar a cabeça.

— Mas não posso ser quem não sou, Ernst. Não consigo fingir.

Ernst atirou as mãos ao ar, em fingido desespero.

— Então, meu querido irmão mais novo, sugiro que voltemos para Coburgo e pode casar-se lá com Frau Muller, a viúva do presidente da câmara, que tem uma excelente biblioteca e um lago bem abastecido de carpas. Leitura e pesca, que pode um homem querer mais? Sei que ela tem um fraquinho por si e as viúvas, sabe... Albert observou de novo o mar cinzento.

— Para si é sempre tudo tão fácil, Ernst. Mas para mim é difícil.

Ernst colocou a mão sobre o ombro do irmão e mudou de tom de voz.

— Querido irmão, é um homem de valor. É por isso que Vitória terá sorte em tê-lo por marido. Não pode ser fácil para ela ser tão jovem e ter já tanta responsabilidade. Ela precisa de alguém que a ajude.

Albert olhou o irmão e, pela primeira vez, sorriu. Ernst pensou que Vitória, por mais obstinada que se tivesse tornado, não resistiria a um dos sorrisos do irmão. Apesar de raros, os sorrisos de Albert davam ao seu rosto um brilho quase infantil, que fazia com que quem os recebia achasse que o sol surgira. Se Albert fosse capaz de sorrir a Vitória, tudo correria bem.

Uma onda enorme rebentou sobre o molhe e os borrifos atingiram-lhes os rostos. Albert limpou o seu enquanto observava os barcos a balançar precariamente no mar tempestuoso.

— Mas primeiro temos de lá chegar — disse.

*

No Palácio de Buckingham, enquanto esperava pela visita matinal de Melbourne, Vitória entretinha-se a copiar um dos quadros de Elizabeth que se encontrava na galeria de retratos. Parecia mais jovem neste quadro do que na miniatura que Lehzen lhe dera, mais jovem e mais vulnerável. Fosse ela Elizabeth, pensou Vitória, e nunca teria colocado este quadro em exposição. Não a mostrava como Gloriana, a rainha pintada, mas como a mulher sob essa capa. Seria possível, pensava enquanto desenhava os caracóis ruivos de Elizabeth, ser-se ambas? Seria possível ser-se monarca e ser-se mulher? Nenhuma das rainhas que a haviam antecedido no trono recebera a bênção de uma família. Mary Tudor casara muito tarde e chegara a estar grávida, mas não tivera filhos. Elizabeth claro, não chegara sequer a tomar marido. E as rainhas Stuart, Mary e Anne, tinham ambas casado, mas nenhuma delas conseguira ter filhos que lhes sobrevivessem. Mary, rainha dos escoceses, casara três vezes e tivera uma criança, mas o seu reino não poderia ter acabado de forma mais desastrosa. O conhecimento de Vitória sobre História não era exaustivo. Mas parecia-lhe que apenas Isabella de Castela tinha sido bem-sucedida como rainha e como mãe, e claro, casara com o rei de um país vizinho. Mesmo que Vitória se sentisse encorajada a aceitar os avanços do grão-duque, a ideia de governarem em conjunto a Inglaterra e a Rússia era geograficamente impossível.

Não, se olhasse para as rainhas do passado, apenas Elizabeth era verdadeiramente admirada, e reinara sozinha. Claro que Charlotte, a prima morta cuja morte havia engendrado a sua própria existência, fora casada com o tio Leopold, mas fora o casamento que a matara. O casamento era um assunto perigoso.

Vitória começou a pintar as pérolas no corpete de Elizabeth. Estava a adiar o rufo[18] que, com o seu intricado trabalho, parecia extremamente difícil de reproduzir.

Ouviu tossir e, virando-se, deparou-se com Melbourne parado atrás de si.

— Pensei que gostaria de saber que os Cartistas de Newport já estão a caminho da Austrália, Majestade.

— Fico muito feliz, Lorde M.

Melbourne pairava junto a uma cadeira atrás dela, e ela fez-lhe sinal para que se sentasse.

— Embora saber se esses homens danados se sentirão gratos depois de lá chegarem é algo que só podemos conjeturar.

— Creio que as famílias ficarão satisfeitas — disse Vitória.

— Talvez. — Notando que estava a ser excessivamente cínico, Melbourne levantou-se e inspecionou o desenho de Vitória. — Vejo que Elizabeth está a tornar-se uma das suas favoritas, Majestade.

Vitória virou-se para olhá-lo.

— Decidi seguir o exemplo dela e reinar sozinha. — Inclinou ligeiramente a cabeça. — Com companheiros, talvez — e sorriu. Se Elizabeth pode ter Leicester, ela poderia certamente ter Melbourne.

---

[18] Rufo é uma gola de reda armada, muito trabalhada, usada durante o século XVI. (NT)

Mas Melbourne não retribuiu o sorriso.

— A sério, Majestade? Já o disse aos seus primos Coburgo? Ouvi dizer que devem chegar a qualquer momento.

Vitória levantou-se, brandindo o pincel como uma espada.

— Os meus primos Albert e Ernst Coburgo? Mas não os convidei.

Melbourne desviou-se do pincel.

— E, no entanto, Majestade, vêm a caminho.

Vitória começou a andar para trás e para a frente sob os quadros.

— O tio Leopold deve tê-los mandado vir, contra os meus desejos. Por que não entende ele que estou feliz assim?

Olhou para Melbourne em busca de validação, mas ele afastou o olhar.

— Eu não serei o seu primeiro-ministro para sempre, Majestade.

Vitória estacou na sua frente, obrigando-o a olhá-la.

— Não diga isso, Lorde M.

Com relutância, Melbourne acabou por enfrentar o seu indignado olhar azul.

— Assim terá de ser. Se não forem os Liberais a acabar comigo, serão as minhas enfermidades.

Vitória riu-se, aliviada por ver que, afinal, ele brincava.

— Enfermidades! Está sempre a dizer sempre que a doença é para pessoas que não têm nada melhor que fazer.

Melbourne não se riu com ela. Abanou a cabeça e afirmou, veemente:

— Deixe que os Coburgo venham, Majestade. Talvez o príncipe Albert a surpreenda.

Vitória olhou-o, agastada. Não era a resposta que esperava.

— Mas disse-me que o povo não aprovaria um noivo alemão.

Um músculo estremeceu junto à boca de Melbourne.

— Tenho a certeza de que darão maridos admiráveis.

Vitória sentou-se num repente e, com uma voz sumida, disse:

— Mas eu não quero que as coisas mudem.

Melbourne olhou-a com uma expressão quase severa.

— Eu sei, Majestade. Mas não creio que possa ser feliz sozinha. — Tocou-lhe ao de leve no ombro. — Mesmo com companheiros. Precisa de um marido que a ame e cuide de si.

Vitória estremeceu sob a mão dele.

— Mas não há ninguém que me interesse — gritou. Os seus olhos diziam algo bem diferente.

Melbourne sorriu de esguelha.

— Perdoe-me, Majestade, mas creio que ainda não procurou bem.

Vitória escondeu o rosto nas mãos, como se não quisesse ver o que estava bem diante dos seus olhos. Depois suspirou e, por entre os dedos, disse:

— Eu era tão feliz... antes.

— Creio que a felicidade pode ser sempre revivida na tranquilidade, Majestade — declarou Melbourne.

Vitória baixou as mãos e olhou para ele, com os seus pálidos olhos azuis perscrutando o rosto dele.

— Também já foi feliz?

Quando Melbourne falou não foi com a voz do mundano primeiro-ministro, mas com a voz de um homem de idade avançada que encara a perda da única coisa ainda capaz de lhe trazer alegria.

— Sabe que sim, Majestade.

Seguiu-se um silêncio denso do peso de todos os sentimentos não ditos. Melbourne viu o tremor nos lábios de Vitória, e teve de apertar as mãos uma na outra para não as estender e tomá-la nos braços. Pensou que, se ela chorasse, não conseguiria resistir à tentação de lhe secar as lágrimas com beijos. Enterrou as unhas nas palmas das mãos e disse a si próprio que a única forma de servir bem a sua rainha era encontrar-lhe um marido que a fizesse feliz.

Com um sorriso corajoso que quase partiu o coração de Melbourne, Vitória ergueu o queixo e disse:

— Mas eu não vou casar-me apenas para lhe agradar, Lorde M.

Melbourne tentou corresponder ao sorriso dela.

— Claro que não, Majestade. Deverá agradar a si mesma.

E então, ele tomou-lhe a mão, a sua pequena e branca mão, e beijou-a.

LIVRO QUATRO

LIVRO QUATRO

CAPÍTULO UM

Albert ouvia a música que enchia o corredor. Era a sonata em Lá bemol de Beethoven, tocada um pouco depressa demais. Olhou para o seu reflexo num dos espelhos que forravam as paredes. Ernst insistira para que usassem os uniformes.

Quando Albert objetara, dizendo que não era um soldado, o irmão perguntara: «Mas não se sente como se fosse para uma batalha?» Albert fora forçado a admitir que era assim que se sentia, embora não fosse uma gloriosa façanha militar entrar numa sala de visitas e ser inspecionado por uma jovem mulher. Apesar de tudo, estava grato por estar de uniforme; não havia nada mais magnífico do que a jaqueta bordada a ouro dos Hussardos, envergada com os calções brancos justos e botas com borlas douradas.

Albert recordou a última vez que visitara Londres e quão cansado estivera durante todo o tempo. Vitória rira-se dele e chamara-lhe arganaz. Na altura, ele não conhecia a palavra, mas descobriu o seu significado mais tarde e até hoje ficara-lhe atravessado. Isto não ia resultar. Iria ser humilhado de novo por uma rapariga que achava que dançar a valsa era a mais elevada forma de esforço humano.

Quando chegaram à porta dupla da sala de visitas de Estado, Albert parou. Ernst colocou-lhe uma reconfortante mão sobre o ombro e disse:

— Ao vencedor, os despojos. E, Albert... — Apertou-lhe o braço com força. — Lembre-se de sorrir.

Os lacaios abriram as portas duplas de par em par. Albert viu uma sala cheia de gente sentada e de pé em frente ao piano onde tocava uma rapariga que calculou ser Vitória. Olhou para o mestre de cerimónias para ver se ele anunciaria a sua chegada, mas o homem fez um gesto com a cabeça indicando o piano, sugerindo que as formalidades teriam de esperar até a rainha terminar de tocar.

Os irmãos avançaram circundando a sala e foram notados por Leopold e pela duquesa, que lhes atirou um beijo, criando uma agitação curiosa atrás dos leques das senhoras da Casa Real. Albert reparou num homem alto, louro, mas já algo grisalho, que o observava com uns olhos verdes perscrutantes. Só Vitória — e percebia agora que só podia mesmo ser Vitória — parecia alheia à sua chegada, continuando a tocar o andamento lento um pouco depressa demais.

Albert avançou para o exterior do círculo até ficar exatamente atrás do piano. A partitura estava na estante à frente dela, e Albert reparou que estava quase a chegar ao final da passagem. Instintivamente, avançou e, no momento exato, virou-lhe a página. Inicialmente, Vitória continuou a tocar, mas, por fim, os seus dedos pararam de mexer-se e ela virou a cabeça para o olhar pela primeira vez.

— Albert? — Não era bem uma pergunta, mais uma expressão de espanto. Ela parecia muito jovem, com os olhos mais azuis do que ele recordava, a boca mais suave, e ele questionou-se se deveria ter tido receio da prima, que apesar de ser rainha era ainda apenas uma rapariga.

Curvando-se, disse:

— Vitória.

Fez-se um momento de silêncio, uma pausa em que tudo o resto ficou de parte. Por aquele breve instante, foi como se estivessem apenas os dois na sala.

Mas depois ouviu-se o som de patas a arranhar e a bater no chão de madeira. Albert viu um cão de pelo longo parar aos seus pés, ladrando-lhe como se fosse um instruso.

— *Dashy*, para com isso. — Rindo, Vitória pegou o cão nos seus braços. — Não deves ladrar ao primo Albert, mesmo que ele pareça bastante diferente da última vez que o vimos.

Albert ficou hirto; havia uma nota provocadora na voz dela que reconheceu da última vez que haviam estado juntos. Olhou para o cão com desagrado; o seu próprio cão, *Eos*, era um galgo, nobre e rápido. Aquela bola de pelo que Vitória segurava nos braços não parecia sequer pertencer à mesma espécie.

Vitória beijou *Dash* no nariz, de forma extravagante, e entregou-o a Harriet Sutherland.

— Não quero que volte a ladrar a Albert. Ele é tão protetor.

Albert beijou a mão que ela lhe estendeu, os seus lábios mal tocando a pele dela. Quando se endireitou, disse:

— Lamento que o seu cão não me reconheça. Eu, por outro lado, não tenho qualquer dificuldade em reconhecê-la, prima Vitória. Embora creia que, nesta altura, já toca piano com menos erros.

Vitória recuou um pequeno passo e levantou o queixo. Ouvira-se na voz dele uma nota que fez com que Melbourne olhasse e que Ernst atravessasse a sala rapidamente até junto deles. Parou à frente de Vitória, com uma elegante vénia.

— Que magnífica está, prima Vitória. A monarquia, claramente, assenta-lhe bem.

Vitória sorriu e estendeu-lhe a mão, que ele beijou com grande floreado. Albert não se moveu, mas observou o irmão, impávido.

A duquesa, que até então estivera no extremo oposto da sala com Leopold, apressou-se a juntar-se ao grupo. Após beijá-los efusivamente nas duas faces, começou a falar-lhes em alemão.

— *Mein lieber Junge. So gutausshend*!

Albert submeteu-se graciosamente ao seu abraço e respondeu-lhe:

— *Danke, tante*. Mas creio que devemos falar em inglês. Preciso de praticar.

A duquesa estava radiante entre os dois sobrinhos, de braço dado com ambos.

— Oh, Drina, não são bonitos os seus primos? Que excelentes espécimes Coburgo.

Vitória ficou embaraçada.

— Por favor, Mamã, eles não são cavalos de corrida! — Virando-se para Lehzen, disse no seu melhor tom de anfitriã: — Baronesa, presumo que os príncipes devam estar cansados da viagem. Importa-se de os conduzir aos seus quartos?

Lehzen, que observara atentamente a interação entre Albert e Vitória, fez a vénia aos príncipes e começou a caminhar na direção da porta. Em vez de a seguir, Albert disse claramente:

— Na verdade, não estou assim tão fatigado.

Vitória retorquiu, com igual clareza.

— Como? Recordo que na vossa última visita, pelas nove horas, as suas pálpebras já estavam a fechar-se.

Antes que Albert pudesse replicar, Ernst interrompeu.

— Agora o meu irmãozinho é uma verdadeira coruja. Consegue ficar a pé até à meia-noite sem sequer bocejar.

Leopold atalhou a conversa, denotando alguma impaciência.

— Vitória, creio que deveria organizar um baile. Agora que já tem parceiros adequados.

Nas faces de Vitória começaram a formar-se duas manchas vermelhas.

— Agradeço a sugestão, tio, mas creio que o meu povo me acharia estouvada se andasse sempre a organizar bailes. — Virou-se para Melbourne em busca de apoio. — Não concorda, Lorde M?

Melbourne sorriu e encolheu os ombros.

— Conheceis o vosso povo, Majestade.

Ele olhou inquisitivamente para os príncipes. Notando que era o momento de os apresentar, Vitória virou-se para os primos.

— Albert, Ernst, o meu primeiro-ministro, Lorde Melbourne.

Melbourne fez-lhes uma comedida vénia formal.

— Bem-vindos a Inglaterra, Vossas Altezas Sereníssimas.

Mais uma pausa, e depois Ernst disse com entusiasmo decidido:

— É bom estar de volta a Londres. Tenho boas memórias da nossa última visita. Prima Vitória, vínhamos com a esperança de que amanhã talvez pudesse mostrar-nos os quadros da sua coleção. Ouvi dizer que é magnífica. E o Albert acaba de regressar de Itália e só fala dos Antigos Mestres.

Reagindo a um olhar do irmão, Albert disse secamente:

— Creio que existem alguns trabalhos de Leonardo da Vinci.

Vitória olhou-o sem expressão, e Albert perguntou-se se seria possível que ela nunca tivesse ouvido falar do maior pintor que o mundo jamais conhecera.

— Talvez inclua, sim. Na verdade, não sei.

A desaprovação de Albert devia ter-lhe ficado estampada no rosto, porque ela acrescentou, na defensiva:

— Se está assim tão interessado posso mandar chamar o curador dos quadros da rainha, o senhor Seguier. Ele saberá se temos algum desse Leonardo ou não. — Perante o silêncio de Albert, Vitória continuou no seu tom mais régio. — Quanto a amanhã, terei de ver. Temos muito trabalho para fazer, não temos, Lorde M?

Um ténue sorriso perpassou nos lábios de Melbourne ao assentir.

— Os despachos do Afeganistão irão sem dúvida exigir a sua total atenção, Majestade.

Leopold interveio, abanando a cabeça.

— Só trabalho e nenhum divertimento, Vitória. Não é bom para si. Por que não leva os príncipes amanhã, a passear a cavalo no parque? Pode mostrar-lhes os prazeres da sociedade londrina.

Antes que Vitória pudesse responder, Albert disse:

— Não gostaria de distrair a prima Vitória dos assuntos de Estado. Na verdade, gostaria de visitar a National Gallery amanhã, se assim me for permitido. — O seu olhar passou de Leopold para Vitória.

— Fará como entender, Albert. Lehzen tratará dos preparativos necessários. — Vitória olhou-o fixamente antes de se aproximar de Melbourne e falar com ele com grande seriedade, mas com pouco sentido acerca de sua opinião relativa aos compromissos em Cabul.

*

Lehzen percorreu o corredor, com os príncipes no seu encalço. Albert estava tão perdido nos seus pensamentos e Ernst tão preocupado com o irmão que nenhum deles reparou que Skerrett e Jenkins os observavam pela porta dos criados.

Jenkins disse:

— O mais alto, à direita, é o princípe Albert.

Skerrett esticou a cabeça para ver melhor.

— Caramba. Parece um príncipe saído de um conto de fadas. Pergunto-me se ele gostará da Rainha.

Jenkins olhou-a, reprovadora.

— Não interessa o que o príncipe pensa. É a Rainha quem deve decidir.

Foi quando começaram a subir as escadas para os seus aposentos, que Albert finalmente explodiu.

— Imagina não saber se possui ou não um Leonardo! Eu nunca devia ter vindo.

Ernst sorriu.

— Se ela soubesse tudo, Albert, não teria nada para lhe ensinar.

Albert continuou a abanar a cabeça.

— Creio que isto é aquilo a que os ingleses chamam uma missão impossível.

Ernst levou o dedo aos lábios, indicando a governanta que seguia à sua frente, e os irmãos prosseguiram em silêncio.

Lehzen levou-os até aos quartos, uma *suite* na ala norte, perto da duquesa de Kent, mas não se demorou. Parecia que cada momento perto dos príncipes lhe era penoso.

Quando a porta se fechou nas suas costas, Ernst despiu imediatamente a jaqueta e atirou-se para a espreguiçadeira em frente à lareira acesa.

— Creio que preciso de um *brandy* depois desta noite. E depois vou sair e ver o que Londres tem para oferecer em termos de entretenimento.

Nessa altura, entrou Lohlein, o tímido jovem de Coburgo que servia de camareiro aos irmãos. Pegando na jaqueta, assentiu quando Ernst lhe pediu que lhe fosse buscar um *brandy* antes que morresse de sede.

Albert não se sentou. Antes continuou a andar de trás para a frente, como se estivesse a guardar a porta da sala de estar.

Ernst observou-o por momentos até não aguentar mais.

— Pare com isso, Albert! É realmente assim tão importante que Vitória não seja uma conhecedora da pintura renascentista? Na verdade, antes de ir a Florença também não distinguia um Leonardo de um Holbein. Não é culpa dela não ter tido a mesma educação que o Albert teve. Portanto, importa-se de parar de lhe franzir as sobrancelhas o tempo todo e tratar de ser um pouco mais galante?

Albert não lhe respondeu e Ernst saltou da cadeira e agarrou na mão do irmão.

— Quando lhe pegar na mão para lha beijar deve olhá-la nos olhos como se quisesse afogar-se neles. Assim. — Inclinou-se sobre a mão de Albert enquanto o olhava com adoração.

Albert arrancou a mão, mas Ernst foi recompensado com o esboço de um sorriso. Era a primeira vez que Albert sorria desde que avistara Vitória.

— Sabe que nunca estarei à sua altura nesse campo, Ernst. Continuo a achar que deveria casar com ela, não eu.

Ernst riu.

— Bem, ela é exatamente o meu tipo, pequena, mas perfeitamente torneada. — Desenhava uma lasciva silhueta com a mão quando ouviu um tossicar atrás de si.

De pé na entrada, o tio Leopold disse, secamente:

— Todas as mulheres são o seu tipo, Ernst. Mas terá que encontrar outra pessoa. O Albert está destinado a casar-se com Vitória.

O sorriso de Albert desvaneceu-se. Retorquiu, numa voz tão dura que até o irmão se encolheu.

— Não sei se Vitória concorda. E ela é que tem de fazer o pedido.

Afastando esta objeção, com um aceno de mão, Leopold disse:

— E fará. Mas Ernst tem razão. Ela gosta de homens galantes como o seu Lorde Melbourne.

Albert baixou o olhar para o chão.

— Se as minhas maneiras não são adequadas, penso que o melhor é regressar à Alemanha.

Com uma fungadela de impaciência, Leopold estalou os dedos sob o nariz de Albert.

— Não é assim que um Coburgo fala. Pensa que eu fui assim com Charlotte? Não, entrei e reclamei o meu troféu. — Com a mão, por reflexo, verificou a peruca. — Se for para casa agora, todos dirão que ela o rejeitou. Mas se ficar poderá tornar-se Rei de Inglaterra.

Albert afastou-se.

— Não, tio, isso não está correto. Eu serei o marido da Rainha de Inglaterra.

— Para um homem de carácter, Albert, para um verdadeiro Coburgo — Leopold agarrou-lhe no braço e olhou fundo para aqueles olhos tão parecidos com os seus —, seria a mesma coisa.

Albert virou-se e, encolhendo os ombros ao amuo do sobrinho, Leopold retirou-se.

Houve um momento de silêncio até que Ernst se levantou de um salto. Num assomo de energia, deu uma palmada no ombro do irmão.

— Do que precisa, Albert, é de ir ver Londres à noite. Tenho a certeza de que vai ser uma visita muito instrutiva.

Albert abanou a cabeça.

— Não quero sair, Ernst. — Sorriu vagamente ao irmão. — Afinal, Vitória tinha razão. Estou cansado da viagem.

Na ala sul, Vitória preparava-se para ir para a cama. Skerrett soltava-lhe o cabelo, enquanto Lehzen se mantinha pacientemente na retaguarda, como sempre. Gostava de ser a última pessoa a falar com a rainha à noite e a primeira a cumprimentá-la pela manhã.

Enquanto Skerrett desmanchava as traças que lhe rodeavam as orelhas, Vitória dizia para Lehzen, olhando-a no espelho:

— Viu o modo como Albert me olhou esta noite? Como se eu fosse uma criança que tivesse faltado às aulas?

As narinas da baronesa latejaram.

— Ele é o filho mais novo de nenhures. E vós, Majestade, sois uma rainha.

Vitória sorriu perante a indignação da baronesa, depois inclinou-se para se olhar com atenção no espelho.

— Sabe, amanhã quero o meu cabelo diferente. — Abriu a cópia de *La Mode Illustrée* que estava aberta em cima do toucador e apontou para um penteado ondulado que caía sobre os ombros de uma mulher. — Acha que consegue copiar isto, Skerrett?

— Sim, Majestade.

Vitória inclinou a cabeça.

— E acha que me ficaria bem?

— Sim, Majestade — e acrescentou com um ligeiro sorriso —, creio que se chama A Sedutora.

Vitória devolveu-lhe o sorriso, e perguntou tão descontraidamente quanto pôde:

— Acha o príncipe bonito, Skerrett?

Vendo a expressão de Lehzen refletida no espelho, Skerrett abanou a cabeça.

— Não me compete dizê-lo, Majestade.

Vitória virou-se e disse, com alguma impaciência:

— Mas estou a perguntar-lhe.

— Então sim, Majestade, acho que o príncipe é muito bonito.

Lehzen fez um som que era quase um resfolegar. Mas Vitória ignorou-a e continuou a olhar para o espelho, agora algo absorta.

— Mas ele nunca sorri. Será que consegue?

*

No lado oposto do palácio, Albert estava no seu quarto, observando uma miniatura de uma jovem. O cabelo louro em cachos ladeando o rosto, num estilo muito clássico. Grandes olhos azuis, uma boca sorridente. Albert aproximou a vela para poder apreciar melhor, e reparou num ponto de pó. Limpou-o com a manga da camisa e depois, porque estava sozinho, sem ninguém que pudesse troçar da sua palermice, levou o retrato aos lábios.

CAPÍTULO DOIS

Às segundas-feiras, Vitória criara o hábito de dar audiências a pessoas interessantes que não tinham as credenciais certas para poderem vir às audiências formais de Estado. Nesta manhã recebia Rowland Hill, um oficial do serviço postal que tinha tido uma ideia engenhosa para a qual Melbourne lhe chamara a atenção. Juntamente com as suas damas e o escudeiro, lorde Alfred, e o cão *Dash* a seus pés, examinava uma folha impressa com talvez uma centena de miniaturas do seu perfil. Hill arranjara uma lupa e, uma por uma, Vitória e as suas damas, examinaram as minúsculas imagens.

Emma Portman foi cautelosa ao dizer:

— É realmente muito engenhoso, não concorda, Majestade? E tem uma grande parecença.

Vitória examinou a imagem com a lente.

— É melhor do que o das moedas, certamente. — Tocou nos caracóis que desciam até à base do seu pescoço no novo estilo Sedutora.

Rowland Hill mantinha-se de pé, fazendo oscilar o seu considerável peso de uma perna para a outra. Tinham-lhe dito que não deveria falar exceto quando se lhe dirigissem, mas estava ansioso por explicar à rainha a sua maravilhosa invenção. Quando Vitória pousou os selos e disse «Como são pequenos», Hill não se conteve mais.

— Podem ser pequenos, Majestade, mas apenas um basta para levar uma carta até Brighton, ou à Ilha de Bute, ou a Guildford ou a Gretna Green. — Interrompeu-se para ver o efeito, algo que tinha praticado em casa, ao espelho, sob o olhar atento da esposa. — Ou, se posso dizê-lo, até ao Castelo de Windsor ou a Wolverhampton.

Vitória interrompeu-o.

— Não me parece que bata certo. Afinal, Wolverhampton fica muito mais distante do que Windsor.

Hill sorriu; uma objeção para que tinha uma resposta preparada. Ia precisamente dispará-la quando a porta se abriu e o lacaio anunciou:

— Suas Altezas Sereníssimas, o Príncipe Ernst e o Príncipe Albert.

Os irmãos entraram na sala. Vitória voltou a tocar nos caracóis. Ernst fez um sorriso apreciativo do novo penteado, Albert fez apenas um pequeno aceno. Como que indignado pela falta de cavalheirismo de Albert, *Dash* lançou-se a ladrar-lhe, tão alto que Vitória teve que pegar-lhe ao colo.

Acenou com a cabeça aos primos e, voltando-se para o oficial dos correios, disse:

— Por favor, continue, senhor Hill.

Hill respirou fundo.

— Em resposta à sua questão, Majestade, quanto à razão pela qual a taxa postal deve ser a mesma seja qual for a distância percorrida, digo apenas isto: deverá uma rapariga em Edimburgo pagar mais para escrever ao seu amado em Londres do que aquela que vive em Ealing? Deverá o comerciante em Manchester pagar mais para escrever ao seu agente aqui na cidade do que ao seu agente em Marylebone? Estes selos, Majestade, trarão verdadeira igualdade a todas as partes desta ilha. A distância não mais será uma barreira ao comércio ou... — Hill colocou a mão sobre o coração, num gesto que a sua cara-metade achara particularmente comovente — ao romance.

A alusão de Hill ao romance não teve a receção que ele esperara. Vitória não se comoveu, antes perguntou secamente:

— E o meu perfil vai estar em todas as cartas?

— Sim, Majestade. Afinal, trata-se do correio real. — Fez uma pequena vénia, como que reconhecendo o estatuto dos selos.

Vitória olhou para a folha.

— Mas como é que estas pequenas imagens vão permanecer afixadas?

Hill avançou um passo e virou a folha ao contrário.

— Como pode ver, Majestade, os selos têm uma camada de goma-arábica no verso.

Vitória levantou a cabeça e disse, com grande seriedade:

— Então qualquer pessoa que queira enviar uma carta terá que lamber a minha cara?

Hill hesitou. Não era uma das questões que tinha previsto, mas avançou cuidadosamente:

— Precisamente, Majestade, embora utilizadores mais requintados possam usar um pequeno pincel.

A sala ficou em silêncio. As damas de Vitória esperaram para ver como ela iria reagir a tal afirmação. Hill recuou um passo ao ver a expressão no rosto de Vitória. Só pensava como poderia encarar a esposa se tivesse ofendido a rainha.

Mas antes que pudesse rojar-se a seus pés a pedir perdão pela sua *lèse-majesté*, reparou nas covinhas que se formavam junto à boca da rainha, sinais de quem tenta segurar aquilo que parecia um irreprimível ataque de riso. A hilaridade da rainha espalhou-se como um incêndio primeiro entre as suas damas, contagiando depois o elegante lorde Alfred e, por fim, o príncipe Ernst, que quase explodiu ao soltar a gargalhada que vinha a crescer dentro de si.

As únicas pessoas na sala que não riam eram os lacaios, o perplexo senhor Hill, e Albert, que olhava em redor para a hilaridade generalizada com incompreensão. Quando Vitória recuperou a compostura e reparou no olhar severo de Albert, colocou o seu rosto junto ao do cão que carregava nos braços e disse:

— Crês que o primo Albert nos desaprova, *Dash*?

Albert nada disse, pelo que ela levantou a cabeça e olhou-o diretamente. Ele franziu a testa e, enfrentando o seu olhar, disse:

— Perdoe-me, prima Vitória, pensei que estava a falar com o seu cão. — Olhou para Hill. — Creio que este cavalheiro produziu uma notável invenção, algo que trará grandes vantagens aos vossos súbditos. Por isso não encontro de que me rir, apenas que admirar. — Com aquela última frase, voltou o olhar para Vitória.

Não sabendo quem seria este homem extremamente inteligente, exceto que era um príncipe, Hill fez-lhe uma generosa vénia.

— Fico honrado de que assim pense, cavalheiro.

Vitória sentiu as suas faces a aquecerem.

— Muito obrigada, senhor Hill, por mostrar-nos a sua engenhosa invenção. E agora, se me der licença, tenho uma audiência com Lorde Melbourne. — Com uma passada rápida e irritada, saiu da sala sem sequer olhar para Albert. As damas e lorde Alfred seguiram-na.

Depois de saírem, Ernst olhou para Albert e abanou a cabeça antes de dizer em alemão:

— Que se passa consigo?

O irmão replicou na mesma língua.

— Não posso fazer de conta que sou o que não sou. Ela tem cortesãos para se rirem de tudo o que ela se ri, mas eu não sou um deles.

Virou-se para Hill, que continuava parado no meio da sala, sem saber se já tinha ordem para sair. Tinham-lhe dito que deveria sair às arrecuas quando a rainha indicasse que a audiência terminara. Mas como a rainha saíra antes dele, perguntava-se se isso ainda seria necessário. Será que os príncipes esperavam isso dele? Na verdade, era o que Hill mais temia. Pensar que teria que sair às arrecuas de uma divisão, correndo o risco real de embater em algo, tinha-lhe provocado pesadelos desde que o informaram de que fazia parte do protocolo da corte. Talvez, como eles eram apenas príncipes, não fosse necessário fazer o caminho todo de costas. Ficou parado no mesmo lugar, mudando o seu peso de um pé para o outro.

Por fim, para sua grande surpresa e agrado, o príncipe que tinha elogiado a sua invenção veio junto a ele e pegou na folha de selos.

— Pode explicar-me, por favor, como foi possível criar esta imagem tão exata?

*

Melbourne esperava Vitória na sala de estar privada. Nem necessitou de olhar para ela para perceber que vinha numa fúria; denunciavam-na os passos pesados e a respiração impaciente com que entrou na sala.

— Estou tão irritada que me apetece gritar! — vociferou, dando a volta à divisão até estacar frente a Melbourne. Olhando-a, pensou que só podia existir uma causa para o rubor da rainha, dada a forma como o seu peito subia e descia.

Observara atentamente o encontro entre a rainha e o primo na noite anterior. Albert era um rapaz desejeitado que, claramente, não fazia a menor ideia de como tornar-se agradável a uma mulher. Mas, com os sentidos apurados de alguém que ama, Melbourne viu bem o olhar entre os dois quando Albert se inclinara sobre o piano para virar a folha da partitura. Fora um olhar que ele próprio já experimentara algumas vezes na sua vida, e que sabia não voltar a viver.

Compreendendo tudo isto, falou com o seu ar normal de divertido desapego.

— A sério, Majestade? Mas os últimos relatórios garantem que as nossas forças derrotaram Dost Mohammed. Estarão em Cabul dentro de semanas.

Vitória parou de andar de um lado para o outro e controlou-se com esforço.

— Isso são boas notícias. Tenho de escrever ao General Elphinstone a dar-lhe os parabéns. — Depois estendeu as mãos à sua frente e, olhando-as, disse: — Mas eu estava a falar do meu primo.

— E a qual dos primos se refere? Sua Alteza Sereníssima, o Príncipe Ernst de Saxe-Coburgo-Gotha, ou o irmão, sua Alteza Sereníssima, o Príncipe Albert? — perguntou Melbourne, despreocupadamente.

Vitória levantou o olhar para ele.

— Albert, claro. Ele é um... — interrompeu-se, em busca da palavra adequada, terminando depois com grande ênfase — ... um pedante!

— A sério? Da minha breve observação, achei-o bastante elegante, para um alemão.

— Ele é sempre tão... desaprovador!

Melbourne sorriu:

— Creio que estará a confundir a sua natural reserva por desaprovação, Majestade.

Vitória abanou a cabeça com veemência.

— Não, não me parece.

Melbourne dirigiu-se para as caixas sobre a mesa, dizendo, como se fosse uma reflexão posterior:

— Não o vê como um possível marido, então?

— Preferia casar-me com Robert Peel!

Melbourne ergueu uma sobrancelha.

— E que diria *Lady* Peel a isso?

Riram-se os dois, usufruindo de um momento de descomplicada intimidade, recordando as muitas piadas partilhadas no passado. Para Melbourne o momento foi ainda mais precioso por lhe dar uma centelha de esperança. Talvez ele tivesse interpretado mal o que vira junto ao piano. Talvez Vitória não entregasse o coração a Albert, e os dois pudessem manter este feliz entendimento por mais algum tempo.

Era uma esperança frágil, ele sabia-o, e que não era digna dele. Sabia, melhor que ninguém, que a rainha precisava de um marido em quem depositar toda a paixão que transbordava de si. Lembrou a si mesmo que chegara o momento em que deveria seguir o seu dever em vez das suas inclinações. Mas, ainda assim, enquanto a rainha lhe sorria, mostrando os seus dentes brancos e delicados, teve esperança de que a hora do sacrifício ainda não tivesse chegado.

— A propósito, Majestade, permita-me que a cumprimente pelo seu novo penteado. Fica-lhe realmente muito bem. — Os caracóis na base do pescoço davam ao seu rosto uma suavidade voluptuosa.

— Pensei experimentar algo novo.

Melbourne assentiu, incapaz de falar naquele momento.

*

Albert e Ernst desceram os degraus da National Gallery em Trafalgar Square, onde um dos irmãos passara um absorvente par de horas a admirar as várias peças da coleção, enquanto o outro estivera igualmente absorvido admirando a ampla variedade do belo sexo de Londres. Saíram para a praça apenas acompanhados por Lohlein.

Lehzen colocara uma carruagem à disposição, e Alfred Paget tinha-se oferecido para lhes mostrar as vistas, mas ambas as ofertas haviam sido recusadas por Albert. Queria ver Londres por si mesmo, não como primo da rainha ou, pior, como seu pretendente. Ernst protestara; tinha a ideia de que lorde Alfred poderia mostrar-lhe algumas atrações muito interessantes e, como homem de cavalaria, não entendia a paixão de Albert por andar a pé para todo o lado. Mas ele sabia que não valia a pena protestar quando o irmão já tinha tomado uma decisão.

Passaram por um grande projeto de construção no meio da praça. Parecia um enorme dedo apontando para o céu por entre uma teia de andaimes. Ficaram a ver um enorme bloco de granito a ser erguido por vários guindastes e polias até descansar no topo do dedo, aproximando-o ainda mais do céu.

Viraram para Regent Street, e Albert parou em frente a uma montra que exibia um conjunto dos novos daguerreótipos. As pequenas placas de vidro montadas sobre um fundo de veludo vermelho eram, na maioria, retratos de homens, apenas um era de uma velha senhora, vendo-se todas as linhas e as rugas no seu rosto.

Albert fixou atentamente os daguerreótipos, depois virou-se para o irmão.

— É notável. Uma forma de reproduzir a natureza de forma bastante fiel.

Ernst esforçou-se para deixar de admirar a bonita ruiva que seguia do outro lado da rua para olhar a velha a que o irmão se referia.

— Olhe para essa verruga na cara. Duvido que gostasse de ser reproduzido de forma assim tão fiel.

— Mas não gostaria de se ver como os outros o veem?

— Não tenho a certeza; depende de quanto tivesse bebido na noite anterior!

O jovem proprietário da loja, de rosto anguloso, surgiu na entrada.

— Se quiserem entrar, cavalheiros, terei todo o gosto em fazer os vossos daguerreótipos. E não precisam de preocupar-se com ter que ficar parados durante muito tempo. O tempo de exposição é de apenas dez minutos, e prometo que não encontrarão fotógrafo mais artístico do que eu na cidade.

— É isso que chama a si mesmo, fotógrafo?

— Sim, cavalheiro. Do grego *photos*, que significa luz, e *grafos* que significa desenhar. Gosto de pensar em mim mesmo como alguém que pinta com luz.

Os olhos de Albert brilharam. Tinha ouvido falar de daguerreótipos, claro, e até já tinha visto um ou dois, mas nunca antes tinha encontrado alguém que praticasse tal arte. Estava prestes a entrar na loja quando reparou que Ernst tinha iniciado uma conversa com uma mulher no outro lado da rua. Hesitou, certamente não tinha que ser sempre o guardião do irmão. Depois recordou como Ernst tinha abandonado o seu adorado regimento para o acompanhar nesta viagem a Londres e, lançando ao dono da loja um olhar pesaroso e uma promessa de voltar noutra altura, atravessou a estrada para agarrar no braço do irmão e salvá-lo de si mesmo.

— Oh, este deve ser o seu irmão — disse a ruiva. — A semelhança é inconfundível. Sendo estrangeiros, talvez os cavalheiros gostassem que vos mostrasse as melhores vistas? Posso garantir-vos que conheço bem a cidade. — Lançou a Ernst um lascivo piscar de olhos.

— Obrigada, menina, mas não será necessário. Temos outros compromissos — disse Albert com firmeza, puxando o irmão pelo braço. Na sua pressa para se afastar da messalina, Albert virou para uma pequena rua lateral que não poderia contrastar mais com a espaçosa Regent Street, com as suas bonitas montras e pessoas de aspeto próspero. Aqui tudo era mais escuro; a luz era quase completamente bloqueada pelos edifícios de ambos os lados e havia um intenso cheiro que piorava à medida que avançavam em direção a um pátio onde parecia existir uma espécie de bomba de água. Crianças vestidas com pouco mais que trapos, e nada nos pés, corriam umas atrás das outras em torno de uma fila de mulheres que aguardavam com baldes e outros recipientes. Albert olhou à sua volta com horror. Este pátio fétido parecia o negativo da luminosa prosperidade que acabara de abandonar. Aqui não havia guarda-sóis verdes nem cartazes publicitários anunciando as últimas apresentações *de La Sonnambula* no Teatro de Ópera Italiana; aqui apenas roupas manchadas de sujidade a secar e o estrépito ritmado da bomba.

Albert sentiu um toque no braço. Era Lohlein, de rosto ansioso e dizendo em alemão:

— Penso que devíamos regressar ao palácio, Alteza. Este não é um bom local.

O som pouco familiar da língua alemã fez com que uma das mulheres olhasse fixamente para eles. O seu olhar deixou Albert desconfortável. Claro que ele já tinha visto pobreza no seu país, mas nada tão sujo; e os camponeses da sua terra não tinham esta expressão tão desesperada. Preparava-se para dar a volta quando sentiu algo tocar-lhe no joelho. Estremeceu, pensando que seria algum cão vadio, mas viu uma garota de não mais que quatro anos, que segurava um único fósforo.

— Compra um fósforo, cavalheiro?

Albert olhou o rosto cansado da menina e viu os seus braços magros. Levou a mão ao bolso do casaco e encontrou uma moeda, meia coroa, que colocou na palma da mão da criança. Virou costas e começou a andar de volta para a luz, mas mal tinha dado ainda três passos, voltou a sentir um toque na perna.

O seu olhar desceu até à menina, que segurava o fósforo. Sorrindo, inclinou-se para o aceitar.

Enquanto caminhava de regresso ao palácio, Albert disse:

— Não temos coisas como fotógrafos em Coburgo, mas pelo menos não temos crianças a pedir nas nossas ruas.

Ernst tirava o chapéu a uma bonita loura com uma peliça azul que seguia numa pequena carruagem amarela.

— Há muitas coisas aqui que não temos em Coburgo.

— Como é que Vitória consegue sentar-se no palácio com o seu cão quando em torno de si há tanta pobreza? Creio que Londres não é uma cidade honesta.

— Olhe que não sei, Albert. — Ernst observava a loura a desaparecer no parque. — Se isto é desonestidade, então penso que tem algo que se lhe diga.

*

O jantar era, nessa noite, *en famille*, o que significava que, além de Leopold, a duquesa de Kent e os dois príncipes, incluiria apenas os membros mais imediatos da Casa Real, lorde Melbourne e *Dash*, que gostava de ficar aos pés de Vitória, à espera dos restos.

A conversa à mesa era intermitente, uma vez que Leopold e os elementos da Casa Real tentavam acabar os seus pratos antes da rainha. Só Ernst, que não fazia a menor ideia que o *timbale de saumon* que estava à sua frente estava prestes a ser retirado ainda antes que ele pudesse sequer provar uma garfada, se atrevia a fazer conversa.

— Permite-me que a cumprimente pelo seu vestido, prima Vitória? Vi tantas mulheres elegantes hoje, mas creio que é a mais elegante de todas.

Vitória parecia agradada. Era um vestido novo, elaborado com uma seda furta-cores que brilhava como a cauda de um pavão, entre o verde e o azul, quando ela se movia. O decote vinha ligeiramente além do ombro, revelando a curva do seu alvo pescoço, e as linhas elegantes das clavículas eram acentuadas por um colar de diamantes que cintilava sob a luz dos candelabros. Parecia um beija-flor, iridescente e faiscante, inclinando-se constantemente para dar os melhores bocadinhos de carne à boca do expectante *Dash*. Ela estava de bom humor esta noite, com a excitação, ou talvez tensão, de se sentar entre os dois primos.

Virou-se para Ernst.

— Fico contente que tenha tido um dia agradável. Lorde M e eu estivemos imensamente ocupados com as listas militares. Agora que estamos no Afeganistão, há imensos assuntos militares a tratar. — Melbourne, que tinha Emma Portman entre si e Albert, notou que os olhos da rainha espreitaram Albert enquanto falava, mas o príncipe estava a olhar para o prato.

Ernst continuava no mesmo tom afável.

— Foi um dia muito educativo. Albert e eu visitámos a National Gallery. Fomos uns verdadeiros turistas.

Tendo comido tanto do *timbale* quanto desejou, Vitória pousou os talheres. Como num voo de garças, os criados investiram e retiraram a comida. Leopold deu um enorme suspiro, mas Albert olhou surpreso quando o seu prato foi retirado. Protestou com o lacaio:

— Eu ainda não tinha terminado!

O lacaio olhou na direção de Vitória.

— Mas a Rainha já, Sua Alteza.

Albert abanou a cabeça e olhou para Vitória, que estava naquele momento a acenar com um bocadinho de comida ao babado *Dash*. Quando reparou em Albert, perguntou-lhe:

— Viu o meu retrato na galeria? Aquele em que envergo o meu traje da coroação. Lembra-me sempre daquele dia e de como estava nervosa. — Deu uma risadinha, e Emma Portman murmurou que a rainha podia ter-se sentido nervosa, mas que isso não fora visível para quem assistira.

Albert esperou que Emma terminasse e depois falou no seu inglês com sotaque.

— Não vimos o seu retrato. Fomos ver os Velhos Mestres. Está lá um excelente Rubens, entre outros quadros muito interessantes. Acho que é maravilhoso que tanta beleza possa estar disponível para o usufruto de todos. Creio que criará uma nação de estetas.

Vitória, que cortava a sua vitela recheada com movimentos precisos, disse:

— Não gosto nada de Rubens. Toda aquela carne bamboleante.

A mesa caiu no silêncio. Melbourne, que mal conseguia reprimir o sorriso que lhe dançava nos lábios, dirigiu-se ao Príncipe Albert.

— A National Gallery é decerto um grande benefício para a nação, mas creio que pouco fará para alterar o gosto nacional. Creio que tem vindo a ser o refúgio favorito dos mendigos, pelo que talvez venhamos a ter os vagabundos mais cultos da Europa. — A sala ecoou com a gargalhada argêntea de Vitória.

Albert pousou o garfo e disse:

— Acredito que também os vagabundos, como lhes chama, merecem vislumbrar o sublime.

Melbourne limitou-se a devolver-lhe o sorriso, e antes que Albert conseguisse dizer mais uma palavra, Ernst falou.

— Bem, se as senhoras que vi hoje na galeria são vagabundas, então o gosto delas claramente não precisa de ser educado.

Vitória viu a mãe olhá-la e levantou-se. A sala inteira levantou-se também e os homens acompanharam as senhoras até à porta. Albert ofereceu o braço a Vitória, que ela aflorou com a ponta dos dedos, sem sequer se dignar olhá-lo.

Depois das senhoras se terem retirado e os lacaios terem trazido o vinho do Porto, os homens juntaram-se ao fundo da mesa, onde Leopold estava sentado. Melbourne ficou ao lado de Alfred Paget e estava a perguntar-lhe pela saúde dos seus muitos irmãos quando, para sua surpresa, Albert veio sentar-se do seu outro lado.

Sem preâmbulo, o príncipe disse:

— Sabe, Lorde Melbourne, eu gostava muito de visitar o seu Parlamento. Não temos nada semelhante na minha terra.

Albert estava tão sério que Melbourne ficou na dúvida se ele seria realmente capaz de sorrir. Não conseguia imaginar Vitória a viver feliz ao lado de um homem sem qualquer sentido de humor.

— Seria um prazer mostrar-lho. Mas espero que não fique desapontado. O perigo do Governo representativo é que, muitas vezes, pode acabar assemelhando-se a um jardim de ursos. E talvez seja melhor ir incógnito.

Albert pareceu surpreso e desconfiado.

— Porquê?

— Alguns deputados, principalmente os Conservadores — especificou com um gesto de mãos —, não gostariam de sentir que estavam a ser inspecionados por um príncipe alemão.

Ao dizê-lo, viu a cor subir às faces de Albert.

— Entendo. E o que pensa sobre o assunto, Lorde Melbourne?

Melbourne levantou-se da cadeira.

— Penso que — e exibiu o seu sorriso mais polido — deveríamos juntar-nos às senhoras. A rainha não aprecia que a deixem à espera.

*

Na sala de visitas de Estado, Vitória jogava às cartas com Harriet, Emma e Lehzen. A duquesa estava sentada junto à lareira, com o seu bordado. Os homens entraram de acordo com as regras da precedência, primeiro Leopold, que foi sentar-se junto da irmã, depois os príncipes, e por fim Melbourne e Alfred Paget.

Vitória olhou para os recém-chegados e estendeu uma mão implorante a Melbourne.

— Oh, Lorde M, tem de vir jogar comigo. Tenho a certeza de que me dará sorte.

— Com todo o prazer, Majestade. — Melbourne olhou para Albert e Ernst. — Talvez pudéssemos colocar mais uma mesa para que os príncipes também possam jogar.

Albert olhou para ele com um ar que Melbourne pensou ser uma vaga hostilidade.

— Por favor, não se incomode. Eu não aprecio jogos de cartas.

Mais uma vez o momento de discórdia foi quebrado por Ernst, que falou com um sorriso determinado.

— Mas *eu* gosto. Posso juntar-me ao jogo, prima Vitória? Aviso-a de que tenho pouca sorte com jogos de cartas, mas sabe o que costuma dizer-se. — E dirigiu o seu olhar mais galante à bela Harriet Sutherland, que baixou os olhos em agradecimento.

Vitória fez sinal aos lacaios, que trouxeram cadeiras para Ernst, Melbourne e Alfred Paget, que começaram um jogo de *whist*.

Albert dirigiu-se ao piano e, após uma breve hesitação, sentou--se e começou a tocar, primeiro suavemente e, depois, com crescente confiança.

A duquesa olhou para Albert com um sorriso a bailar-lhe nos lábios.

— O querido Albert é tão parecido consigo naquela idade, Leopold.

Leopold olhou de lado para a irmã, mas percebeu que o que ela dizia não passava de uma simples e inocente observação.

— Sim, creio que tem alguma parecença.

A música do piano cresceu, mas Vitória deve ter sido a única pessoa a reparar que Albert estava a tocar a mesma sonata em Lá bemol de Beethoven que ela tocara na véspera à noite, quando ele e Ernst chegaram. Havia uma passagem particularmente difícil, em que ela se atrapalhava sempre, mas ele tocou-a sem esforço.

Vitória olhou-o, impressionada, ainda que a contragosto. Ernst reparou no olhar e disse, com um olhar de súplica:

— Prima Vitória, dar-me-ia a grande honra de tocar para mim?

Vitória olhou para o outro extremo da sala.

— O piano está a ser usado.

— Mas creio que a noite só ficará completa com um dueto de Schubert. — Dirigiu-se a Harriet Sutherland com um sorriso lascivo. — Não concorda, Duquesa?

Harriet esticou o seu longo e níveo pescoço.

— Eu adoro Schubert, e tanto a Rainha como o seu primo tocam tão bem.

Para sua própria surpresa, Vitória deu por si em pé, dirigindo-se para o piano. Quando se aproximou, Albert parou imediatamente de tocar e levantou-se.

— As minhas desculpas. Não sabia que queria tocar. — O seu tom era propositadamente formal.

Começou a afastar-se, mas Vitória levantou a mão para o deter, e disse com igual formalidade:

— Ernst pediu um dueto. Schubert. Creio que a música está aqui.

Apontou para as partituras sobre o piano. Albert olhou e anuiu.

— Sim, eu conheço esta peça. Que parte prefere? Creio que a primeira parte é a mais difícil.

— Eu nunca tive qualquer problema com ela — disse Vitória, tomando o seu lugar no lado dos agudos.

— Não? Mas tem tantos acordes e a prima tem umas mãos tão pequenas. — Ambos olharam para as mãos de Vitória, que estavam já pousadas no teclado, a postos para tocar. Vitória tentou mantê-las quietas enquanto ele se sentava ao seu lado na banqueta. Embora ele tentasse não lhe tocar o corpo com o seu, ela sentia o calor que emanava dele e o vago odor adocicado da sua pele. Quando olhou para o teclado viu que as mãos dele também tremiam.

Sem o olhar, Vitória levantou o queixo e disse:

— Pronto? — E antes que ele pudesse responder: — Um, dois, três.

Atacou o primeiro acorde e Albert ecoou-o nos graves, mas quando chegaram à melodia era claro que, enquanto Vitória tocava mais depressa, Albert mantinha um tempo mais contemplativo.

Quando a diferença de tempo atingiu uma enorme discrepância, Vitória parou de tocar e virou-se para ele.

— Estou a ir demasiado depressa para si, Albert?

Albert devolveu-lhe o olhar, com os seus olhos azul-claros, que eram, apercebeu-se ela, tão parecidos com os seus.

— Creio que estamos a ir depressa demais para Schubert. Mas se é esse o ritmo que deseja... — Com um suavizar de expressão que, noutra pessoa, poderia ter sido confundido com um sorriso, ele voltou a pousar os dedos nas teclas, aguardando que ela começasse.

Desta vez não tocaram um contra o outro, mas juntos. Ele seguiu-lhe o ritmo e ela resistiu à tentação de apressar as partes mais difíceis, na esperança de que a velocidade escondesse os seus erros. Quando chegaram ao final da página, Albert estendeu a mão para a virar. Por um instante os seus olhos encontraram-se e surgiu em eco do momento em que Vitória o avistara na noite anterior. O segundo andamento do dueto exigia que os intérpretes passassem para o registo do outro e quando as mãos de Albert passaram por cima das suas, Vitória sentiu uma vaga de calor. Alguns compassos mais tarde foi a vez de ela tocar uma nota nas oitavas mais graves e não conseguiu levantar suficientemente o pulso pelo que foi impossível não se tocarem. A pele dele era quente e o toque dos pelos fez-lhe cócegas na palma da mão. Os seus dedos encontraram as notas sozinhos; toda a sua atenção consciente estava concentrada na pequena porção de pele do pulso dela que tocava no de Albert. Não se atreveu a olhá-lo e sentiu algum alívio quando o andamento terminou e as suas mãos se afastaram.

No terceiro andamento, havia uma passagem *legato* que exigia o pedal *sostenuto*. Vitória procurou-o automaticamente com o pé, apenas para se dar conta de que não estava a pressionar o pedal de latão frio, mas sim o sapato de couro de Albert, e o seu tornozelo envolto na sua nuvem de saias a tocar a perna dele. Desta vez foi Albert quem estremeceu. Vitória sentiu a pressão das suas coxas através das suas anáguas e acreditou, por entre a torrente de notas, tê-lo ouvido suspirar.

À medida que a peça se aproximava da sua conclusão, deram conta de que estavam em uníssono, e quando tocaram a nota final ao mesmo tempo, olharam-se em triunfo. Vitória não conseguiu deixar de sorrir, e por um momento acreditou ter vislumbrado dentes brancos sob o bigode dourado. Deixaram-se ficar sentados, quietos, olhando-se, ouvindo o som da respiração um do outro, até o momento se diluir na algazarra de aplausos vindos das mesas das cartas.

Albert levantou-se de imediato e fez uma ligeira vénia formal de cabeça a Vitória. Ainda um pouco ofegante, disse em voz baixa:

— Toca muito bem, Vitória.

Vitória levantou os olhos para ele.

— Também o Albert.

Leopold, que já não conseguia conter-se, virou-se para Melbourne com um sorriso de triunfo.

— Os Coburgo são uma família muito musical, não concorda? Ver os dois primos tocar como se fossem um é extremamente agradável.

Melbourne mostrou-lhe um sorriso polido que não lhe chegou ao olhar.

— Foi uma interpretação muito agradável.

Vitória riu-se e brincou:

— Pelo menos estávamos a fazer tanto barulho que não permitiu que adormecesse como faz por vezes quando pensa que não estou a ver, Lorde M.

Melbourne levantou a mão, rendendo-se.

Após observar este diálogo, Albert virou-se para a prima e afirmou, num tom cortante:

— Mas perdoar-me-á, Vitória, se lhe disser que não pratica o suficiente. É necessário tocar todos os dias pelo menos uma hora.

Foi a vez de Vitória se levantar, picada pela repreensão e também pelo regresso de Albert às maneiras frias e duras. Mantendo-se muito direita, falou com autoridade régia.

— De facto. No entanto, devo recordá-lo que uma Rainha não tem tempo para praticar escalas todos os dias.

Albert baixou a cabeça, como que aceitando o seu comentário, mas depois, com os seus olhos azuis tão abertos e antagónicos como os de Vitória, acrescentou:

— Pois não. Só para jogos de cartas, penso.

Vitória olhou-o sem qualquer expressão, e com um rápido virar de cabeça regressou à mesa de jogo e sentou-se. Só depois de ter observado atentamente as suas cartas é que voltou a olhar para Albert. Ele observava-a como se estivesse a tentar ler o seu rosto, mas no momento em que os seus olhos se encontraram ele pestanejou e desviou o olhar.

Nessa noite, tanto Vitória como Albert observaram pequenos retratos antes de adormecerem. Vitória escolheu a da rainha Elizabeth, que era a sua inspiração, e questionou-se se a sua antecessora alguma vez tinha sentido a excitação que ela sentira quando a mão de Albert tocara a sua. Como era possível que o seu corpo reagisse com tal intensidade a alguém que ela achava tão difícil?

Pousou a miniatura e recostou-se na cama, olhando o teto. Por quanto tempo ficariam os primos, interrogou-se. Decerto não ficariam mais do que uma semana; depois regressariam a Coburgo e a vida voltaria ao que sempre fora. Mas mesmo dizendo isto para consigo mesma, a sua mão ainda vibrava no ponto exato onde tocara o pulso dele.

Albert, por seu lado, olhava o retrato de uma jovem mulher de cachos dourados. Olhava-o com intensidade, depois arrumou-o na gaveta da mesa de cabeceira e enterrou o rosto na almofada.

CAPÍTULO TRÊS

A escala de Sol bemol menor era a mais difícil, pensava Vitória, enquanto tentava pela terceira vez que os seus dedos chegassem à terceira oitava sem se atrapalharem. Sabia que, por esta altura, já devia estar a tocar a escala em contraponto, com ambas as mãos a seguir em direções opostas, mas só a ideia era assustadora. Depois recordou a cara de Albert quando a atormentara com os jogos de cartas e recomeçou, tentando apagar a imagem da sua cabeça. Chegara aos extremos opostos do teclado e estava a fazer o doloroso regresso cromático quando Leopold entrou, trazendo uma chávena de café.

Vitória parou de tocar e olhou-o, irritada. Porque não entendia ele que ela estava ocupada? Leopold ignorou o sobrolho franzido da sobrinha e, bebericando o seu café, disse num tom interrogativo:

— Então, Vitória? — Arqueou uma sobrancelha.

Ela sabia exatamente o que aquela sobrancelha significava, mas manteve-se inexpressiva.

— Tio Leopold?

Bebendo mais um pouco de café, Leopold observava-a.

— Normalmente, é o homem que tem de declarar o seu amor. — Dirigiu-lhe um leve aceno com a cabeça. — Mas no seu caso, vai ter de passar por cima da sua modéstia virginal e declarar-se a Albert.

Vitória não se moveu.

— Ou não.

— Não? — perguntou Leopold. — Mas o dueto de ontem foi tão encantador!

Vitória baixou a tampa do teclado com estrondo.

— Lamento, tio, mas o Albert e eu não combinamos. Ele não tem maneiras; ontem esteve a tocar no meu piano como se fosse dele. Leopold levou a chávena aos lábios. Quando tornou a pousá--la no pires, Vitória viu que ele tinha um sorriso aberto, como se a veemência dela servisse apenas para confirmar as suas ideias.

— Tenho de felicitá-la, Vitória.

Vitória pôs-se de pé e respondeu, relutante:

— Pelo quê?

— Pelo excelente café do palácio. Enquanto estive casado com a pobre Charlotte, era imbebível, mas agora é quase tão bom como o café em Coburgo. Sim, penso que o Albert será muito feliz cá. — Antes de Vitória ter tempo de responder, saiu da sala.

Vitória desejou ter algo à mão para lhe atirar enquanto ele se afastava em passo alegre. Apanhou-se de relance no espelho por cima da consola da lareira e decidiu que o seu cabelo, ainda penteado ao estilo Sedutora, estava totalmente errado. Regressou ao seu quarto de vestir com rapidez e ordenou ao lacaio que fosse chamar a sua criada.

Poucos minutos mais tarde, chegou Skerrett, com um ar um pouco afogueado.

— As minhas maiores desculpas, Majestade, fui tomar o pequeno-almoço.

Vitória fez um gesto com a mão, cortando a desculpa dela, e sentou-se à frente do espelho, olhando-se com um ar crítico.

— Quero que me refaças o cabelo. Acho que parece demasiado... — fez uma pausa, à procura da palavra certa — ... demasiado frívolo.

Os olhos das duas encontraram-se no espelho e Skerrett pareceu intrigada por um instante, após o que anuiu numa súbita compreensão.

— Sugiro algo bem agarrado à cabeça, com o volume puxado para trás.

Vitória olhou para ela, muito séria.

— Quero ter um ar substancial, sabes.

— Claro, Majestade.

Skerrett deitou mãos ao aborrecido trabalho de soltar o cabelo de Vitória e refazer o penteado, mas a sua ama não parava quieta. A certa altura Vitória mexeu a cabeça no mesmo instante em que Skerrett estava a prender-lhe uma trança postiça no alto da cabeça, e quase lhe furou a pele com um gancho.

Vitória soltou um gritinho de surpresa e dor, e Skerrett esboçou uma careta de desculpas.

— Se pudesse tentar manter a cabeça quieta, Majestade.

Vitória tremia de impaciência.

— Sim, sim, eu sei. Mas demora tudo tanto tempo, e eu disse a Harriet que me encontrava com ela às onze para darmos um passeio pelos jardins do palácio.

Skerrett esforçou-se por distrair a sua irrequieta senhora.

— Não vai andar a cavalo esta manhã, Majestade?

— Hoje não. Ontem à noite Harriet Sutherland sugeriu que os príncipes poderiam gostar de ver os jardins e lembrei-me de que não ia ao pavilhão desde que foi pintado. Penso que os príncipes ficarão muito bem impressionados com os jardins. Imagino que não tenham nada com a mesma escala em Coburgo.

— Não, Majestade — respondeu Skerrett, concentrada na tarefa que tinha em mãos. Desde que o príncipe Albert chegara que a rainha se tornara muito mais minuciosa com a sua aparência. Skerrett lembrou-se da aposta que decorria na sala dos criados acerca dos projetos matrimoniais de Vitória e pensou que o senhor Francatelli bem podia estar no bom caminho de uma vitória com a sua aposta de seis pence na salsicha alemã.

Frente a outro espelho, no outro extremo do palácio, Albert estava a ser barbeado por Lohlein. Por norma barbeava-se a si próprio, mas nessa manhã, por uma qualquer razão, a sua mão não parava de escorregar e ele pedira a Lohlein que se encarregasse da tarefa antes que o seu queixo ficasse com o ar de um campo de batalha. Ernst entrou no instante em que Lohlein começava a fazer deslizar a navalha afiada pela pele de Albert. Apesar de Ernst vir a sorrir, Albert reparou que vinha pálido devido à falta de sono. Pelo espelho, olhou para o irmão, mas não se atreveu a falar com a lâmina tão próxima da sua garganta.

Ernst encostou-se ao lambril da porta.

— Ontem à noite fui a um estabelecimento interessantíssimo, chamado convento, mas não encontrei lá nenhuma freira. — Deitou-lhe um olhar lúbrico que Albert sabia ser uma alusão ao pai dos dois, famoso pelos seus apetites carnais.

— Entre as classes mais baixas, usam um código dos mais engenhosos: *Sim-sim* para chapéu, *cheviote* para fato e *monte de trabalhos* para esposa. Bastante poético, não acha?

O olhar de Albert encontrou o do irmão no espelho e repetiu lentamente, com um brilho de malícia:

— Monte de trabalhos. — Depois, a sua face ensombrou-se. — Quem me dera que fosse mais prudente, Ernst. Já era suficientemente mau com o Pai; se vai pelo mesmo caminho, não penso que consiga suportá-lo. Sem si, não tenho ninguém.

Ernst escutou o apelo na voz de Albert e, aproximando-se, pousou-lhe uma mão no ombro. Com uma súbita seriedade, retorquiu:

— Não se preocupe, Albert. Não vou ser igual ao Papá. — A sua expressão aligeirou-se. — Mas as raparigas daqui são mesmo deliciosas. Quanto mais cedo casar com Vitória, mais depressa posso regressar a Coburgo, onde não há distrações.

Albert abanou a cabeça.

— Mas Vitória é impossível. Passa mais tempo a falar com o cão do que com a sua mãe.

O irmão encolheu os ombros.

— Oh, e o que é que isso importa? — Dobrou-se e encarou Albert diretamente no espelho. — Vi-vos ao piano; pareceu-me que tocavam muito bem juntos.

Piscou o olho a Albert, que fingiu não ter reparado.

— Ela tem alguma facilidade, admito.

Ernst espetou um dedo nas costelas do irmão.

— Mas tinha mesmo de lhe tocar tantas vezes?

— Era uma peça complicada.

Ernst arqueou as sobrancelhas e olhou-o com um ar tão carregado de intenções que, por fim, Albert não pôde deixar de sorrir.

*

Estava um tempo tão agradável para um mês de novembro que Vitória e Harriet saíram para os jardins sem chapéu nem xaile.

— Outro penteado novo, Majestade? Mal vos reconheci — disse Harriet, quando Vitória descia os degraus.

— Pensei que os canudos podiam ser demasiado frívolos.

— Bem, o carrapito é ao mesmo tempo elegante e sério.

— E fica-me bem, Harriet?

— Muito bem, Majestade.

Mais tranquila, Vitória avançou à frente por entre os canteiros até ao carreiro que levava ao lago. Distraída, os seus olhos saltitaram para a esquerda e para a direita até que, por fim, disse:

— Penso, Harriet, que devia fazer mais para entreter os príncipes.

— Sim, Majestade?

— Sim, penso que talvez organizar um pequeno baile depois do jantar, talvez só com alguns elementos da Casa Real... nada de complicado.

— Um plano excelente. Quer que peça a Alfred Paget que trate dos preparativos?

— Sim, peça. — Vitória estava ainda a olhar à sua volta, mas depois parou de andar. Harriet viu os príncipes a dobrar a esquina da sebe de buxo.

Ernst ofereceu-lhes um sorriso caloroso.

— Bom dia, prima Vitória. — Virou-se para Harriet. — Duquesa, acabei de avistar um arbusto muitíssimo invulgar. Pensei que talvez pudesse ter o incómodo de me dizer o nome.

Harriet percebeu a sugestão.

— Com todo o prazer, Alteza. Os arbustos estranhos são a minha especialidade. — Quando Ernst lhe ofereceu o braço, percorreram a alameda de sebes de buxo, deixando Vitória a sós com Albert.

Ficaram ambos silenciosos. Vitória reparou que Albert usava uma sobrecasaca com um corte invulgar e calções de caxemira branca que mostravam os músculos das suas coxas. Sentindo-se constrangida, olhou à sua volta, à procura de algo para dizer.

— Gosta de jardins, Albert?

O olhar de Albert percorreu os canteiros com as bordaduras de buxo, as sebes de faias avermelhadas bem aparadas, e abanou a cabeça.

— Não. Prefiro as florestas.

Começando a pensar se haveria alguma coisa de que Albert gostasse, Vitória respondeu, amarga:

— Há que dizer que estamos no maior jardim privado de Londres.

— Mas não deixa de ser um jardim, uma criação do homem.

— Albert começou a caminhar em direção ao lago, com Vitória atrás de si. Fazendo um gesto a indicar um maciço de árvores do outro lado do lago, continuou: — Uma floresta é parte da natureza. Estar entre as árvores quando o vento sopra é sentir o sublime.

Quando ele ergueu a cabeça para olhar para as árvores, Vitória viu os músculos do seu maxilar e a forte coluna do pescoço dele. Mudara tanto do rapazinho magro e bastante curvado que era aquando da sua anterior visita.

— Bem, se gosta assim tanto de árvores, devia ir a Windsor. Lá há muitas árvores; o grande parque tem algumas com mais de mil anos.

Albert virou-se para ela.

— Mas eu só posso lá ir se me convidar, prima Vitória. — Haveria censura ou súplica na voz dele? Vitória não seria capaz de dizer.

Vitória pensou na sua resposta enquanto contornavam o lago. Estava prestes a convidá-lo para Windsor, mas quando dobraram uma esquina ela avistou a sua mãe. A duquesa estava de pé à frente do seu cavalete a pintar o pavilhão a aguarela. Vitória ouviu-a a cantarolar, deteve-se e virou-se, preparando-se para voltar para trás, partindo do princípio de que Albert a seguiria. Mas Albert também avistara a duquesa e já se aproximava dela. Para espanto de Vitória, ele sorriu para a mãe dela enquanto observava o esboço.

— Não fazia ideia de que tinha tal talento, tia. O sombreado é soberbo.

Encantada, a duquesa inclinou a cara na direção dele.

— Esforço-me o mais que posso. Claro que, ao contrário de Vitória, nunca tive lições apropriadas. Ela teve sempre os melhores professores.

Albert inclinou-se para observar o esboço mais de perto.

— Mas um talento como o seu não se ensina, tia. — Apontou para o esboço. — Se me permite sugerir uma leve sombra aqui para equilibrar a composição.

A duquesa continuou com o olhar fixo nele.

— Muito obrigada. Sabe, Albert, estou muito feliz por estarem cá. — A voz dela estava repassada de emoção. — Vocês lembram-me tanto a minha amada Coburgo. Mesmo tendo vivido aqui tanto tempo, ainda sinto saudades da minha terra natal.

Vitória, que não se movera do caminho, viu Albert dobrar-se, pegar na mão da sua mãe e beijá-la.

Quando Albert se lhe reuniu no caminho, Vitória já não pensava no Castelo de Windsor.

— Gostou realmente do esboço da Mamã? — perguntou, afastando-se do pavilhão o mais depressa que podia.

Albert anuiu.

— Na realidade, sim — baixou o olhar para Vitória —, mas tê-lo-ia elogiado de qualquer maneira.

Ainda a caminhar num passo mais vivo que o habitual, Vitória continuou:

— Estou admirada. Não o tomei por lisonjeador.

Albert ponderou na observação.

— Tento não dizer coisas que não sinto, mas também me esforço por ser amável sempre que possível.

O tom de censura na voz dele fez Vitória parar. Virando-se para ele, perguntou:

— E pensa que a Mamã precisa de amabilidade?

Albert devolveu-lhe o olhar, sem vacilar:

— Não concorda?

A certeza dele fez Vitória hesitar. Acusara a mãe durante tanto tempo, que lhe era agora estranho ver a duquesa apresentada como vítima e não como culpada. Vitória percebeu que tinha de se desviar do olhar azul cândido de Albert. Por fim, disse, de repente:

— Enquanto cresci, ela e *Sir* John Conroy — lembra-se dele? — Albert assentiu. — Quando vivíamos em Kensington eles mantinham um controlo apertado e permanente sobre mim. Não me permitiram ter amigos, frequentar a sociedade, ter uma vida própria. Até tinha de dormir no quarto da Mamã.

Albert assumiu uma expressão mais pensativa do que compreensiva.

— Talvez estivesse a tentar protegê-la, Vitória. Não deve ter sido fácil para ela, viúva num país estranho, tentar educar a herdeira ao trono.

— É o que a Mamã está sempre a dizer. Mas eu sei como me sentia. — Explodiu: — Eu era uma prisioneira, e ela e *Sir* John Conroy os meus carcereiros!

Estremeceu ligeiramente, mas ainda assim Albert não cedeu à compaixão. Olhou para a duquesa e de novo para Vitória.

— Talvez se sentisse assim, mas eu vi como ela olha para vós, Vitória. Ela ama-vos muito.

Vitória bateu com o pé com força no chão, frustrada.

— O Albert não sabe nada!

Albert abanou a cabeça.

— Não. Isso é verdade. — Pôs os olhos no chão e disse baixinho: — Só sei o que é não ter mãe.

Antes de Vitória ter tempo de responder, Ernst e Harriet apareceram, vindos do outro lado do lago, rindo-se de um cisne que lhes chiara, e o momento passou.

Enquanto regressavam ao palácio, Vitória sentia-se envergonhada. Esquecera-se de que a mãe de Albert morrera. Estava ainda a pensar nisto quando foi sentar-se com as suas caixas à espera de Melbourne. O retrato do seu pai estava pendurado na parede à sua frente, e quando olhou para aquele rosto com bigodes, pensou que não podia sentir saudades de alguém que nunca conhecera. Teria sido muito mais difícil de suportar se guardasse alguma memória dele. Perguntou-se que idade teria Albert quando a mãe dele morrera e na sua cabeça formou-se a imagem de um rapazinho a chorar ao lado de uma cama.

Vitória encontrava-se perdida nos seus devaneios quando Melbourne entrou, cheio de notícias do Afeganistão. Precisou de uns instantes para perceber o que ele estava a dizer; o Afeganistão parecia-lhe mais distante do que nunca. Mas forçou-se a concentrar-se e, quando o significado do que ele dizia se lhe tornou claro, perguntou, atónita:

— Mas está a dizer que os russos estão a pagar aos afegãos para lutar contra as nossas tropas?

Melbourne assentiu.

— Querem o controlo do Passo Khyber, Majestade. — Caminhou até junto do globo que se encontrava num canto do escritório. — Se vir bem a posição do Passo, percebe que é a porta de entrada para a Índia. Alexandre, o Grande tentou fazer a mesma coisa.

Feliz por ter outro assunto em que se concentrar, Vitória declarou:

— Vou escrever ao Grão-Duque a dizer que penso que isso é uma grande perfídia.

Os lábios de Melbourne tremeram.

— Talvez devamos manter isso confidencial, Majestade. Para o caso de a estratégia militar falhar. — Pegou no Despacho Macnaghten. — E agora, se me dispensa, Majestade, vou ter de regressar ao Parlamento.

Começou a recuar na direção da saída, mas Vitória chamou-o de volta.

— Estou a contar consigo para o jantar esta noite, Lorde M. — Hesitou. — Vamos dançar depois do jantar. Nada de muito elaborado. Apenas alguns casais.

Melbourne olhou para ela.

— Pensava que não ia dar mais bailes.

Fugindo ao olhar dele, Vitória retorquiu, no tom mais despreocupado que conseguiu:

— Oh, não se trata de um baile, apenas um pequeno grupo a dançar. Bem vistas as coisas, tenho de fazer qualquer coisa para receber os príncipes.

— Mesmo tendo-me dito que o Príncipe Albert não gosta de dançar?

Vitória sentiu o olhar de Melbourne no seu rosto e teve esperança de não estar a corar.

— Oh, não quereria dançar com ele, de qualquer forma. Seria o mesmo do que dançar com um espeto!

Melbourne ficou calado e depois disse:

— Talvez ele a surpreenda, Majestade. — E na voz dele houve qualquer coisa que a fez erguer a cabeça.

*

— A Baronesa pediu-me para tirar para fora o vestido de musselina branca, mas eu pensei que ia preferir o de seda azul, Majestade? — Skerrett estava a apertar com força os cordões do espartilho de Vitória.

— Definitivamente o de seda azul. — Vitória olhou-se no espelho, numa avaliação crítica. — Consegue apertá-lo um pouco mais?

Skerrett abanou a cabeça.

— Mais apertado, Majestade, e não vai ser capaz de respirar.

— É capaz de ter razão. Quero poder dançar.

Skerrett fez descer a seda azul *moiré* sobre a cabeça de Vitória e começou a apertar-lhe os botões do vestido.

— Esta noite vai usar os diamantes ou as pérolas, Majestade?

— Oh, as pérolas, acho. Ficam tão bonitas à luz das velas.

Skerrett foi responder a uma pancada na porta. Brodie estendeu uma salva de prata onde se encontrava um raminho de gardénias. Estendeu-o a Skerrett, que perguntou:

— Melbourne?

Brodie anuiu.

— Direitinhas de Brocket Hall.

Skerrett fechou a porta e pousou as flores à frente de Vitória.

— De Lorde Melbourne, Majestade.

Vitória aproximou as flores do rosto.

— O aroma é divino. Como se chamam?

— Gardénias, Majestade.

— Lorde Melbourne lembra-se sempre.

— Sim, Majestade.

Vitória prendeu o ramalhete de gardénias ao corpo do vestido e, inclinando-se para a frente, para o espelho, mordeu os lábios e beliscou as faces. O nariz, decidiu, estava um pouco brilhante, e ela estava a esfregá-lo com *papier poudré* quando Lehzen entrou pela porta de comunicação.

— Está pronta, Majestade?

Vitória girou no seu vestido de seda azul, e a luz das velas apanhou os reflexos da seda lustrosa e ondeada.

— Prontíssima.

Apesar de Vitória ter dito que queria apenas uma coisa pequena, lorde Alfred decretara que apenas o piano não seria suficiente e que precisavam de um conjunto completo de músicos.

— O Príncipe Albert é tão musical — dissera Alfred. — Penso que não esperará nada menos do que isso.

— Mas será que ele dança? — perguntara Harriet. — A rainha diz que da última vez que cá esteve ele não quis.

— É impensável que um jovem chegue aos vinte anos sem ter aprendido a dançar, mesmo na Alemanha.

Harriet riu.

— Tenho a certeza de que o Príncipe Ernst é um valsista muito competente, mas o Príncipe Albert, quem sabe?

Os olhos de todos os membros da Casa Real fixaram-se no Príncipe Albert quando este entrou no salão, depois do jantar, acompanhado do irmão. Juntar-se-ia aos dançarinos?

Lord Alfred dera instruções à pequena orquestra para tocar algumas danças escocesas para começar a diversão da noite, e de imediato Ernst se aproximou da prima pedindo-lhe que o ensinasse. Vitória pegou-lhe na mão e depressa estavam a dançar uma animada dança de oito pessoas.

Mas Albert não tomou parte. Ficou de pé, numa ponta da sala, a observar os dançarinos com a maior atenção, como se estivesse a tentar compreender como era possível estarem a divertir-se. Parecia desconfortável na sua própria pele e, a bem dizer, na sua roupa; não parava de puxar pelo lenço do pescoço como se estivesse a tentar alargar os laços que o prendiam.

Na outra ponta da sala, Melbourne observava o desenrolar dos acontecimentos junto a Emma Portman. Enquanto Vitória e Ernst executavam a sua dança, ele disse:

— Parece que o Príncipe Ernst, pelo menos, aprecia a companhia das mulheres.

— Sim, com efeito. Tem andado a namoriscar escandalosamente com a Harriet Sutherland desde que chegou. E que encantador que é, nada como o irmão, que apesar de atraente é rígido e desajeitado.

Os olhos de Melbourne piscaram na direção do sítio onde Albert se encontrava sozinho e abstraído, no outro lado da sala.

— O Príncipe de Corda.

Esta observação mordaz fez Emma olhar para Melbourne. Não era nada dele proferir um comentário tão pouco simpático. E viu que por baixo da sua compostura exterior, ele estava a lutar para conter as emoções. Renunciar a Vitória fora o seu dever, mas, ela pensou, reconhecer que se fizera a coisa nobre em nada facilitava ver outro homem tomar o seu lugar. Claro que o príncipe podia não ter sucesso na conquista do coração da rainha, mas se não fosse ele, Emma tinha a certeza de que seria outra pessoa qualquer. Vitória era aquele tipo de mulher que florescia na companhia masculina, e era inevitável que mais cedo ou mais tarde acabasse por casar. Emma sabia que, na sua cabeça, William aceitara isto, mas ao ver os músculos do queixo dele contraírem-se enquanto observava Albert, teve receio de que o seu coração não estivesse de acordo.

Com gentileza, testou-o:

— Mas vê como ele olha para a rainha, William. Penso que é um homem de verdadeira sensibilidade.

— Sim, mas para que está ele a olhar? — retorquiu Melbourne, com aspereza. — Para uma mulher? Ou para o melhor partido da Europa?

Emma fingiu não ter escutado a amargura na voz dele.

— De certeza que a rainha é ambas as coisas. Se casar com ela, terá de cuidar da mulher e aceitar a sua posição. Ela não é uma rapariga vulgar.

O olhar de Melbourne deslizou até Vitória, que ria com Ernst:

— Não, de facto, não é.

Havia tanta tristeza na voz dele que Emma não teve coragem de dizer mais nada.

*

No meio da sala, Vitória estava sem ar depois de Ernst a ter feito rodopiar para descrever o oito da dança.

— Aprendeu a dança muito depressa. Até custa a acreditar que foi a sua primeira vez.

Ernst sorriu.

— Foi porque tive uma excelente professora. Gosto muito dos vossos Gay Gordons[19], mas que dança vigorosa! — A seguir, numa voz mais baixa: — Mas nada se compara a uma valsa. Se tocarem uma valsa, tem de dançar com o Albert. Ele beneficiaria grandemente de uma lição de uma professora tão graciosa como vós.

Vitória pôs um ar de dúvida.

— Não imagino o Albert a valsar.

— Não? Isso é porque não o conhece como eu — retorquiu Ernst e sorriu-lhe, mostrando os dentes. — Penso que o que falta ao Albert para valsar é apenas a parceira certa.

Quando a dança terminou, Ernst procurou Alfred Paget, que estava junto dos músicos a desempenhar o papel de mestre de cerimónias.

— Penso, Lorde Alfred, que é tempo de algo mais... *intime*.

Não era em vão que nas veias de Alfred corria o sangue de dezoito gerações de cortesãos.

— Uma valsa, talvez?

— Precisamente.

Enquanto Alfred conferenciava com os músicos, Ernst circundou a sala até ficar ao lado do irmão, que estava ainda metido consigo próprio, de olhar fixo em Vitória.

— Já é tempo de parar de se deixar ficar por aqui de lado, Albert. A próxima é uma valsa. E não há nada que se lhe compare quando se deseja conhecer uma mulher.

Albert deu um puxão ao lenço do pescoço e pôs os olhos no chão.

— Penso que ela preferiria dançar consigo. — Fez uma pausa. — Ou com Lorde Melbourne.

Ernst abanou a cabeça.

— Disparate, Albert! Olhe para ela!

Erguendo lentamente a cabeça, Albert viu que, do outro lado do salão, Vitória lhe sorria. Ainda assim hesitou, mas Ernst insistiu.

— Está à sua espera, Albert. — Ernst pôs-lhe a mão no ombro e fê-lo girar, ficando de frente para a rainha.

---

[19] Dança tradicional escocesa, muito popular durante o século XIX. Dança-se em roda e todos executam os mesmos passos. (*NT*)

Na outra ponta da sala, Melbourne viu a rainha sem parceiro e decidiu aproveitar a solidão dela. Apresentou-se à sua frente e teve o prazer de ver os seus olhos iluminarem-se.

— Lorde M! Muito obrigada pelas flores. São tão bonitas como sempre...

Melbourne inclinou-se.

— As estufas de Brocket Hall estão ao vosso serviço, Majestade. Talvez possa agora ter o prazer de... — disse, mas ao endireitar-se percebeu que ela já não o escutava. Sem precisar de se virar, soube que ela olhava para Albert — ... vos ver usá-las, Majestade — disse, num tom de voz mais baixo, afastando-se depois para o lado para que Albert chegasse sem impedimentos junto de Vitória.

Albert deteve-se à frente de Vitória, magnífico no seu dólman com alamares dourados, calções brancos e botas com bandas vermelhas. Os olhos deles encontraram-se, e com uma rígida inclinação de cabeça, ele perguntou:

— Concede-me o prazer?

Vitória estendeu a mão. Tomando-a, ele aproximou-se dela e colocou a sua mão ao de leve na cintura dela. Lorde Alfred, que estivera à espera deste momento, fez sinal ao maestro para que começasse.

Por um instante, Vitória pensou que Albert não ia mover-se, mas depois, para seu alívio, a mão dele pressionou a sua cintura com mais força e, juntos, deslocaram-se acompanhando a música. Ela apercebeu-se de que ele tinha estado à espera do ritmo da música.

Durante um minuto dançaram em silêncio. Para sua surpresa, Vitória descobriu que Albert era um excelente dançarino; era ela que tinha de ter cuidado para não tropeçar. Por fim, quando já tinham terminado uma volta à sala, Vitória atreveu-se a erguer o olhar e dizer:

— Mas dança muitíssimo bem, Albert!

— Penso que antes tinha medo.

— Medo?

Albert baixou o olhar para ela.

— De parecer ridículo. É difícil apanhar o rimo. — Vitória teve a sensação de que ele apertou a mão dela com um pouco mais de força. — Mas quando danço consigo, não, Vitória.

Vitória dirigiu-lhe um sorriso e, ao mesmo tempo que a música crescia à volta deles, Albert devolveu-lho. Foi como se uma luz descesse sobre os dois. Tudo o resto que havia na sala recuou e foi como se tivessem ficado sozinhos, valsando juntos pela primeira vez; mas enquanto giravam, marcando o compasso triangular, parecia que dançavam juntos desde sempre.

A música mudou de tonalidade e Alberto tocou nas flores no corpo do vestido de Vitória.

— Essas flores... — parou, e Vitória percebeu que ele se debatia com as suas emoções. — Esse aroma. Recorda-me...

Tornou a interromper-se e Vitória incitou-o, suavemente.

— Recorda-lhe?

As palavras de Albert saíram em torrente, muito diferentes do seu habitual discurso cuidadoso, e ela sentia a força da pressão da mão dele a agarrar a sua cintura.

— A minha mãe costumava vir ao meu quarto dar-me um beijo de boas noites antes de ir para as festas. Usava sempre essas flores no cabelo. — Pestanejou, e Vitória percebeu que havia lágrimas a formarem-se-lhe nos cantos dos seus olhos.

A valsa chegou ao fim. Vitória levou a mão ao ramalhete e soltou-o do vestido.

— Então ofereço-lhas, para se recordar da sua mãe. — E ainda tão perto dele como quando estavam a valsar, enfiou-lhe as gardénias na mão, que não ofereceu resistência.

Ele aspirou o seu aroma e olhou para o intricado bordado dourado do seu dólman.

— Mas não tenho sítio... — Hesitou antes de se dobrar e tirar o que Vitória viu ser uma faca de dentro da bota. Com um movimento rápido, ele abriu um buraco no casaco dourado, revelando uma centelha de carne alva por baixo, e com grande ternura enfiou as gardénias no buraco que criara. — Pô-las-ei aqui, junto do coração.

Na outra ponta da sala, Melbourne observou Albert enfiar as suas gardénias, as que cultivara em Brocket Hall, na esperança de que um dia Vitória pudesse usá-las, no buraco aberto no casaco. Sentiu um estranho tipo de alívio. Começara, a dança entre Vitória e Albert, e aquele ténue cintilar de esperança que nem mesmo agora conseguia extinguir tinha de ser completamente abafado. Sentindo alguém tocar-lhe no braço, ergueu o olhar e viu Emma. Sem saber como, foi capaz de a receber com algo parecido com um sorriso.

Indicando Vitória e Albert com um gesto, disse:

— Parece que me precipitei. Aparentemente, o Príncipe Albert é o Apolo dos salões de baile.

Emma não mexeu a mão.

— A rainha parece gostar de dançar com ele.

— Sim.

— Fico feliz, pois a rainha adora dançar. — Melbourne não respondeu. — Foi maravilhosa a maneira como ele abriu aquele buraco no casaco. No fim de contas, deve ter uma alma romântica.

Melbourne esforçou-se por manter um tom despreocupado.

— Sim, diria que sim.

Emma apertou-lhe a mão.

— Claro que ele não sabe de onde vieram as flores.

Melbourne olhou para ela e viu a compaixão nos seus olhos.

— Não pensa que ela lho tenha dito?

Emma abanou a cabeça.

— Há coisas que uma mulher guarda para si. — Sorriu para Melbourne. — Eu por exemplo, nunca disse a Portman que o aceitei porque o homem que eu realmente amava nunca poderia ser meu marido.

— Emma! — Ele sentiu as lágrimas acudirem-lhe aos olhos, inesperadas, sem restrições. — Não fazia a menor ideia.

— Foi há muito tempo, William, e já não sou aquela rapariga. Mas lembro-me de como ela se sentiu. — Sorriu-lhe. — E é assim que sei que, para Vitória, serão sempre as suas flores.

*

Mais tarde, nessa noite, Albert estava sentado junto da janela do seu quarto a olhar para os jardins, vendo os negros esqueletos das árvores iluminados por uma lua minguante. Pegou nas flores que Vitória lhe oferecera e enterrou o rosto no seu aroma doce e ceroso. A porta abriu-se e Ernst entrou, com o rosto iluminado pela vela que trazia na mão. Avançou, pousou a mão no ombro do irmão e apertou-lho.

Depois riu e disse:

— O Lohlein diz que não tem autorização para abrir mais buracos em nenhum casaco, Albert. Não tem os suficientes para os desbaratar dessa forma descuidada.

— Não sou uma pessoa descuidada.

— Talvez esteja a mudar, Albert. — Ernst sentou-se na cama e reparou na miniatura em cima da mesinha de cabeceira. Pegou-lhe e observou-a à luz da vela.

— Não sabia que tinha isto, Albert. Pensava que o Papá se tinha livrado de tudo.

— Encontrei-a numa escrivaninha na biblioteca de Rosenau.

— É tão parecido com ela — disse Ernst.

Albert pôs-se de pé e tirou a miniatura das mãos do irmão.

— Sabe, não consigo lembrar-me da cara dela. Mas hoje, quando estava a dançar com Vitória, ela tinha estas flores, e de repente lembrei-me de que a Mamã vinha beijar-nos todas as noites. Usava estas flores no cabelo, mas eu não podia tocar-lhes. — Pousou o retrato. — Como é possível sentirmos tanto a falta de alguém de que mal nos lembramos?

Ernst passou os braços em torno do corpo do irmão.

— Será diferente depois de se casar com Vitória.

Albert retribuiu o abraço do irmão.

— Primeiro, ela tem de me pedir.

— Oh, acho que vai pedir, não acha?

— Talvez. Mas não é assim tão simples. Esta noite, sim, senti que podíamos entender-nos, mas ela é tão... volúvel, como dizem os ingleses. Não sou a única pessoa de quem ela gosta.

Ernst segurou o irmão com os braços esticados e declarou com uma seriedade nada característica nele:

— Não tem nada a temer, Albert. A Vitória não é como a Mamã.

Albert desviou-se dele.

— Espero que tenha razão.

CAPÍTULO QUATRO

O sol de novembro brilhava pela janela, incidindo no rosto de Vitória quando a criada afastou as cortinas. E quando Lehzen entrou pela porta de comunicação, ela estava de braços esticados como um gato e com um grande sorriso na cara.

— Bom dia, Majestade. Vejo que dormiu bem.

Vitória dirigiu-lhe um sorriso radioso.

— Muito bem.

Baloiçou as pernas para fora da cama e foi a dançar até Lehzen. Cantarolando a valsa que dançara na noite anterior, rodopiou em torno da governanta, com Lehzen a rir em protesto quando Vitória lhe agarrou numa mão e a forçou a acompanhá-la.

— Decidi ir a Windsor — declarou Vitória.

Lehzen deteve-se a meio de uma reviravolta e disse, surpreendida:

— A Windsor? Mas não gosta de Windsor.

Vitória fez uma pirueta e girou até ficar de frente para Lehzen.

— Claro que gosto de Windsor!

Lehzen não foi capaz de esconder a sua consternação.

— Quando quer ir?

Vitória foi a dançar até à janela e olhou para fora.

— Imediatamente. Por favor, trate dos preparativos.

Lehzen franziu o sobrolho, após o que disse devagar:

— E toda a gente vai, Majestade? Até mesmo os príncipes?

Vitória virou-se e riu:

— Está a sugerir que os deixemos para trás?

Lehzen pôs os olhos no chão.

— Não, Majestade, claro que não. Se me dá licença, vou informar os criados.

Vitória despediu-a com um gesto e continuou a dançar pelo quarto, a cantarolar para si mesma, até Skerrett aparecer para a pentear.

Vitória ia a descer as escadas, de chapéu e peliça, quando viu Melbourne aproximar-se no sentido oposto. Ele ergueu o olhar para ela, surpreendido pelo traje de viagem.

Vitória sentiu-se corar por nenhuma razão que fosse capaz de explicar.

— Lorde M!

Melbourne fez uma reverência e tirou uma carta do bolso.

— Trouxe-lhe o último despacho de Macnaghten em Cabul. Sabia que estaria ansiosa por o ler.

Vitória deteve-se.

— Quero, quero muito lê-lo — hesitou, mas depois disse rapidamente —, mas, sabe, decidi ir a Windsor.

— Numa quarta-feira, Majestade? — Melbourne olhou-a intensamente e Vitória sentiu que não conseguia sustentar-lhe o olhar.

— Sim. Gostaria de algum... ar fresco.

— A sério? — As sobrancelhas de Melbourne arquearam-se numa interrogação.

— Sabe o quanto eu gosto de árvores.

— Árvores, Majestade?

Vitória espetou o queixo, desafiadora.

— Sim. E há alguns belos exemplares no parque de lá.

— De facto, há. — Melbourne acrescentou então, num tom ligeiro. — E Suas Altezas Sereníssimas acompanham-na?

— Sim, claro. Vai toda a gente. — Desceu mais um degrau, e a seguir parou, voltou-se para trás e olhou para Melbourne.

— Contamos consigo para o jantar.

Melbourne abanou a cabeça.

— Penso que é capaz de ser difícil, Majestade. Sabe, tenho de ir à Câmara fazer uma declaração sobre o Afeganistão. — Fez uma pausa. — Terá muito com que se entreter no castelo. Tem as árvores — sorriu —, e estou certo de que o Príncipe Albert quererá ver a coleção de Windsor.

Foi a vez de Vitória abanar a cabeça.

— Mas eu não me sentirei... confortável a menos que esteja presente, Lorde M. Torna sempre tudo tão fácil.

Melbourne disse, com suavidade:

— Sabe, Majestade, creio que poderá ficar surpreendida por ver como se vai sentir confortável. Ontem à noite pareceu divertir-se muito na companhia dos príncipes.

— Mas o *senhor* estava lá ontem à noite! — O rosto de Vitória assumiu a sua expressão mais régia. — Viria jantar se nós estivéssemos aqui. Não vejo razão para que em Windsor seja diferente. Fico à sua espera.

Melbourne curvou-se e perguntou, com um sorriso que não lhe chegou aos olhos:

— É uma ordem, Majestade?

Vitória olhou para ele.

— Não é uma ordem, mas um pedido para ter a sua companhia. Por favor, Lorde M?

— Nesse caso, Majestade, não vejo como recusar.

*

A fila de carruagens estendia-se ao longo da estrada, flanqueada pelos elementos da escolta com os seus capacetes empenachados. Poderia ter sido um pequeno exército em manobras, mas era apenas o séquito mais próximo da rainha, a duquesa de Kent, o rei Leopold e, claro, os príncipes. Na primeira carruagem, viajava Vitória segurando *Dash*, com Lehzen sentada ao seu lado e Harriet e Emma à sua frente. Lehzen, que não aprovava este súbito desejo de visitar Windsor, disse, pela enésima vez:

— Suponho que não chegaremos lá antes de escurecer.

Vitória replicou:

— Oh, pare de resmungar, Lehzen. Pense como vai ser esplêndido passear na floresta.

Lehzen pôs um ar espantado.

— Na floresta, Majestade? Mas nunca passeamos na floresta.

— Então é altura de o fazermos!

Emma trocou um olhar com Harriet, e as duas passaram os dez minutos seguintes a tentar abafar os risinhos. Não tinham a menor dificuldade em interpretar o entusiasmo de Vitória por tudo o que fosse arbóreo, mas havia algo de irresistivelmente cómico na incapacidade de Lehzen em compreender o comportamento da rainha.

Felizmente, puderam rir sem serem observadas quando a carruagem teve de parar já fora de Londres para trocar de cavalos. Emma disse a Harriet:

— A Baronesa decidiu não ver o que tem à frente dos olhos. Penso que a Rainha está bastante encantada com o Príncipe.

O rosto de Harriet ficou subitamente sério:

— Mas podemos culpar Lehzen? No dia em que a Rainha tiver um marido, deixará de precisar da Baronesa. — Emma recordou a cara de Melbourne na noite anterior, quando a rainha dançava com o príncipe, e também ela parou de rir.

*

Na carruagem que pertencia ao rei dos belgas, Leopold olhava para o sobrinho com um ar aprovador.

— Vitória tem sempre tanta relutância em sair de Londres. — Sorriu para Albert. — Será que este súbito entusiasmo por Windsor tem alguma coisa a ver consigo?

Albert olhou pela janela.

— Não sei, tio.

Ernst deu-lhe uma cotovelada amigável e riu-se.

— Pobre Albert. Não consegue ver que toda esta excursão foi combinada porque ele disse à Vitória que gostava de passear por entre as árvores.

Albert virou-se para o irmão.

— Não penso que Vitória se desse a tanto incómodo apenas para me entreter.

Ernst deu-lhe uma nova cotovelada.

— O que só mostra o pouco que sabe sobre as mulheres, Albert.

Albert afastou o irmão.

— Então tenho sorte em tê-lo para mo lembrar, Ernst. Caso contrário, até eu poderia começar a pensar que sou um mulherengo.

Ernst retorquiu, numa seriedade trocista:

— Meu caro irmão, pode ser popular entre as senhoras, mas tenho a certeza de que nunca será um mulherengo.

— Sim. A nossa família já tem que baste! — exclamou Albert.

*

Antes de sair de Londres, Vitória mandara uma mensagem ao senhor Seguier, o guardião dos quadros da rainha, pedindo-lhe que fosse ter com ela ao castelo. Esta convocatória causara grande agitação em casa dos Seguier, deixando o próprio Seguier a pensar se se relacionaria com o título que considerava ser-lhe há muito devido, e a esposa a perguntar-se o que teria feito às melhores meias de seda do marido. Felizmente, as meias tinham aparecido e Seguier pôde chegar ao castelo apenas uma hora depois da rainha. Para sua surpresa, assim que chegou foi conduzido até junto dela.

Vitória aguardava-o na sala de estar azul, rodeada das suas damas. Seguier era um homem corpulento, e ao ajoelhar-se perante a sua rainha para lhe beijar as mãos, descobriu que os seus calções estavam insuportavelmente apertados. Levantou-se com cautela e disse, no modo cortesão que parecia funcionar com todos os seus clientes aristocratas:

— Vossa Majestade. Que honra ser chamado ao Castelo. Há muito tempo que aqui estive pela última vez. O vosso tio George teve a bondade de me pedir que catalogasse as aquisições que fez; que conhecedor era! Mas desde a subida ao trono do vosso tio William só aqui estive uma vez; ele pediu-me que lhe arranjasse o quadro de uma fragata. — Seguier teve um arrepio, e o duplo queixo estremeceu. — Por isso, estou encantado de me encontrar de novo aqui e oferecer-vos toda a assistência que esteja ao meu alcance poder prestar-vos.

Olhou para Vitória na expectativa. Seria este o momento em que poderia finalmente dizer à sua mulher que iria ser *lady* Seguier?

Mas Vitória tinha outra razão para o ter chamado ao castelo.

— Descobri, senhor Seguier, que não sei tanto quanto desejaria acerca da minha coleção. Há tantos quadros belíssimos aqui, no castelo. Tinha esperança de que pudesse contar-me um pouco da sua história — hesitou — para o caso de alguém me fazer perguntas.

Seguier escondeu o desapontamento com o mais sabedor dos seus sorrisos. Não obstante o grau de cavaleiro ser o auge das suas ambições, não ficava triste por lhe pedirem para se encarregar da educação artística da monarca. Se pudesse orientar-lhe o gosto, então sem dúvida que poderia ajudá-la a expandir a coleção. Não havia melhor tónico para um comerciante de arte do que um cliente real.

— Com certeza, Majestade. Posso sugerir que comecemos por aquele Raphael ali? É um belo exemplo da primeira fase do seu trabalho. Recomendo-lhe particularmente que note o trabalho do pincel em torno da boca. Um domínio requintado da linha e da cor. E depois, claro, tem o Rembrandt na parede em frente, que eu comprei para o Rei George. Sua Majestade disse-me que considerava ser uma das melhores peças da sua coleção.

Enquanto Vitória andava pela sala escutando atentamente os discursos de Seguier acerca dos quadros, Emma e Harriet iam trocando olhares entre si.

— Nunca soube que a Rainha se interessava tanto por arte — declarou Harriet.

— Não me parece que ela alguma vez tenha reparado nos quadros — respondeu Emma.

Ambas as mulheres começaram a rir, sem reparar na baronesa Lehzen, que começou a sentir-se ligeiramente tonta e teve de se apoiar numa borda de um sofá para se equilibrar.

*

O Castelo de Windsor era bastante mais frio do que o Palácio de Buckingham, e os príncipes sentiram-se bastante gratos pelo fogo abrasador que tinha sido aceso nos seus aposentos. Albert estava de pé em frente da lareira, na sala de estar de ambos, a aquecer as mãos, enquanto Ernst vagueava pela sala tentando ativar a circulação após a longa jornada de carruagem.

— Claro que não considero isto um castelo a sério — disse Ernst. — É mais o que uma pessoa pensa que um castelo deve ser do que um verdadeiro castelo. É demasiado arejado e limpo. Onde estão as masmorras? E as teias de aranha? Quando casar tem de levar a Vitória a Rosenau para ela ver o que é um castelo a sério.

Albert encolheu os ombros.

— Penso, Ernst, que está, como dizem os ingleses, a contar com sapatos de defunto. Não há qualquer certeza no meu casamento com Vitória.

— Não, como também não é certo que a primavera venha a seguir ao inverno. Ela gosta de si, Albert, vejo-o nos olhos dela. Não penso que vá ter de esperar muito tempo.

Albert olhou para o fogo, taciturno.

— Mas desejaria não ter *eu* de esperar, como se fosse uma virgem à espera de um pedido de casamento. Não é... correto estar assim tão nas mãos de outra pessoa. Gostaria de tomar a decisão por mim próprio.

— Pode sempre recusar — declarou Ernst, a rir. — Claro que é estranho que seja ela a ter de fazer a declaração, mas penso que a recompensa vale bem isso, não concorda?

— Não sei, Ernst, se ela gosta de mim ou não, ou se vai pedir-me em casamento, ou sequer se quero casar com ela. É demasiado complicado. Mesmo vindo a ser marido dela, nunca serei o senhor da casa.

Ernst estava prestes a responder quando a porta se abrir e Penge, o camareiro da rainha, entrou, seguido de dois lacaios que traziam dois manequins, cada um deles envergando uma casaca reluzente de passamanarias douradas. Penge fez uma reverência e, com grande solenidade, anunciou:

— Para Vossas Altezas Sereníssimas, com os cumprimentos da Rainha.

Ernst examinou os casacos azuis-escuros carregados de bordados dourados e prateados com um olhar intrigado.

— Máscaras?

Penge respondeu, num tom de crítica empertigada:

— O uniforme de Windsor, Vossa Alteza Sereníssima, foi desenhado por Sua Majestade o Rei George III para os membros da — fez uma pausa, após o que acrescentou enfaticamente — da corte inglesa. — Com outra vénia abandonou a sala, seguido dos dois lacaios.

Ernst despiu o casaco, envergou um dos casacos Windsor e olhou-se ao espelho.

— Bem, com isto vestido ninguém deixará de reparar em mim, mesmo no escuro. Será que o Rei George desenhou isto antes ou depois de enlouquecer? — Pegou no outro casaco e estendeu-o a Albert. — Tome, vista o seu.

Albert envergou o pesado casaco, relutante. Ernst olhou-o de alto a baixo.

— Penso que o Rei George ficaria muito orgulhoso de o ver no seu uniforme. Para já não falar na neta.

Albert mirou-se no espelho e franziu o sobrolho.

— Porquê essa cara carrancuda, Albert? Penso que lhe fica muito bem.

— Vai dizer que estou a ser ridículo, mas parece que já não consigo escolher nada para mim, nem sequer a roupa que visto.

— Não penso que esteja a ser ridículo, apenas ingrato. Ora, há aqui passamanaria de ouro suficiente para comprar a maior parte de Coburgo.

Para alívio de Ernst, os lábios de Albert estremeceram.

— Está a sugerir que derretamos isto e fujamos com os lucros?

— Bem, se ela não o pedir em casamento, pelo menos não sai disto de mãos vazias!

Albert riu-se e atirou-se ao irmão, que se desviou fazendo com que ele caísse no sofá. Ernst sentou-se ao lado dele.

— Estou tão feliz por tê-lo aqui — disse Albert, pousando a mão no braço do irmão. — Acho que não conseguia passar por isto sozinho.

Ernst cobriu a mão do irmão com a sua.

— Estarei sempre aqui se precisar de mim. — E depois, pondo-se de pé com uma gargalhada. — Além do mais, há compensações por ser a sua ama. A Duquesa de Sutherland, por exemplo. Que perfil.

— Espero que não se esqueça, Ernst, de que ela é uma duquesa e não uma criada de servir de Coburgo.

Ernst girou sobre si próprio, cintilante no seu casaco dourado.

— Duquesa ou criada de servir, não são assim tão diferentes, apesar de a Duquesa ter, penso, unhas mais limpas.

*

Leopold admirou-se no espelho por cima da consola da lareira na sala de estar azul, onde os hóspedes estavam a reunir-se antes do jantar. Havia muitos anos que não envergava o uniforme de Windsor e ficou bastante satisfeito com a forma como ainda lhe assentava. Tendo apanhado Emma Portman a olhar para ele do outro lado da sala, animou-se por ver que ainda era objeto de olhares admiradores do belo sexo. Claro que não tinha forma de saber que Emma Portman sorria não do homem, mas do evidente prazer que ele sentia com a sua própria aparência.

A feliz autossatisfação de Leopold foi interrompida pelo camareiro que anunciou a chegada do visconde Melbourne. Leopold virou-se, aborrecido; não estava à espera de que o sujeito aparecesse em Windsor, e a sua mortificação aumentou com o facto de Melbourne, que também envergava o uniforme de Windsor, conseguir ter um belo aspeto com ele vestido. Fez um brusco aceno de cabeça ao primeiro-ministro.

— Não sabia que estava no castelo, Lorde Melbourne.

Melbourne abanou a cabeça.

— Na realidade, devia estar no Parlamento. A situação no Afeganistão assim o exige, mas a Rainha foi muitíssimo insistente.

— E não se dá ao trabalho de a contrariar? — O tom de Leopold era de troça, mas Melbourne devolveu-lhe o olhar com toda a seriedade e limitou-se a dizer: — É a Rainha, Alteza.

Leopold não perdia uma oportunidade.

— Então, verá com bons olhos o seu casamento. — Sorriu. — Tornará os seus deveres menos... onerosos.

Antes de Melbourne poder responder, as portas abriram-se e o camareiro anunciou:

— Suas Altezas Sereníssimas, o Príncipe Ernst e o Príncipe Albert.

Leopold e Melbourne viraram-se os dois para verem Albert e Ernst entrarem, resplandecentes nas suas passamanarias douradas. O sorriso de Leopold abriu-se ainda mais.

— Cá estão os meus sobrinhos, e com o uniforme de Windsor. Que agradável. Um tal sinal de favor.

Virou-se de novo para Melbourne, com o sorriso inalterado.

— Como ia dizendo, Lorde Melbourne, dentro de pouco tempo a sua vida será muito mais fácil. — Avançou para ir cumprimentar os sobrinhos.

Após deitar um olhar rápido aos príncipes, Melbourne dirigia-se para junto de Emma Portman, no outro lado da sala, quando o camareiro anunciou:

— Sua Majestade, a Rainha.

Vitória entrou, seguida de Lehzen e da duquesa de Kent.

Para sua surpresa, e secreto prazer, Vitória foi direita a Melbourne, sorrindo feliz.

— Oh, Lorde M, fico tão feliz por ter conseguido vir!

Melbourne inclinou a cabeça.

— Eu devia ter ficado a aguardar os despachos de Cabul — sorriu para ela —, mas decidi que preferia vir observar as escaramuças em Windsor. — Deitou um olhar aos príncipes e Vitória riu-se, encantada.

— Pensa que Windsor é um terreno de batalha, Lorde M?

— Bem, estão aqui bastantes homens de uniforme, Majestade.

Melbourne teve a satisfação de ouvir Vitória rir de novo. Mas a reação dela não agradou a todos os que se encontravam na sala. Albert, que se se sentia inexplicavelmente melindrado pela maneira como Vitória tinha saudado Melbourne antes de toda a gente, aproximou-se da duquesa de Kent, com Ernst a seu lado.

— Que encantadora está esta noite, tia. Penso que o ar daqui lhe faz bem.

A duquesa sorriu-lhe como uma flor murcha que acabou de ser regada.

— Estou tão contente por estar aqui com vocês os dois. Seria tão bom se estivessem cá sempre.

Ver Albert conversar com a mãe fez Vitória virar-se para os primos e dizer alegremente:

— Albert, Ernst, que bem ficam com o uniforme. Estou tão contente por termos arranjado uns que vos servissem.

Ernst fez uma vénia teatral.

— São certamente esplêndidos. O vosso avô claramente não se poupou a despesas.

Vitória olhou para Albert, que manteve o olhar longe do dela.

— E o Albert?

— Acho os dourados muito pesados.

Vitória ouviu a censura na voz de Albert, mas não viu razão para tal. Por isso sorriu e disse:

— Talvez queira ver os quadros que cá existem, Albert. Sei o quanto aprecia arte. — Foi pôr-se à frente do Rembrandt, o retrato da esposa de um burguês holandês, totalmente vestida de negro com exceção da intricada gola de renda branca.

Vitória começou a regurgitar o seu saber recém-adquirido.

— *Agatha Bas*, de Rembrandt, que é geralmente considerado o melhor dos mestres holandeses. O meu tio George comprou este quadro em 1827.

Albert examinou o quadro de perto.

— Tinha um gosto excelente. A pincelada é requintada. Veja a renda.

Mas Vitória olhou para as verrugas que cobriam a face da mulher e lhe enrugavam o nariz.

— No entanto, não é muito lisonjeiro.

Albert olhou para ela e disse, muito sério:

— Talvez. Mas é verdadeiro. O que prefere? A lisonja ou a verdade? — Ao dizer isto, o seu olhar saltou rapidamente para lorde Melbourne, que os observava da outra ponta da sala.

— Tenho de escolher? — Sorrindo calorosamente para Albert, disse: — Penso que gostaria da verdade, apresentada à luz mais lisonjeira possível.

Albert franziu o sobrolho perante aquela resposta irreverente, mas no outro lado da sala Melbourne teve de se conter para não sorrir.

Ao jantar, Vitória ficou sentada entre Leopold e Ernst, Albert ao lado da duquesa e Melbourne com Emma Portman.

— Que estranho vê-lo e ao Príncipe Albert, ambos com o uniforme de Windsor — disse Emma.

— Está a tentar dizer que pensa que assenta melhor aos príncipes? — perguntou Melbourne a rir. — Não se preocupe, Emma, conheço as minhas limitações. Os príncipes parecem semideuses e eu não passo de um simples mortal.

— Não quis dizer nada disso, William, e a falsa modéstia não lhe fica nada bem. Ninguém fica mais esplêndido do que o William nesse uniforme. Creio que o Príncipe Albert concorda comigo; não para de olhar para si.

— Não com admiração, penso.

— Não. O seu olhar tem algo do monstro de olhos verdes.[20]

— Penso, Emma, que enquanto amante da intriga, estás a tentar criar um drama onde ele não existe.

— Talvez, mas lá está ele a olhar para si outra vez. — Melbourne olhou para a outra ponta da mesa e viu que, de facto, os olhos de Albert estavam postos em si. Melbourne admitiu que o arrepio de prazer que a saudação da rainha lhe provocara devia ter provocado uma sensação desagradável equivalente no jovem príncipe. Será que Emma teria razão? Teria estragado os planos de Albert? Melbourne permitiu-se um instante de ignóbil satisfação, aquilo a que os alemães chamavam *Schadenfreude*. Tornava o seu infortúnio um pouquinho mais tolerável saber que não era a única pessoa a sentir aquilo a que Emma dava o nome de «monstro de olhos verdes».

Os homens não se demoraram com o seu Porto a seguir ao jantar, antes se dirigiram para a sala de estar na primeira oportunidade. Albert foi direito ao Raphael, para o observar, e Melbourne, vendo que a rainha ficara surpreendida por ter sido ignorada desta maneira, aproximou-se para conversar com ela. Tagarelaram de forma desconexa sobre isto e aquilo, mas

---

[20] Alusão a uma metáfora de Shakespeare, que designou assim o ciúme em *O Mercador de Veneza*. (*NT*)

Melbourne viu que Vitória não parava de lançar olhares para as costas de Albert, tão firmemente viradas para si.

Por fim, ela disse, em voz bastante mais alta, na esperança, talvez, de atrair a atenção de Albert.

— Já leu o último romance do senhor Dickens, Lorde M? *Oliver Twist?* Comecei-o mesmo agora e estou a achá-lo invulgarmente fascinante.

Melbourne encolheu os ombros.

— Uma vez que não tenho a menor vontade de conviver com cangalheiros, taberneiras, carteiristas e gente da mesma laia, por que, diga-me, quereria ler uma obra dessas?

Vitória sorriu.

— Mas o senhor Dickens é tão interessante, Lorde M. Penso que apreciaria muito o livro, apesar de me atrever a dizer que nunca o admitiria.

Melbourne ia responder quando Albert se virou. Olhando para Melbourne com os seus olhos azuis muito claros, disse:

— Creio que esse senhor Dickens descreve com muito rigor as condições de vida dos pobres de Londres. — Fez uma pausa e não se deu ao trabalho de disfarçar o tom de desafio na sua voz. — Não quer saber a verdade acerca do país que governa, Lorde Melbourne?

Vitória susteve a respiração e olhou para Melbourne, ansiosa, mas para seu alívio ele sorriu e respondeu com a voz o mais arrastada e aristocrática possível:

— Pode ter escapado à vossa atenção, Alteza Seseníssima, mas faço parte do Governo deste país há dez anos, primeiro como secretário dos Assuntos Internos e depois como primeiro-ministro. Portanto, creio estar toleravelmente bem informado.

Falou um pouco mais alto do que seria normal, e os que se encontravam ao seu redor viraram-se para o ouvir. Vendo a expressão no rosto do irmão, Ernst deu um passo em frente e disse, num tom animado:

— Albert, a nossa tia tem estado a pedir para ouvir algumas canções populares de Coburgo. Como a sua voz é muito melhor do que a minha, pensei que, se eu tocar, poderia cantar. Isto é, se a prima Vitória o permitir?

Vitória virou-se para ele com o alívio estampado na cara.

— Não há nada de que mais gostasse. A Mamã fala sempre tão afetuosamente das músicas da sua juventude. — Dirigiu-se a Melbourne, expectante.

— Não pensa que seria encantador escutar algumas simples melodias populares alemãs, Lorde M?

— Temo que o meu apreço pela música alemã termine em *Herr* Mozart, Majestade. — Vendo o lábio de Vitória tremer, acrescentou: — Mas uma vez que os príncipes são tão musicais, estou certo de que a minha educação terá muito a beneficiar.

Foi recompensado com um sorriso da rainha, mas o seu autossacrifício não foi ao ponto de manter os olhos abertos durante todo o recital que se seguiu.

*

Antes de se retirar para dormir, Vitória havia combinado com os primos irem cavalgar com ela no grande parque, na manhã seguinte. Mas quando desceu e entrou nos estábulos, com *Dash* colado aos calcanhares, encontrou apenas Ernst à conversa com Alfred Paget.

Quando viu Vitória, disse:

— Bom dia, minha querida prima. Tenho de pedir desculpas por Albert. Ele acordou muito cedo e decidiu ir fazer um passeio a galope antes de se juntar a nós. Espero que não tenha nada a objetar.

Vitória sorriu. — De todo. Mas espero que não veja todas as árvores que esperava mostrar-lhe.

— Penso que Albert nunca se fartará de árvores.

Cavalgaram através dos bosques antigos, com os cascos dos cavalos a esmagarem as folhas acumuladas no chão e *Dash* a correr de um lado para o outro, à procura de coelhos. O ar estava ainda húmido e a geada ainda se agarrava aos ramos nus. Vitória olhou à sua volta e comentou:

— Albert deve ter-se levantado mesmo muito cedo.

Ernst riu-se.

— Por vezes, custa-me a acreditar que somos irmãos. Ele levanta-se sempre ao nascer do sol, ao passo que eu só saltei da cama pela honra de vir cavalgar consigo.

— Parecem, de facto, ser muito diferentes. É tão descontraído, e o Albert é... bem, nada descontraído.

Ernst freou o cavalo e virou-se para encarar Vitória, com o rosto invulgarmente sério.

— Sei que, por vezes, ele consegue ser bastante desastrado, mas saiba que o Albert vale dez de mim, Vitória.

Vitória ficou tão impressionada com a expressão no rosto dele que disse:

— Gosta muito dele.

— Desde que perdemos a nossa mãe que somos tudo um para o outro. E apesar de eu ser o mais velho, o Albert sempre tomou conta de mim.

Foram interrompidos pelo ladrar frenético de *Dash*. Um instante mais tarde, Albert surgiu a cavalo. Vinha sem chapéu, com o cabelo despenteado da cavalgada; tinha as faces afogueadas e havia lama nas suas botas. Vitória ficou chocada com a diferença da rígida figura, coberta de passamanarias douradas que vira na noite anterior. Quando ele se aproximou, perguntou-se se ele sorriria e sentiu-se aliviada quando viu os cantos da boca a subirem. Não era bem um sorriso, mas também não era a máscara de desaprovação que temera.

— Bom dia, Albert, espero que tenha achado o parque daqui mais a seu gosto do que os jardins do palácio.

Albert deteve o cavalo à frente dela.

— Em alemão temos uma palavra. *Waldeinsamkeit*. Um sentimento de união com a floresta. — Com um gesto indicou as árvores que os rodeavam. — Sinto-o aqui.

Vitória repetiu:

— *Waldeinsamkeit,* que palavra encantadora. Sinto que sei exatamente o que significa.

Albert olhou para ela e os seus lábios tornaram-se ainda mais suaves. Vendo isto, Ernst fez girar a cabeça do seu cavalo e declarou:

— Esqueci-me completamente de que tinha combinado encontrar-me com o tio Leopold hoje de manhã. Vitória, perdoa-me se eu voltar para trás? Sabe como ele pode ser miudinho com estas coisas.

Vitória assentiu em silêncio. Ernst virou-se para Alfred Paget e, olhando para o longo caminho a direito que conduzia ao castelo, cujos torreões eram claramente visíveis, pediu com uma piscadela de olho:

— Lorde Alfred, fazia a gentileza de me mostrar o caminho?

Alfred ofereceu-lhe um sorriso cúmplice.

— Com todo o prazer, Alteza.

— E um guinéu para o primeiro que lá chegar para tornar isto interessante?

— Aceite! — Os dois homens lançaram-se a galope em direção ao castelo.

*

Albert e Vitória cavalgaram em silêncio, não fora a respiração pesada dos cavalos, os ganidos ocasionais de *Dash* e os gritos das gralhas que tinham os ninhos nos ramos nus das árvores. Por um momento, Vitória pensou em Melbourne e na última vez em que estivera a sós com um homem numa floresta. Decidindo que tinha de falar, apontou para um bosque cerrado à frente dos dois.

— Creio que existe ali um carvalho que já lá está desde o tempo da Conquista Normanda. Quer vê-lo?

— Muito.

— É capaz de ser mais fácil a pé.

Albert saltou do cavalo e aproximou-se para ajudar Vitória. Quando lhe pôs as mãos em torno da cintura para a ajudar, Vitória sentiu-se tremer. Por um instante os olhos de ambos ficaram ao mesmo nível, e foi como se estivessem a olhar-se pela primeira vez. Depois, com cuidado, Albert pousou Vitória no chão. Prenderam os cavalos a uma árvore e começaram a caminhar em direção ao bosque. Mas *Dash* apanhou um rasto e correu por entre os dois em perseguição de um qualquer coelho imaginário. Vitória hesitou antes de agarrar nas saias do seu fato e correr atrás do cão, sem verificar se Albert a seguia, mas tendo de alguma forma a certeza de que o faria. Correram pelo meio da vegetação rasteira, saltando por cima de ramos e esquivando-se aos espinheiros que lhes apareciam pelo caminho.

Vitória corria tão depressa que não reparou no ramo que lhe arrancou o chapéu de montar e os galhos que puxaram o cabelo dos seus rolos bem arranjados, fazendo-o cair solto pelos ombros. Quando sentiu o cabelo cair, Vitória parou; tê-lo assim solto fazia-a sentir-se vulnerável. Quando começou a enrolá-lo num carrapito, Albert apanhou o chapéu dela e estendeu-lho. Antes de Vitória poder usá-lo para cobrir o seu cabelo arranjado à pressa, ele ergueu uma mão para a deter.

— Não, gosto de a ver assim, solta. Com o cabelo caído, já não parece tanto uma Rainha.

Vitória semicerrou os olhos:

— Penso que isso pode considerar-se traição, Albert.

Albert olhou para ela, consternado, e depois, finalmente, o seu rosto abriu-se num sorriso que o transformou, varrendo o aspeto que por vezes tinha de um rapazinho a tentar recordar-se da tabuada dos doze.

— Oh, estou a ver que está a meter-se comigo! Ernst está sempre a dizer-me que sou demasiado sério.

Vitória devolveu-lhe o olhar e respondeu, com um leve toque mordaz na voz:

— E o Albert está sempre a dizer-me que eu não sou suficientemente séria.

O sorriso de Albert não vacilou.

— Para uma Rainha, talvez. Mas agora, sem chapéu e com o cabelo assim, penso que está muito bem.

Inclinou-se para ela e pousou-lhe a mão no rosto, afastando delicadamente uma madeixa de cabelo que caíra sobre a boca dela. Ela olhou-o e, por um momento de cortar a respiração, pensou que ele ia beijá-la, mas ele recuou e recomeçaram a caminhar pelo bosque, com Vitória a sentir a excruciante proximidade do corpo dele junto do seu.

Albert olhou para o dossel das copas das árvores por cima deles.

— Quando era pequeno, imaginava que as árvores eram minhas amigas.

— Que engraçado. Eu falava com as minhas bonecas.

Albert baixou o olhar sobre ela.

— Não fomos crianças muito felizes, penso.

Vitória escutou a tristeza na voz dele.

— Albert?

— Sim?

Vitória perguntou depressa.

— O que aconteceu à sua mãe? Só sei que morreu quando era pequeno.

Albert ficou em silêncio. Vitória viu as sombras regressarem ao rosto dele e desejou não ter falado no assunto, mas ele prosseguiu:

— Fugiu do meu pai, mesmo antes do meu quinto aniversário. Com o seu escudeiro. Morreu uns anos mais tarde, mas eu nunca mais tornei a vê-la.

Albert desviou o olhar, mas Vitória pousou-lhe a mão no braço.

— Que horror. Era tão jovem, e deve ter sentido tanto a falta dela.

Albert virou-se lentamente e olhou para Vitória.

— Sabe, quanto vejo a tia Victoire a olhar para si com tanto amor no olhar, sinto ciúmes. Ninguém olha para mim assim.

Vitória procurou a mão dele e apertou-lha.

— Não é verdade, Albert. Tem o Ernst, e agora, bem, agora tem... — Mas naquele momento as calmas ruminações da floresta foram perfuradas pelo grito agonizante de um animal em sofrimento.

Vitória gelou.

— Ouviu aquilo? Parece o *Dash*.

Albert corria já na direção do barulho. Vitória agarrou nas saias e correu atrás dele. Viu-o ajoelhar-se no chão, mas sem se virar, ele disse:

— Fique aí, Vitória! Não deve ver isto!

Mas Vitória não conseguia ignorar os gritos do seu animal de estimação. Ao ajoelhar-se ao lado dele, arquejou de horror. A perna de *Dash* fora apanhada pelos dentes de aço da armadilha de um caçador furtivo; a pata pendia, frouxa, e havia sangue no chão.

— Oh, que malvadez! — disse e aconchegou *Dash* nos braços enquanto Albert mantinha a armadilha aberta com um pau e, com cuidado, soltava a perna ferida de *Dash*.

Vitória olhou para o membro lacerado e começou a chorar.

— Oh, o meu pobre *Dashy*! — Sentiu a língua áspera do cão lamber-lhe a mão. — Nunca mais vai voltar a andar.

— Não, não. Penso que está partida, mas é possível curá-la — disse Albert. — Eu vou fazer, como é que se diz em inglês, um suporte para a perna curar.

Despiu o casaco, estendeu-o no chão e fez um gesto a Vitória, indicando-lhe que se sentasse.

— Agora, tem de o segurar com força enquanto eu faço a...

— Tala.

— *Jawohl*, a tala.

— Mas não temos ligaduras.

Albert tirou a faca de dentro da bota e, com um movimento rápido, fez um rasgão na manga da camisa e arrancou-a. Vitória viu o seu braço musculado, a pele branca coberta de ouro fino, uma sugestão de pelo escuro na axila. *Dash* ganiu quando Albert rasgou o tecido ao meio, e Vitória teve de segurar o animal que tremia enquanto Albert enrolava o tecido em torno de dois paus para manter a perna partida no sítio. Trabalhou com rapidez e Vitória percebeu que se esforçava ao máximo para não causar dores escusadas a *Dash*. Finalmente, ficou pronto. A perna partida estava presa com firmeza e *Dash* lambia já as ligaduras, debatendo-se para arrancá-las. Albert sentou-se nos calcanhares e anunciou:

— Penso que, por agora, será o suficiente.

Vitória beijou o nariz de *Dash* e ergueu uns olhos húmidos para Albert:

— Estou-lhe tão grata! O *Dash* significa muito para mim. Enquanto crescia em Kensington, ele foi o meu único amigo verdadeiro. O que quer que acontecesse, eu sabia que ele estaria sempre lá.

Albert estendeu uma mão e afastou um caracol da sua cara manchada de lágrimas.

— Mas agora as coisas são diferentes, penso?

Vitória sentiu a sua face arder sob o toque daquela mão. Baixou os olhos para esconder a sua confusão.

— Oh, sim, agora tenho Lorde M... e as minhas damas, claro.

No instante em que proferiu o nome de Melbourne, Albert pôs-
-se de pé e o olhar de ternura desapareceu do seu rosto. Baixando os
olhos sobre ela, disse, num tom de voz que nunca antes lhe ouvira:

— Quem me dera, Vitória, que não tivesse passado tanto tempo
com Lorde Melbourne. Não é um homem sério.

Vitória sentiu o sangue acudir-lhe às faces. Ainda apertando
Dash contra si, pôs-se de pé com alguma dificuldade para poder
responder-lhe com dignidade.

— Lorde Melbourne escolheu não parecer sério. É o estilo
inglês. Mas é um homem de grandes sentimentos.

Albert pegou no casaco e vestiu-o, antes de se virar para Vitória
e dizer:

— Então talvez deva casar com ele.

Dash ganiu quando Vitória o apertou com mais força. Devolveu
o olhar a Albert:

— Isso não é possível.

Albert virou-lhe as costas como se se fosse embora, mas voltou-
-se de volta, com as palavras a atropelarem-se numa torrente
apaixonada.

— Sabe o que vi no outro dia, perto daquela rua agradável
chamada Regent Street? Uma criança, com talvez três ou quatro
anos, a vender fósforos, um a um. O seu Lorde Melbourne escolhe
não ver estas coisas, mas eu devo vê-las. A questão é essa, Vitória.
Quer ver as coisas como elas são, ou como gostaria que fossem?

Vitória sentiu que se não tivesse *Dash* nos braços, teria dado
um estalo na cara hipócrita de Albert. Com a voz a tremer de
fúria, disse:

— Como se atreve! Imagina que sou uma boneca que se vire
para um lado e para outro? Posso recordar-lhe que enquanto
andou a ver quadros em Itália, eu já estava a governar este país?
E, no entanto, está aqui há uns dias e já parte do princípio de que
conhece o meu povo melhor do que eu. Sou a Rainha de Inglaterra
e não preciso que me diga o que pensar! — Escutando a emoção
na voz da dona, *Dash* deu um latido de simpatia.

Albert devolveu-lhe o olhar, com uns olhos agora de gelo azul.

— Não, isso é o trabalho de Lorde Melbourne.

CAPÍTULO CINCO

A carruagem deu um solavanco ao passar num buraco e Leopold semicerrou os olhos, olhando para Albert como se ele fosse responsável por cada sulco nas estradas entre Windsor e Londres. Depositara tantas esperanças naquela visita feita de improviso a Windsor, e ficara encantado quando Ernst lhe contara que deixara Vitória e Albert sozinhos no grande parque. De certeza que regressariam da cavalgada já noivos?

Mas quando Vitória e Albert tinham regressado ao castelo, uma boa hora mais tarde, com Albert a conduzir os cavalos e Vitória segurando o cão ao colo, não só não estavam noivos como mal se falavam. Vitória entrou de imediato, transportando *Dash*, e Albert tornou a montar no seu cavalo e cavalgou de regresso ao parque. Uma hora mais tarde chegou a ordem dizendo que o séquito real deveria regressar ao Palácio de Buckingham nessa mesma tarde.

A carruagem deu outro grande salto e Leopold não foi capaz de continuar a segurar a língua.

— Não percebo o que andaram vocês a fazer esta manhã. Desapareceram durante horas e depois regressou sem nada. Nada! Até me custa a crer que seja um Coburgo. Ora, por esta altura já Ernst a teria levado para a cama.

Sentado ao lado de Albert, Ernst franziu o sobrolho ao tio. Via a infelicidade do irmão e não queria piorá-la.

— Esquece-se, tio, que é a Vitória que tem de decidir se quer casar, não o Albert. Não está numa posição fácil.

— Disparate! Sabe tão bem como eu que as mulheres são como puros-sangues; têm de ser tratadas com cuidado, mas uma vez que se saiba onde lhes tocar farão tudo o que uma pessoa quiser.

406

— Mas uma rainha não é uma mulher normal — contra-pôs Ernst.

— Pela minha experiência, todas as mulheres são iguais. Quando conheci Charlotte, ela não era rainha, é verdade, mas era herdeira do trono, e pediu-me em casamento apenas três dias mais tarde. Claro que eu era um jovem muito atraente, mas Albert também o é. Talvez eu fosse mais galante, mas Albert também podia ser, se se decidisse a isso.

Ouviu-se uma pancada seca quando Albert bateu com a mão na janela da carruagem.

— Basta! — Virou-se para Leopold, com os olhos em brasa. — Trata-se do meu futuro, não do seu, e eu decidi regressar a Coburgo.

Leopold ia responder, mas um olhar de Ernst impediu-o. Talvez fosse melhor deixar o irmão trazê-lo à razão; bem vistas as coisas, eles eram muito unidos. Por isso, recostou-se no assento, puxou o chapéu para os olhos e tentou acelerar a interminável viagem dormindo.

*

O coche de Vitória foi o primeiro a chegar ao palácio. Ainda com *Dash* ao colo, Vitória foi direita para o seu quarto e fez saber que não desceria para o jantar.

Estendeu-se na cama, com *Dash* ao seu lado, acariciando as longas orelhas sedosas do *spaniel*.

— Oh, *Dash*, porque é tudo tão difícil? — Em resposta, o seu cão ferido lambeu-lhe a mão.

Fixou os ornatos dourados do teto. Nessa manhã, no bosque, sentira-se tão próxima de Albert; quando ele lhe falara da sua mãe, desejara abraçá-lo e dizer-lhe que faria desaparecer aquela dor. Mas depois — encolheu-se com a injustiça daquilo tudo — ele desferira aquele ataque irrazoável contra Lorde M, um homem que mal conhecia. Não podia tolerar aquilo. Como poderia oferecer o seu coração a Albert se ele não percebia o quanto Melbourne significava para ela? Frustrada, torceu a orelha de *Dash* e o cãozinho ganiu de dor.

— Oh, desculpa, meu querido *Dashy*. Não queria magoar-te. — Viu a tala improvisada feita com a camisa de Albert e recordou a pele dele a brilhar à luz pálida de novembro.

A porta abriu-se e Lehzen entrou, com os olhos arregalados com o drama.

— Peço desculpa de a incomodar, Majestade, mas o camareiro do príncipe tem andado a fazer perguntas acerca dos horários das partidas de Dover. Pensei que devia vir dizer-lhe que eles estão de partida. Mas talvez já soubesse?

Vitória abanou a cabeça. Albert ia-se embora? Tapou os olhos com a mão.

Lehzen sentou-se na cama ao lado dela e passou-lhe um braço pelos ombros.

— É o melhor, Majestade. Penso que o Príncipe Albert não mostra o devido respeito por vós.

Vitória empurrou-a para longe.

— Não sabe nada sobre o assunto, Lehzen. E agora quero ficar sozinha. Estou com uma dor de cabeça.

— Uma dor de cabeça, Majestade? Quer que mande chamar *Sir* James?

— Pare de me atormentar! Não vê que só quero que me deixem em paz?

Lehzen agarrou nas saias e fugiu.

*

Na ala norte, na sala de estar dos príncipes, Albert atirava com os livros para dentro de um malão, deleitando-se com o som da pancada de cada vez que um deles batia no fundo. Ernst entrou e, vendo o que o irmão estava a fazer, atirou as mãos ao ar, exasperado.

— Está a ser infantil, Albert! Não pode ir embora, só porque teve uma discussão com Vitória.

Albert atirou um dicionário de inglês para dentro do malão com uma veemência especial. Olhou para o irmão.

— Vitória e eu não combinamos. Este casamento é conveniente para todos menos para nós.

Ernst veio colocar-se entre o irmão e o malão para que Albert se visse forçado a encará-lo. Pousou uma mão no ombro do irmão.

— Diz isso, mas gosta dela, Albert, eu sei que sim, e ela gosta de si. Ela cora quando o vê.

Albert afastou a mão do irmão com violência.

— Acho que Vitória gosta de muita gente. De Lorde Melbourne, por exemplo.

Ernst abanou a cabeça e disse devagar:

— Tem ciúmes de Lorde Melbourne? Ele tem idade para ser pai dela.

— Mas ela sorri-lhe de uma forma que não é correta. Talvez não possa casar com ele, mas eu não serei uma segunda escolha.

Ernst suspirou e agarrou Albert pelos dois ombros.

— Acredite em mim, Albert, eu vi a maneira como Vitória olha para si. Nunca será uma segunda escolha. Talvez tenha havido uma rapariguinha que gostou do seu Lorde Melbourne, mas Vitória é agora uma mulher, e gosta de si e não de um velho qualquer.

Albert olhou para ele, depois foi até à cama e pegou no casaco.

— Onde vai agora? — perguntou Ernst. Albert virou-se.

— Mandar fazer o meu daguerreótipo. Quero uma recordação da minha visita.

— Então, vou consigo. Eu também gostaria de ter uma recordação, e creio que existem algumas jovens senhoras que não ficariam tristes de ficar com a minha imagem.

— Mulheres! Não pensa em mais nada.

— Não são o inimigo, Albert — retorquiu Ernst, a rir. Vendo a cara de Albert, prosseguiu num tom diferente: — Sabe, eu vi-a uma vez, depois de se ter ido embora.

Albert olhou para ele.

— A Mamã?

— Sim. Estávamos a brincar no parque em Coburgo. Tinha nevado, lembro-me, e estávamos a atirar bolas de neve um ao outro. Quando ia a correr atrás de si, levantei os olhos e vi-a no terraço que dá para os jardins do lado da cidade. Estava embrulhada em muita roupa e tinha um véu, mas eu soube imediatamente que era ela. Corri para o terraço, mas não se consegue chegar ao lado da cidade indo pelo palácio, pelo que só pude deixar-me ficar ali, a acenar. Ela devolveu-me o aceno, não foi um grande aceno, antes um pequenino, assim — ergueu a mão, num pequeno gesto triste —, e depois, levantou o véu. — Ernst interrompeu-se e engoliu em seco antes de prosseguir. — Tinha a cara molhada, Albert. Nunca esqueci aquelas lágrimas. — Levou os dedos ao nariz, tentando conter a emoção.

— Porque é que nunca me disse?

— Não sei. Pensei que lhe seria mais fácil esquecer-se dela se não soubesse. E quis protegê-lo. Mas agora vejo que estava enganado. Ela não queria deixar-nos, Albert, mas não teve escolha. Sabe como é o Papá. Foi a única oportunidade de vida dela. E sei que, se pudesse, nos teria levado com ela. — Albert olhava para o chão, enquanto mordia o lábio. — Ela amava-nos, Albert, tanto. E partiu-lhe o coração deixar-nos. Se tivesse visto a cara dela naquele dia... — Albert ergueu o olhar.

— Porque é que nunca escreveu?

— Tenho a certeza de que escreveu, mas acha que o Papá nos deixaria ler as cartas?

Albert tremia. Ernst envolveu-o num abraço e apertou-o com força.

— Nem todas as mulheres se vão embora, Albert.

Sentiu o peito do irmão arfar com a emoção e depois, em respirações arquejantes:

— Quem... me... dera... ter a... certeza.

Ernst afrouxou o abraço e segurou o irmão com os braços estendidos para poder ver o seu rosto.

— Sabe muito mais do que eu acerca de tudo, mas no que toca a mulheres, o especialista sou eu. Posso dizer-lhe que Vitória o ama, Albert. Se casar com ela, e espero sinceramente que o faça, ela nunca o abandonará. Talvez o Albert encontre distrações — viu a cara de Albert — ou talvez não; não é como eu. Mas a Vitória não vacilará. Tem a hipótese de ser feliz, irmãozinho, e quanto mais não seja, por mim, tem de a agarrar.

*

Quando Alfred Paget lhe dissera que deixara a rainha sozinha com o príncipe Albert no grande parque, lorde Melbourne mandara vir a sua carruagem. Sabia que devia ficar e ouvir o anúncio do noivado dos dois, mas percebeu que não iria aguentar. Fora diretamente para o Parlamento, e daí para o clube. Perdera uma boa maquia ao *whist*, uma perda que considerara mordazmente agradável uma vez que desmentia o adágio que referia a falta de sorte às cartas como significando sorte no amor. Ele era, aparentemente, azarado em tudo. Estava um tanto embriagado quando finalmente regressou a Dover House.

O seu camareiro deu com ele na manhã seguinte, esparramado no sofá da biblioteca, rodeado de papéis e textos escritos em Grego Antigo, uma língua que aprendera a reconhecer ao longo dos dez anos de trabalho para lorde Melbourne. O camareiro fez passar o café por baixo do nariz do seu senhor, sabendo por experiência que o seu cheiro era a forma de o acordar que tinha os resultados menos violentos.

Melbourne agitou-se e, ainda mal acordado, estendeu a mão para o café.

— Veio alguma coisa da Rainha?

O camareiro abanou a cabeça.

— Mas soube que a Casa Real regressou a Londres ontem à noite, Vossa Graça.

Melbourne pousou o café, surpreendido.

— A Rainha está no palácio?

— Sim, Vossa Graça.

— Mas não recebi nenhuma carta dela.

— Não, Vossa Graça.

Melbourne ficou em silêncio. Esperara que Vitória lhe escrevesse de imediato a anunciar o seu noivado. Não era pessoa que gostasse, ou sequer fosse capaz, de guardar as coisas para si. Mas talvez estivesse à espera para lhe dizer pessoalmente.

Bebeu o resto do café e forçou os seus membros que estalavam a pôr-se de pé. A cabeça latejava-lhe e sentiu uma vaga de náusea, talvez resultado daí noite de excessos da véspera, mas também o receio do que estava para vir. Ainda assim, mesmo que mais nada houvesse, ele conhecia o seu dever.

— Tenho de ir ao palácio. Faz o que puderes para me tornar apresentável.

O camareiro inclinou a cabeça, num gesto solidário; homem algum era capaz de guardar um segredo do seu camareiro.

— Darei o meu melhor, Vossa Graça.

Uma hora mais tarde, Melbourne, barbeado de fresco e envergando roupa tão cheia de goma que se lhe enterrava na carne do pescoço, subia a escadaria do Palácio de Buckingham. Viu Lehzen vir na sua direção e perscrutou o seu rosto em busca de um sinal quanto ao noivado, mas o rosto da baronesa mantinha a compostura habitual, com os olhos baixos e os lábios levemente franzidos.

— Bom dia, Baronesa. — Lehzen fez-lhe uma reverência modesta. — Devo dizer que estou surpreendido por saber a Rainha no palácio hoje. Pensei que ficaria no castelo um pouco mais de tempo. — Arqueou uma sobrancelha. — Para alimentar a sua nova paixão por árvores.

A baronesa dirigiu-lhe um sorriso deslavado.

— Não penso que ela tenha encontrado alguma coisa agradável na floresta, Lorde Melbourne.

— Estou a ver. Muito obrigado, Baronesa. — Melbourne deu consigo quase a correr escadas acima. Pela posição dos ombros de Vitória, viu de imediato que Lehzen estava certa. O que quer que tivesse acontecido entre a rainha e o primo no grande parque, não fora um pedido de casamento.

— Bom dia, Majestade. — Ao mesmo tempo que se dobrava sobre a cabeça esticada dela, disse num tom animado: — Trago boas notícias. O exército alcançou Cabul sem oposição.

— Mas isso é esplêndido — retorquiu Vitória, sem o mais pequeno vestígio de entusiasmo. Com um aperto no coração, Melbourne viu que ela tinha os olhos vermelhos e inchados de chorar. Mas prosseguiu no mesmo tom animado, na esperança de que ela reagisse ao que dizia: — Pelo menos, o exército terá um sítio onde passar o inverno. Confesso que tenho andado bastante incomodado. O Passo Khyber é invulgarmente frio, ouvi dizer, e apesar de todos os exércitos terem de contar com as suas baixas, não deveriam ser vencidos pelas condições meteorológicas.

Os olhos de Vitória mantiveram-se baços; estava a olhar para ele, mas ele sabia que não o via. Inspirando profundamente, perguntou, numa voz mais suave:

— Peço desculpa, Majestade, mas passa-se alguma coisa?

Ela voltou-lhe as costas e respondeu, numa voz entrecortada:

— Os príncipes vão regressar a Coburgo.

Melbourne enclavinhou as mãos uma na outra à sua frente.

— Estou a ver. E preferíeis que ficassem?

Vitória girou sobre si própria, com o rosto por fim animado.

— Não! Bem, talvez. — Encarava agora Melbourne diretamente, e ele via a confusão nos olhos dela, bem como o desejo.

— Albert é tão difícil!

Ele hesitou antes de responder. Era o momento decisivo. Podia fazer uma ligeira pressão e o Príncipe de Corda regressaria em passo rápido ao seu reino de segunda classe. Ele e Vitória retomariam a sua relação descontraída. Ela teria o seu Lorde M a seu lado e ele, bem, ele viveria tão satisfeito como sempre vivera.

Enquanto esta visão do futuro cintilava perante os seus olhos, disse, com cautela:

— Tendes temperamentos muito diferentes. O príncipe dá-me a impressão de ser um homem que aprecia a companhia de si próprio, bem como as suas próprias opiniões.

Viu imediatamente que ela não estava a prestar atenção ao que dizia, e a visão de eles os dois a passear de braço dado pelos jardins do palácio desvaneceu-se.

Vitória disse, depressa:

— Ele pensa que eu sou muito amável consigo.

Ele sentiu o que lhe pareceu ser um soco no peito, e precisou de um momento antes de conseguir responder.

— E o que pensa a Senhora?

Vitória virou a cabeça para um lado e para o outro como se estivesse a tentar afastar uma mosca. Por fim, olhou para ele e respondeu:

— Não sei. Albert está sempre a olhar para mim como se eu tivesse acabado de fazer algo de errado. — Melbourne aguardou as palavras seguintes, com o coração a martelar-lhe dentro do peito. — Mas ainda assim... — Os olhos dela imploravam. — Gostava que ele me sorrisse.

Melbourne sabia o que ela estava a pedir-lhe. Desejando conseguir falar com a ligeireza de sempre, disse:

— O príncipe não sorri com frequência. — Forçou-se a pros-seguir. — Mas se deseja que ele vos sorria, Majestade... não sei como possa ele resistir.

O sorriso espalhou-se pela cara dela.

— Pensa mesmo assim, Lorde M?

— Sim, Majestade. — Os olhos dela brilhavam e antes de conseguir impedir-se, Melbourne acrescentou: — Só um tolo vos recusaria, afinal de contas.

Com um gesto curto e rápido, ela pegou-lhe na mão e apertou--lha. Olharam um para o outro durante um longo instante, com o ar entre eles carregado de todas as coisas que nunca poderiam ser ditas, e então ela largou-lhe a mão e correu para fora da sala.

De pé nos degraus do palácio, à espera que lhe trouxessem a sua carruagem, Melbourne avistou as inconfundíveis silhuetas dos príncipes com as suas modernas sobrecasacas cortadas à frente a passear a pé por Marble Arch.

A carruagem parou; o lacaio estava já a descer os degraus. Melbourne estava prestes a entrar, evitando um encontro com os príncipes, até pensar no que Albert dissera a Vitória e soube qual era o seu dever.

— Bom dia, Altezas Sereníssimas. — O aceno de cabeça de Albert não podia ser mais rígido se ele fosse realmente um boneco de corda, pensou Melbourne, mas não desistiu. — Estou justa-mente a caminho do Parlamento, e lembrei-me, Alteza — olhou para Albert —, de que expressou o desejo de o visitar.

Albert tentou esconder a sua surpresa.

— É verdade. É uma instituição britânica que muito admiro. Mas creio que me disse, Lorde Melbourne, que eu teria de ir, como foi que disse — deitou um olhar zangado a Melbourne —, «incógnito»?

Melbourne não pestanejou, mas sorriu em resposta.

— Penso, Alteza, que sob a minha proteção estareis a salvo até mesmo do mais assanhado dos liberais.

Como Albert hesitava, Melbourne olhou para Ernst.

— Não convence o seu irmão a vir, Alteza? Penso que ele con-siderará a experiência muito esclarecedora.

Olhou para Ernst e, para seu alívio, viu uma centelha de compreensão. Na verdade, estes irmãos não podiam ser mais diferentes.

— Com toda a certeza que vamos. Albert, está sempre a falar do sítio onde a tirania foi abolida. Eu gostava de o ver, mesmo que você não o queira.

Albert deslocou o peso de um pé para o outro, dividido entre a sua hostilidade para com Melbourne e o seu desejo de ver a Mãe de todos os Parlamentos.

— Mas temos ainda tanto que fazer antes de partirmos, amanhã.

— Disparate — exclamou Ernst. — Não é que tenhamos algum compromisso urgente em Coburgo. Penso que se desvencilharão perfeitamente sem nós durante mais um dia ou mesmo dois.

Os olhos de Albert deslizaram para Melbourne que lhe devolveu o mais neutro dos sorrisos.

— É verdade que desejo muito ver o vosso Parlamento. Se não for um transtorno demasiado grande, Lorde Melbourne, aceitarei então a sua amável oferta. — Este pequeno discurso saiu com grande dificuldade, como que espremido por uma mão gigantesca, mas Melbourne fingiu não ter reparado e, com um gesto afável, indicou a sua carruagem.

— Por favor, façam-me companhia, e conto-lhes um pouco da história durante o caminho.

*

Desde a sua reunião com Melbourne que Vitória passara várias horas a tentar evitar a mãe. Não queria mesmo falar com ela acerca de Albert. Pensara que a galeria de retratos seria o local mais seguro, uma vez que a duquesa não tinha qualquer razão para se deslocar até lá, mas para seu desconsolo ouviu a voz da mãe vinda das escadas. Virou-se para a direção oposta e viu que Leopold avançava na sua direção. Apanhada entre dois Coburgos, resignou-se ao inevitável sermão.

— Oh, Drina, aqui está. — A duquesa agitava as mãos fazendo com que os seus canudos esvoaçassem com a brisa que ela própria criava. — Albert e Ernst vão regressar a Coburgo. — Inclinou a cabeça para um lado e disse, em tom lamentoso: — Estava tão feliz por tê-los cá.

Leopold veio pôr-se à frente de Vitória.

— E vão-se embora sem um noivado.

Vitória espetou o queixo, e viu de relance Elizabeth I por cima do ombro do tio.

— Albert não é um súbdito britânico. Não posso impedi-lo de ir, mesmo que o desejasse.

Leopold encolheu os ombros e a sua mão viajou até ao chinó como que para verificar que pelo menos uma coisa se encontrava no seu devido lugar.

— Claro que pode impedi-lo. Só tem de pedi-lo em casamento.

— Oh, é só isso? Lamento, tio, mas temo que não seja assim tão fácil. — Para seu horror, percebeu que não tinha a voz muito firme.

Leopold olhou para ela, surpreendido.

— Mas porque não?

Vitória olhou para o chão e depois de novo para o tio, sustentando-lhe o olhar até que a duquesa os interrompeu.

— Sim, porque não, Vitória? Sei que não é costume as mulheres vulgares fazerem o pedido, mas é a Rainha e é a si que cabe fazê-lo. Porque hesita?

O som da voz da mãe fez Vitória irritar-se, pelo que disse sem pensar:

— Porque não tenho a certeza de que ele diga que sim.

Para sua surpresa, Leopold pegou-lhe na mão, e numa voz desprovida do habitual tom pomposo, disse baixinho:

— Não, não pode ter a certeza. Mas pelo menos sabe que se Albert disser que sim, o fará do coração.

Vitória percebeu que, por uma vez, o tio tinha razão. Ele prosseguiu:

— Mas nunca o saberá a menos que lhe pergunte, Vitória.

Vitória olhou para ele e, a seguir, regressou aos seus aposentos. Sentou-se ao seu toucador e examinou o seu rosto. Tinha sombras escuras debaixo dos olhos e sentia um inchaço ameaçador no queixo. Se perguntasse a alguém, dir-lhe-iam que estava encantadora, mas Vitória sabia que hoje não estava com o seu melhor aspeto.

— Posso trazer-lhe alguma coisa, Majestade? — Vendo que a sua voz assustara a rainha, Skerrett começou a desculpar-se. — Oh, peço desculpa, Majestade. Não queria assustá-la.

— Não, está tudo bem. — Vitória tocou nas tranças que lhe circundavam as orelhas. — Não me parece que, hoje, o meu cabelo esteja bem. Está demasiado... demasiado... — calou-se.

Escutando a confusão na voz da rainha, e adivinhando a sua origem — toda a gente comentava a partida iminente dos príncipes —, Skerrett disse:

— Talvez o cabelo apanhado em baixo, na parte de trás da cabeça. Para uma silhueta mais suave?

Vitória olhou para Skerrett pelo espelho.

— Mais suave? Sim, porque não?

— E talvez, com umas flores trás?

— Flores? — Vitória sorriu. — Gostaria de usar gardénias no cabelo.

*

— E aqui, senhores, é o salão de Westminster, a parte mais antiga do palácio que se mantém intacta. Desde os tempos medievais que é usada como tribunal. — Melbourne conduziu os príncipes para dentro da grande câmara abobadada. — Mas agora, como podem ver, usamo-la para guardar os arquivos. De momento, estamos com falta de espaço. Houve um grande incêndio há uns anos e até o palácio estar reconstruído, vamos ter de nos adaptar a isto. — Com um gesto, indicou o exército de funcionários por baixo deles.

Albert olhava para cima, para as imensas traves de madeira.

— Creio que foi aqui que o rei Charles II foi julgado pelo povo?

— Está correto, Alteza. Foi condenado à morte como tirano e traidor.

— Um grande momento. A vitória do povo. — Albert fez um gesto na direção da grande sala.

— É verdade. — Melbourne sorriu. — Mas eu não fico nada confortável com a ideia de regicídio.

Ernst retorquiu, rápido:

— Nem eu! Quero que o meu povo me ame.

— Um monarca responsável não tem nada a temer — declarou Albert. — Mas ele — hesitou — ou ela tem de saber que governa para o bem do seu povo.

Melbourne assentiu, ligeiramente cansado. Ao fim de uma hora a escutar as ideias de Albert quanto à forma de conduzir a governação, estava a começar a perder a paciência. Ainda assim, recordou-se, não estava ali para sua recreação. Tinha um dever a cumprir. Virou-se para Albert, sorrindo.

— Muito bem dito, Alteza. O equilíbrio duramente ganho entre a Coroa e o Parlamento é a grande glória da Constituição britânica. E servir como primeiro-ministro foi o maior privilégio da minha vida. — Fez uma pausa, tateando o caminho. — Quem me dera que a Rainha partilhasse dos vossos sentimentos. Temo que, por vezes, ela considere a indisciplina do nosso sistema parlamentar desagradável.

Albert olhou-o com atenção.

— Pensava que ela vos seguia em tudo, Lorde Melbourne.

Melbourne encolheu os ombros.

— Em tempos, talvez, mas agora que já se habituou a ser Rainha, sinto que me ignora cada vez mais.

Pelo canto do olho viu o irmão de Albert deitar-lhe uma olhadela.

— Estou solidário consigo, Lorde Melbourne — disse Ernst com uma expressão que indicou que compreendia a direção da conversa. — Sou muito amigo da minha prima, mas pelo que sei, ela só escuta quando existe algo que queira ouvir.

Melbourne assentiu e suspirou.

— Fiz o que pude, mas o meu Governo não pode durar para sempre e então regressarei, agradecido, a Brocket Hall. Tenho de terminar a minha vida de S. Crisóstomo. No fim, acrescentar algo à soma do conhecimento humano é a única coisa de que um homem se pode verdadeiramente orgulhar.

Ambos os irmãos estavam a olhar para ele, mas foi Ernst quem falou, num tom compreensivo.

— Será duro para a Rainha quando vos fordes, penso.

Melbourne engoliu em seco antes de se virar para Albert.

— Talvez. Mas a verdade é que é tempo de eu me reformar.

Albert devolveu o olhar a Melbourne e, ao fim de um segundo, fez um gesto impercetível com a cabeça.

— E agora, se me perdoam, cavalheiros, tenho de regressar à Câmara. — Melbourne fez uma vénia a cada um dos príncipes e afastou-se. Albert continuou a observar o teto, mas Ernst viu o primeiro-ministro tirar um lenço do bolso e assoar o nariz com extrema violência enquanto abandonava o salão.

*

— Que vestido vai usar, Majestade? O de seda azul ou o organdi cor-de-rosa?

Vitória estava de pé, de espartilho e saiotes, a olhar para os dois vestidos que Skerrett lhe estendia. Usara o de seda azul na noite em que dançara com Albert. Ficava-lhe muitíssimo bem, mas ela nunca vestira o cor-de-rosa e, neste momento, queria ter um aspeto diferente.

Apontou para o vestido rosa e levantou os braços para que Skerrett pudesse enfiar-lho pela cabeça. Enquanto a criada apertava os colchetes do corpete, Vitória sentiu as flores cerúleas que ladeavam o carrapito na sua nuca.

— Foi tão inteligente da sua parte encontrar as gardénias.

Skerrett permitiu-se um risinho que deixava transparecer algo do que haviam sido os desesperados esforços que tivera de despender nesse dia para encontrar flores de estufa quente em pleno inverno.

— Não foi fácil, Majestade.

— Imagino que não. Lorde Melbourne cultiva-as em Brockett Hall, claro. — Fez uma pausa. — Mas não podia pedir-lhas.

Skerrett não disse nada. Claro que sabia a razão por que a rainha não podia recorrer às estufas quentes de Lorde Melbourne, mas também sabia que nunca, nem por um pestanejar, devia revelar tal conhecimento. Puxou as fitas da saia com força e atou-as num laço, enfiando-as debaixo da bainha do corpete, e recuou.

— Aqui tem. Está feliz com a sua escolha, Majestade?

Vitória aproximou-se do espelho de corpo inteiro e olhou para o seu reflexo. O vestido diáfano parecia pairar em torno dela, o rosa refletia uma luz rosada sobre a sua pele. Sentia o aroma rico e aveludado das gardénias. Mordeu os lábios. À sua frente estava a imagem não de uma rainha, mas de uma mulher.

— Sim, Skerrett, acho que sim.

*

Brodie sabia que era proibido correr dentro do palácio, mas pensou que, neste caso, iria quebrar as regras. Caminhar dos aposentos privados da rainha até à ala norte demorava uns bons dez minutos e, na sua opinião, não tinha dez minutos a perder.

Correu disparado pelo corredor que dava para o aposento dos príncipes e, batendo ao de leve, abriu a porta. O príncipe Ernst estava estendido na espreguiçadeira a fumar um cigarro, enquanto o príncipe Albert se encontrava sentado à escrivaninha.

— Trago uma mensagem para o Príncipe Albert, da Rainha. — Brodie parou. Apesar de Skerrett o ter obrigado a jurar segredo, como todos os criados do palácio, sabia o significado do que estava prestes a dizer.

— Ela espera por si na galeria de retratos, Alteza.

Albert não correu ao percorrer o caminho para o outro extremo do palácio. Na realidade, quando chegou à escadaria monumental hesitou durante tanto tempo que Ernst, que o seguia a uma distância discreta, se viu forçado a revelar a sua presença.

— Não quer mantê-la à sua espera, maninho.

— Não. No fim de contas, ela é a Rainha.

Ernst pousou a mão no braço do irmão.

— Vitória é também uma mulher, Albert.

Albert afastou uma madeixa de cabelo dos olhos.

— Talvez queira despedir-se.

Ernst riu-se.

— Sim, tenho a certeza de que foi por isso que mandou chamá-lo. — Acrescentou: — Sei que está assustado, Albert, mas lembre-se de que ela também estará. — Deu ao irmão um leve empurrão na direção das escadas. — Agora, vá.

Apesar de serem apenas cinco horas da tarde, já estava escuro na rua e todas as velas haviam sido acesas. Ao atravessar o átrio em direção à galeria de retratos, Albert viu o seu reflexo no espelho que brilhava à luz dos candelabros. Tornou a afastar a madeixa solta da testa e entrou na galeria.

Ela estava de pé, de costas para ele, à frente de um quadro de Elizabeth I, com *Dash* aos pés. O soalho estalou quando ele avançou na direção dela, ela soltou um gritinho e *Dash* começou a rosnar. Ela girou no meio de uma nuvem de cor-de-rosa e pareceu nunca o ter visto antes. Albert deu mais um passo na sua direção.

— Perdoe-me por tê-la assustado, Vitória.

Vitória continuava a olhar para ele, com o lábio a tremer.

Albert avançou ainda um outro passo.

— Disseram-me que queria ver-me.

Dash tornou a rosnar, o que pareceu despertar Vitória do seu transe. Ergueu os olhos para Albert e, franzindo a testa com esforço, disse:

— Quero perguntar-lhe uma coisa, Albert, mas antes de o fazer, tenho de ter a certeza de que não se importa que pergunte.

Albert escutou o tremor na voz dela e deu mais um passo na sua direção. De imediato foi assaltado por aquele aroma que lhe recordava tudo o que amara e perdera.

— Está outra vez a usar essas flores.

— Sim, chamam-se gardénias.

— Gardénias. — Albert fez rolar a palavra na boca. Estava tão próximo dela que conseguia agora ver o minúsculo alto no seu queixo. — Posso? — Vitória estremeceu, num assentimento, e ele inclinou-se para a frente para sentir o aroma das flores. Inspirou o perfume cerúleo, voluptuoso e disse, com um suspiro: — Esse aroma faz-me sentir em segurança.

Vitória arregalou os olhos.

— A sério?

Albert assentiu, incapaz de falar. Vitória engoliu em seco.

— Faço agora a minha pergunta?

— Gostaria muito.

Vitória mordeu o lábio e, como se tivesse decorado as palavras:

— Albert, dar-me-ia a honra? — Parou e sacudiu a cabeça.

— Não, soa mal. — Olhou para longe, depois de novo para ele e então, na sua voz clara disse: — Albert, casa comigo?

Albert sentiu o sorriso espalhar-se-lhe na cara.

— Depende.

— De quê?

Ele ouviu a surpresa e o melindre na voz dela e, por um segundo, desfrutou desse momento.

— De me deixar ou não beijá-la.

Os olhos de Vitória arregalaram-se e agora sorriu.

— Se eu deixar, diz que sim?

Albert abanou a cabeça.

— Primeiro tenho de a beijar.

Os lábios de Vitória entreabriam-se e ela disse, num sussurro:

— Muito bem. — Fechando os olhos, ergueu o rosto para ele.

O aroma das flores, o peso do corpo de Vitória contra o seu, as luzes cintilantes — Albert sentiu o coração ceder. Quando encostou os seus lábios contra os dela e os sentiu reagir com tanta avidez, soube que encontrara a peça que sempre lhe faltara. Passou as mãos pela cintura dela e puxou-a para si, e beijaram-se até se verem forçados a parar para poderem respirar.

Vitória agarrou-lhe a mão e disse, rindo de excitação, com os lábios inchados de desejo:

— Então, vai aceitar o meu pedido? Não tenciono ajoelhar-me, sabe?

Albert tomou-lhe a face entre as mãos.

— O meu coração pertence-lhe, Vitória. — Tornou a beijá-la, com mais ardor e durante mais tempo do que antes. — Para mim, isto não é um casamento de conveniência.

Vitória inclinou-se para trás para o olhar. Com um lampejo de realeza, afirmou:

— Não, penso que será um casamento de inconveniência.

Inclinou-se e os seus lábios ficaram junto dos dele:

— Mas não tenho outra escolha.

Albert pegou-lhe pela cintura para que ficasse a olhá-lo de cima e declarou, com alegria:

— Nem eu.

Dash começou a ladrar ao homem que agarrava a sua dona, mas, por uma vez na vida, foi ignorado.

AGRADECIMENTOS

Este romance foi escrito ao mesmo tempo que eu trabalhava na série de televisão *Victoria*, pelo que tenho de agradecer ao elenco, em especial a Jenna Coleman, a Rufus Sewell e a Tom Hughes por terem dado às minhas personagens uma vida gloriosa. A Damien Timmer e Rebecca Keane por me terem ensinado a contar uma história no ecrã. Os inimitáveis Hope Dellon e Imogen Taylor, os meus editores nos Estados Unidos e no Reino Unido, recordaram--me como contar uma história em livro. Os meus agentes, os gloriosos Caroline Michel e Michel McCoy, limparam muitas lágrimas ao longo deste caminho.

Muito obrigada ao Professor David Cannadine, que me apresentou os diários de Vitória quando eu era estudante em Cambridge, e a Andrew Wilson e a Helen Rappaport pelo seu apoio em tudo o que se prende com o período vitoriano. A minha profunda gratidão a Rachel Street pelo apoio que me deu na pesquisa que respeita ao século XXI.

Tenho a sorte de ter um pai, Richard Goodwin, que é também o meu leitor mais entusiasta, e uma melhor amiga, Emma Fearnhamm, que guardou os seus apontamentos das aulas da universidade.

Muito obrigada às minhas filhas: Ottilie, que me manteve lúcida e teve sempre razão, e Lydia, que me forneceu todo a informação de que precisei para uma rainha adolescente. E obrigada ao Marcus, que me levou duas vezes à Ilha de Wight.